JN039671

現代を知るための文学20

狩野良規

国書刊行会

はじめに

文学によって現代の何をどのように知ることができるのか。

そんな大袈裟なテーマで本を書く日が来るとは、夢にも思っていなかった。発端はもう十年以上前のこと、立派な――お世辞でなく、僕が昔々大学院で書いた論文よりずっと立派な――修士論文を書き上げた修了生が飲み会の席で、「で、先生、いったい文学って何なんでしょう？」と真顔で聞いてきた。ふだんだったら、「そうねえ、気晴らしよりちょいと上の娯楽かな」、「第一次欲求じゃないし。なくても生きていける。遊びだよ、遊び」くらいの返答をするのだが、この時は決して器用ではない学生が、苦心惨憺(さんたん)の末に深い思索に富んだ論文を書き終えたばかりで発した一言、僕は返事に窮してしまった。

なるほど、そういう根源的な質問が、本気で答えようとするといちばん厄介な、説得力のある説明がなかなかできない問いなのだ。かくて、そのアルコールの入った席でのやりとりは、僕の頭の片隅にずっと残っていた。そして今、還暦を過ぎて、自分がこれまでささやかに勉強して（遊んで？）きたことの何かまとめをしようと考える年齢に達した。

そこで「文学とは何ぞや？」と自問自答を……いや、ちょっと漠然とし過ぎているか、ならば「現代」をくっつけてみようか⁉　でも、シェイクスピアという四百年前の作家を研究している

（ことになっている）僕が、現代を真っ向から語るなんて……

それから材料。これはけっこうな分量の文学作品に関するノートやらメモやらが手元にあるのに気がついた。僕は現在の職場に、一昔前で言う〝一般教養付きの語学の教員〟として拾ってもらい、大学生に英語を教えて生計を立ててきた。それで十分！　僕にとって言語を教えることは、苦にならない有難い生業である。ところが、学部は改組、改組の雨あられ。いつの間にか、ゼミを持て、大学院の授業をやれ、と。困ったなあ、遊び人の僕にいったい何を教えろと言うんだ。

とくに僕の所属している学部は社会科学系、また大学院は社会人にも広く門戸を開いた研究科。そこでシェイクスピアはないだろう、さらにイギリス文学を英語で読むのも……決断は早かった。よし、英語を捨てよう、翻訳で小説や戯曲を読み、その映画化作品を見る。おゝ、これならやれそうだ。そうなると、イギリスだけでなく、非英語圏の作品にも自然と手が伸び、やがてゼミ生・院生たちと「世界文学」を日本語で読んでは語り合い、あっという間に四半世紀が過ぎた。そのうちに「グローバリズム」なる怪しげなスローガンが流行りだした。ヘッヘッヘッ、世の中が僕の授業に追いついてきた!?

しかし、そんな遊びをまさか活字にしようなんて不届きな所業は、いくら僕でも考えていなかった。でも、『薔薇の名前』の巨匠も言っている、「世界の九〇パーセントの読者は『戦争と平和』や『ドン・キホーテ』を翻訳で読んでいる」（『ウンベルト・エーコの小説講座』和田忠彦・小久保真理江訳）。ヘヘエ、やってみようか！

ということで、いざ、日本語（と英語少々）で読んだ世界文学の解題でございます。お目汚し。

目次

第3章　不条理

第4章　近代

第5章　個人

第1章　おゝ、現代

1　ウンベルト・エーコ『薔薇の名前』

ごめん。「現代を知るため」と銘打ちながら、なぜか初っ端から中世のお話。ひねくれ者の戯批評とお許しあれ。

ウンベルト・エーコの『薔薇の名前』（一九八〇年）は、十四世紀、北イタリアの山奥にある修道院で起こった連続殺人事件をシャーロック・ホームズばりの修道僧が解決するミステリー仕立ての長篇小説、世界中で売れに売れた大ベストセラーである。だがエーコは記号論と中世美学を研究する大先生、その戯小説はなかなかの難物である。

河島英昭の日本語訳（東京創元社、一九九〇年）が出るまで十年かかった。その間に〝攻略本〟の方が先に何冊も翻訳されたのには、笑ってしまった。僕の周りでは邦訳を待ちきれず、英訳で読んでいる人がたくさんいた。イタリア語はちょっぴり（ウンポ）しかできない僕は、有難く河島訳をひと夏ひたすら味読して、至福の時を過ごした。

『薔薇の名前』はまさに知の迷宮――いや、そう言うと、かえって読みづらくなるか。ならば、まずはジャン・ジャック・アノー監督による同名映画（一九八六年、フランス・西ドイツ・イタリア合作映画）[1]をご覧になるのも一興。ショーン・コネリーが僧侶探偵に扮して活躍する、よくできたエンタメ映画である。中世の修道院の香りが芬々と漂う。『ダ・ヴィンチ・コード』なんて、小説も映画も文学史・映画史に残らないただのヒット作だが、映画『薔薇の名前』は一・五流の佳作、そして小説は間違いなく超一流、二十世紀を代表するイタリア文学の、いや世界文学の大傑作である。

小説『薔薇の名前』には「手記だ、当然のことながら」[2]と題した前書きが付されている。ちょいと小さめの活字で、史料の解説がなされている。件の殺人事件は一三二七年十一月末に起こったというのだが、それを見聞きした当時は見習いの修道僧、メルクのアドソが晩年、たぶん十四世紀の末にラテン語で手記を残した。その手書きの記録が十七世紀に復原されたらしく、それがネオゴシック調のフランス語に訳された十九世紀の版を、著者は一九六八年[3]、あの「プラハの春」がソ連軍の戦車に粉砕された年に手に入れた。著者は一気にイタリア語に訳出、迷ったあげくにその訳稿を世に問うことにした、と。日付は一九八〇年一月五日、すなわち『薔薇の名前』の出版年、ただし一月五日はエーコの誕生日だという[4]。

研究者らしい詳細な、別の言い方をすれば縷々とした史料の説明である。でも、ヘッヘッヘッ、全部エーコの作り話だ。だって小説なのだから。まじめに読むと、もうここでダウンしてしまうかもしれない。だが、エーコの嘘八百、遊び心と知れば、読み流せる。それで十分だ。

そして、プロローグ。冒頭に「初めに言葉があった。言葉は神とともにあり、言葉は神であった……」「ヨハネの福音書」からの引用で始まる。私たちはその言葉の表象を丹念に読み抜かねばならない。私、アドソは自分が見たまま聞いたままを、後世の人々のために徴の徴として書き残しておこう——なるほど、まずは「言葉」だ、しかしそれは「表象」であって、その「徴の徴」を丹念に読み解かねばば。と、記号論のマニフェストみたいな書き出しだ。

エーコは殺人のあった僧院の名は明かせぬともったいぶるが、時は「一三二七の年の終り」と特定する。神聖ローマ皇帝ルートヴィヒと「破廉恥な」教皇ヨハネス二十二世——エーコはこの教皇をよく書かない——が対立していた時代。教皇庁がフランス王権によってローマから南フランスに移されていた、いわゆる「教皇のアヴィニョン捕囚」（一三〇九—七七年）の時期の話。ヨーロッパ好き、とくに歴史をやっている人間には、生臭い権力闘争の臭いが漂ってきて、グッと心をわしづかみにされるところだが、古いものは勘弁してよという人にとっては、時代状況の説明や知らぬ固有名詞のオンパレードは辛いだろう。我慢、我慢、適当に読み飛ばせばいい。

続いて、主人公、アドソの師にして博識なフランチェスコ会修道士、バスカヴィルのウィリアムが紹介される。背が高くて痩せていて、目は鋭く、年は五十歳には達していただろうイギリス人。行動力抜群で、未知への関心は高い。メガネや天体観測の道具などを持ち歩く。師匠はロジャー・ベーコンとか。これは実在の反逆的な哲学者。同じく実在のスコラ哲学者オッカムのウィリアム(5)とは親友同士だというが、どうやら架空の主人公はその近代的な発想をもっていたことで知られる親友になぞらえているようだ。

と、実在と架空の人物たちがごった煮になった話を、エーコの煙に巻かれながら読んでいると、中世には弱く、しかしイギリスは好きという読者は、ふと気になってくるだろう。「バスカヴィル」、どこかで聞いた。そう、シャーロック・ホームズ・シリーズに『バスカヴィル家の犬』なる長篇がある。ウィリアムはホームズと二重写しになっている人物だよと、エーコが信号を出している。さらにアドソとワトソン、西洋人が早口で発音すれば似ている。

まじめな歴史書とはほど遠い、人を食った戯ミステリー小説である。その主人公ウィリアムも中世人らしくない、たぶんに近代的ないしは今日的な頭脳を有した坊さんである。虚と実は、巧みにブレンドされて、濃密なSF的世界が創造されている。

さて、本篇。七日間の物語に分かれる。初日はウィリアムとアドソがうっすらと雪が覆う山中にそびえ立つベネディクト派の僧院に到着するところから。さっそく中世のホームズが修道院長の逃げた馬の行き先を推理する。おまけにその名がブルネッロだとズバリ言い当てる。一頭の個物としての馬の蹄の跡を自分の曇りのない目で観察し洞察する師匠に対して、普遍概念としての、単なる記号としての馬しか思い描けなかったワトソン、いやアドソは恐れ入ってしまうという、あいさつ代わりのエピソードである。

しかし、う〜ん、難解だなあ。エーコよ、何が言いたいんだ？――なので、話をちょいと横道にそらすが、言語を勉強している者にとって、自分の子供がどうやって言語を獲得するかは、なかなか面白い観察材料である。わが家の長男はよちよち歩きのころ、まず「ニャンニャ」なることばから覚えた。両親はさかんに絵本の猫を指さして「これ、何？」、息子は「ニャンニャ」。「おっ、うちの子、天才じゃないか」と悦に入った。

だがしばらくして、待てよ、こいつは絵本の絵をニャンニャと思ったのか、生きている猫をニャンニャの名前で認識したのか。で、デパートに行った折に判明した。息子は売り場にいた中年の女性を指さし「ニャンニャ」と繰り返しながら、後をついて行くではないか。見ると、彼女はキツネの襟巻をしていた。早々家に帰って、絵本の犬を指さすと、案の定、息子は「ニャンニャ」。

長女が生まれた。この子は四足の動物はすべて「ワンワン」で認識した。ふう〜ん。そして次女。さあ、こいつはニャンニャからかな、ワンワンからかな？——すると、「アンパン」。彼女はアンパンマンの絵本が大好きで、生きものは全部アンパンの名で普遍化した。

事物と名前はどう結びついているのか。相互に有機的なつながりがありやなしや。これ、言語学入門の授業では「言語の恣意性」といって、基本のキとして教わる事項である。

もうひとつ。高校の世界史の教科書に載っている中世スコラ哲学の「普遍論争」の話を覚えておいでか。まず個々の事物が存在し、概念はそれらのための単なる名前に過ぎないとする「唯名論」と、概念は個物に先だって実在すると唱える「実念論」との間の論争。ザックリ言えば、今日の「帰納法」と「演繹法」に通じようか。

われらがウィリアムは逃げた馬の蹄の跡を観察して、修道院長の愛馬の足跡だと推理した。[6] そう、彼の故郷イギリスは、大枠の理論よりもフィールドでの観察を善しとする「帰納法」を好む精神風土をもつ。[7] かの国の二人の哲学者、ロジャー・ベーコンとオッカムのウィリアムも、経験や実験や科学を指向したことで知られる。

と、なんで道草したかというと、小説のタイトルは「薔薇の名前」、終幕まで読むとエーコのライトモチーフのひとつが、現実と名前ないしは概念をめぐるスコラ哲学の一大論争と絡み合っていることがわかるからである。

話は修道院である。「六十名の修道僧に対して百五十名の下僕」がいると書かれているから、実に豊かな僧院。僧侶たちが民衆から崇(あが)められていたのは、単に神の使いだったからではない。往時の僧院の財力たるや。今日ヨーロッパを旅行すると、たくさんの修道院ないしは修道院跡が観光名所になっている。その大きさ、荘厳さ、そしてお宝の数々。

また、修道院の豚小屋の背後にある崖から堆肥(たいひ)が捨てられる。それを農民たちが畑で使うべく取っていくらしい。悪臭を放つその堆肥の捨て場は、「僧院全体が山上にあって天との関係を清純に保つためにおのれの体内から排出した、老廃物の溜め場所」だ、と。映画では、僧院から堆肥にも残飯にも見える老廃物が落とされ、貧民たちが崖下でそれに群がる印象的な〝絵〟を撮っている。その貧民たちの中に、アドソの一期一会の娘が……一流の芸術映画とはいわず、しかし一・五流の傑作中世入門映画である。

さらに、僧侶たちがたらふく食事をする場面も。清貧とは何ぞや。いったい中世の人々の平均寿命は三十歳くらいだったといわれるが、この作品、爺さんの登場人物がやたらと多い。修道院長のアッボーネはおよそ七十歳、最長老のアリナルドはなんと百歳に近いとか。ウィリアムが、偉大だからこそ変わり者だと称したフランチェスコ会の厳格主義派の中心人物ウベルティーノは、実在の長老。また、盲目の老修道僧ホルヘは修道僧たちが笑ったのを聞きとがめ、ウィリアムとは、イエスが笑ったことがあるかどうかで議論する。

この僧院には、キリスト教世界随一の蔵書数を誇る文書館[8]があるという。その意味でも豊か。中世の文化と教育の中心は、まぎれもなく書物を独占し秘蔵している修道院であった。識字率がきわめて低かった時代、僧侶たちは書物が読めることによって、絶大なる権力を得ていた。だが、中世ヨーロッパ文化をリードしていたこの修道院の文書館、最上階にある文書庫だけは立ち入り禁止になっている。

その文書館の塔の窓から細密画家でもある修道僧アデルモが身投げしたらしい。さらに二日目の夜が明けると、豚小屋の大甕（おおがめ）の中に、アリストテレスをはじめとする古典の翻訳を専門にしていた学僧ヴェナンツィオの死体が逆さに突っ込まれているのが発見される。今度は自殺ではない、間違いなく殺人である。小説の主筋が動きはじめる。

殺人の背景には、どうやら文書館に所蔵されている禁書が絡んでいるらしい。ウィリアムとアドソは納骨堂を通って文書館へ行ける秘密の通路を聞きだし、夜夜中（よるよなか）写字室へ、そこから禁じられた三階へと昇っていく。

また、時代は先にも述べたように、皇帝と教皇が敵対し、そのうえ教皇とフランチェスコ修道会が対立、そこにベネディクト修道会が介入して、「対立と同盟の四角形」を形成する様相を帯びていた。ウィリアムの所属するフランチェスコ会は、あのアッシジのフランチェスコ（一一八二―一二二六年）が始めた修道会である。創始者は財産を捨て、教会の外へ出て、托鉢（たくはつ）による清貧生活の中で伝道を行なった。仏教界なら、親鸞に近い存在だろうか。一方のベネディクト会はヨーロッパ修道院の基礎をつくった保守本流、財力も並々ならず。皇帝から派遣されたウィリアムは、フランチェスコ会と教皇が手打ちをすべく、その予備会談をここ、ベネディクト派の僧院で開くためにやって来た。現代でいえば、合従連衡の政争の渦中で保守勢力と共産党が接近する、そのフィクサー役を仰せつかったというところだろうか。

そこにドミニコ会に属する辣腕の——残虐ともいう——異端審問官として名を轟かせたベルナール・ギー（実在）も到着するという。殺人事件なんて小さい、小さい。天下分け目の権力闘争の気配が芬々と漂う僧院に緊張が走る。

修道院は山上、つまりは天上にいちばん近いところにある。なのに、その俗世を離れた聖域に魑魅魍魎（ちみもうりょう）が徘徊し、醜い派閥争いが絶えない。おゝ、学問の世界と同じではないか。清貧の思想はいずこに。

で、汚れた聖域と下界をつなぐ人物のひとりに、僧院の厨房係の助手サルヴァトーレがいる。怪物のような顔をし、浮浪者に近い。僧侶たちと違ってラテン語を話さず。彼が朝食の折、アドソに身の上話をする。自分の生まれた村は飢餓にあえぎ、動物の死骸や人肉さえ口にする者もいた、自分はやがて村を逃げ出し、各地を放浪した……と、それを、羊の肉のパイにかぶりつきながら話すのがいい。

最下層の放浪者の群れには、正しい信仰を説く者も異端者も政情不安につけこむ扇動者も混ざっていた。だからこそ教皇は、「世界の路地裏を流れる泥水」の中で「清貧を説きながらこれを実践する平信徒(9)たちの運動に、絶えず怯(おび)えていた」。

異端についてのアドソの質問にウィリアムが答える。平信徒たちはたまたま自分たちの土地で説教した者について行っただけだ、異端がその教義を説いて飢えた民衆を駆り立てたのではない、「現実には、先に平信徒がいて、後から異端が来るのだ」。

さらに師曰く、「癩病人［河島訳ママ］」はキリスト教徒にとって「羊の群れ」から排除された存在だ、聖フランチェスコは彼らを群れに引き戻すために、癩病人たちと共に暮らした、と。だが、そうした活動は簡単に成功するものではないと、彼の高説は延々続く。アドソは焦(じ)れて叫ぶ、「なぜ、ご自分の立場を、明らかにしないのですか？　なぜ、真実がどこにあるかを、言おうとなさらないのですか？」――ウィリアムは、「なしうる最大のことは、もっとよく見つめることだ」と。結論ばかり求めるな。いい話だ。今日のすべての学問に通じる。

ウィリアムによれば、ロジャー・ベーコンは平信徒たちの力を信じていた、「一般法則を探求するうちに、しばしば、おのれを見失ってしまう学者などよりも、はるかに大切なものを、平信徒たちは身につけている」。インテリより大衆の力を、ってわけだ。しかし、「世界の改善と改変とのために機能する彼ら［平信徒たち］の活力を保持しつつ、彼らの経験の近くに踏み留まるためには、いったいどうすればよいのか？　それがベーコンの命題であった」とも。民衆の側に立つ！　ヘッヘッヘッ、口当たりのいいことばだが、それはとても意地の焼ける、胆力を必要とする姿勢態度である。

そして、ゆるゆるとした話は、今日〔十四世紀前半〕では学問の担い手たちも修道院だけでなく、都市の大学あたりに現れはじめた、と続く。言語もカトリック僧侶の共通語たるラテン語ではなく、俗語を使うようになってきた、「あのフィレンツェの男」も――と、エーコはもちろん、ダンテ(10)に目くばせしているのである。

と、この小説、ストーリーよりも、ウィリアムの、いやエーコのうんちくが面白い。

夜、アドソは高僧ウベルティーノから、修道士ドルチーノが決起し、教皇軍によって異端として鎮圧され、妻のマルゲリータともども火あぶりに処せられた話を聞く。フランチェスコ派の教義に鼓舞され、清貧を唱え、しかし暴力に訴えて異端討伐十字軍と対峙、飢餓にあえぎ、最後は生け捕りにされて一三〇七年に処刑された実在の過激派分子である。

アドソはその夜、ふたたび写字室に忍び込み、そこでドルチーノ事件に関する手写本を見つけて読みはじめる。罪人たちは市中を引きまわされながら、真っ赤に焼けた鉄の鋏(はさみ)で肉を引き裂かれた。まず美しきマルゲリータがドルチーノの目の前で火あぶりにされる。その時彼は眉毛一本動かさず。ドルチーノは激しい拷問にも終始無言のまま、ついに彼の身体は焼け焦げて、その灰は風に舞った、と。残酷なるかな、だがアドソは写本の記述に、ドルチーノの「殉教者と変わらぬ、毅然としたもの」を感じ取った。

なぜ権力者たちは清貧のうちに生きたい者を嫌悪するのかと、見習い修道士は沈思する。エーコ先生は、中世の異端がどのように生まれたのか、なぜ体制側は異端を厳しく処罰したのか、教会や世俗権力が異端や癩病人を排除するのではなく、体制内に取り込むことはできなかったのかと、さかんに問うている。

で、怪物のような容姿のサルヴァトーレ、さらに彼の上司の厨房係、大食漢のレミージョは、かつてドルチーノの徒党に加わり、そこから離脱し、この山奥の修道院に身を潜ませているらしいことがわかってくる。

夜中の写字室から出たアドソは厨房で、食料を求めて忍び込んだ下界の農民の娘に出くわす。そして、えっ、抱き合うのか。映画はちょっとしたラブシーン。一方原作は、晩年のアドソが生涯に一度きりの経験を綴る手記の筆が、ぎこちなくて頭でっかちで笑える。殉教者を火刑にする炎と、突然燃え上がった「私の卑しい喜び」が交錯していたなんて。何十年たっても、まだ恍惚感に打ち震えているよう。むろんエーコの作り話だが。

表層のミステリーの方は、文書館長の補佐ベレンガーリオが沐浴所で溺死体となって発見される。ウィリアムがレミージョを問い詰めると、彼はドルチーノ派の残党だと白状する。ドルチーノの説教は信じたが、神学には無知だ、しかし農奴出身のサルヴァトーレと違い、自分は市民だ、飢える階級ではない、あれは「大がかりな謝肉祭」だった、と。ほほう、反体制運動でも、プロレタリアートとプチブルでは動機が違うってか。

フランチェスコ会総長ミケーレ（実在）を筆頭とする使節団、さらにベルナール・ギーをはじめとする教皇側の一行も到着する。歓迎の晩餐の贅沢さ。祈る者たちは裕福である。

第四日目の夜、ウィリアムとアドソはまた文書館の迷宮へと入っていく。グーテンベルクが活版印刷術を発明するまでは、本といえばすべて僧侶が書き写した手写本だった。[11] そのお宝の山が二人の眼前に広がっている。エーコは前書きにこれは「数々の書物の物語」、安らぎは書物と共にいる時だけと記しているが、なるほど本の話になると、古書のコレクターとしても知られるエーコ先生、楽しそうに筆を進めている。[12]

ウィリアムがアドソに講義する。書物から書物へ書き継がれていく間に、当初の事物は姿を変える。「〈権威（アウクトリタース）〉から〈権威（アウクトリタース）〉へと承け継がれていくうちに、事実はしだいに空想のなかで変容」してしまう。だから「書物というのは、信じるためにではなく、検討されるべき対象として、つねに書かれるのだ」と。エーコが大学院の学生に語っている風である。

そう、史実とは何ぞや。一三二七年の殺人事件を老いたアドソが回想し、その手記がフランス語に訳され、さらに最近イタリア語に重訳されて『薔薇の名前』になった!?　お笑いである。大嘘コンコンチキ。当初の、変容していない事実はいずこに？

また、「観念（イデア）とは事物の記号である。そして心象（イメージ）は観念の記号であるから、記号の記号ということになる」、「真の学問は、まさに記号である観念で満足してはならず、個々の真相のうちに事物を捉え返さねばならない」と。ことばや概念は、それが「どのような根源的な経験の事実」から生み出されたかを調べるべし。僕も学生時代、ゼミでそう教わった。

師弟が膨大な手写本の世界に酔いしれているころ、あわれ、サルヴァトーレと下層民の娘がベルナール・ギーに捕らえられる。アドソに俗世の愛を教えた娘は、やがて魔女として火あぶりにされるだろう。翌日、フランチェスコ会とアヴィニョンの教皇使節団は、キリストの清貧をめぐって論戦を交わす。そして、薬草係の学僧セヴェリーノの惨殺死体が見つかり、レミージョが逮捕される。

ベルナール・ギーは修道院内の殺人事件になど関心はない。レミージョを利用して、フランチェスコ会と教皇の間に和解が成立することを阻止するのが彼の目的である。ドルチーノ派の残党への巧みで残忍な拷問が始まる。

レミージョが、清貧を正義の旗印に掲げ、不当に蓄えられた富を強奪したテロ行為について、ベラベラとしゃべりはじめる。ウィリアムは「大食漢が純粋な者へ戻ったぞ」。「純粋というものはいつでもわたしに恐怖を覚えさせる」、それは「性急」だからだ、と。御意（アーメン）。

また、レミージョはこの修道院で十一年間、自らの信仰に背（そむ）き、領民から十分の一税を取り立てる手伝いをし、美食を堪能した。さらに、ドルチーノを裏切り、討伐軍に通じた、とも。自分も「一夜触れたことのある」マルゲリータが切り刻まれ、泣き叫ぶのを見た。ドルチーノも女みたいに呻（うめ）いていた、と。そうなのだ、人間はめったに雄々しくは死なない。アドソを、そして読者を唸（うな）らせた、殉教者のような毅然とした異端分子の〝絵（イメージ）〟が、ここでガラリと変わる。イメージは記号の記号。即物的な史実など、ありやなしや。むろん拷問され錯乱状態で語ったレミージョのアンチ・ヒーロー話も本当かどうかわからない。

和解の使命を果たせなかった失意のミケーレが僧院を去っていく。「わが修道会がおのれに清貧の理想を課しているときにのみ、異端分派の再吸収が可能になる」、それを教皇に理解してもらわないといけない、と宣（のたま）って[13]。

一九七〇年代イタリアは過激派によるテロが頻発し、「鉛の時代」と呼ばれた。その最たる出来事が一九七八年、元首相にしてキリスト教民主党の党首アルド・モーロ[14]が極左集団の「赤い旅団」によって誘拐され、およそ二カ月後に殺害された事件である。エーコは、この世界中の目を釘付けにしたテロ事件にショックを受けて『薔薇の名前』を執筆したと公言している。

となれば、異端のドルチーノ派は「赤い旅団」、清貧を掲げるフランチェスコ派は共産党、金持ち修道会のベネディクト派は保守のキリスト教民主党という構図が二重写しに見えてくる。フランチェスコ会（共産党）はドルチーノ派（赤い旅団）を含む異端を排除せず、なんとか社会の内部に共存させたい、そのためには清貧（社会主義）の看板は外せないのだが、そのスローガンは両刃の剣で、教皇（政府）やベネディクト会（与党、キリスト教民主党）からは、自分たちも異端扱いされかねない。

記号論の学説を小説化し、書物への愛着を語り、しかしこのメタ小説は〝裏テーマ〟において、きわめて政治的かつ現代的な課題を呈示し分析している。イスラム過激派――いや、貧困にあえぐ第三世界――による武装闘争の時代を迎えた二十一世紀、エーコが一九八〇年に描いた十四世紀の世界は、残念ながらますます現代を照射していると言わざるを得ない。

お話は中世の僧院に戻って、文書館を陰で牛耳っているらしいホルヘが法話を行なう。数日前ウィリアムにイエスは笑ったことがないと断じたその老僧によれば、修道院での労働は知の保管であって、探究ではない。「知の歴史においては、時代による進歩もなければ変革もなく」、僧院の文書は「ただ瞑想し、注釈を施し、保持するだけでよい」。進歩史観を否定した、実に中世的な発想、だがこれはこれで味がある。それもそのはず、ホルヘには、エーコが敬愛するアルゼンチンの文豪で晩年に失明したホルヘ・ルイス・ボルヘス（一八九九―一九八六年）の姿が投影されている。この幻想作家は、独裁者ペロンの失脚後、ブエノスアイレスの国立図書館長を務めている。『薔薇の名前』の文書館は彼の短篇「バベルの図書館」のイメージから生まれたものだという。

第六日の朝、文書館長のマラキーアが祈りの最中に絶命する。これで四人が殺害されたことになる。うん、りっぱな殺人ミステリーだ。

物語は大詰め、第七日が始まろうとする真夜中、ウィリアムとアドソは文書館の奥の院「アフリカの果て」へ踏み込む。すると、そこで待っていたのは怪僧ホルヘであった。この小説のクライマックス、ウィリアムとホルヘの対決が始まる。

ウィリアムはすでに見抜いていた。殺人の動機となった禁書がアリストテレスの『詩学』、有名な悲劇論に続く（現存していない）第二部の喜劇論だと。これ、爆笑もののネタである。ホルヘ曰く、笑いはつかの間農民たちに恐怖を忘れさせる、だが「掟は恐怖を介して律するのであり、その真の名前は神への畏怖だ」と。そう、民衆を律していくためには彼らに恐怖心を植えつけなければならない、神を笑えるようになっては、信仰は成り立たない。だから、「笑いが方法にまで高められ」ているアリストテレスの喜劇論は、あってはならない書物だ。

ホルヘはウィリアムを、おまえはフランチェスコにそっくりの道化師だと非難する。ウィリアムは返して、「フランチェスコは［笑いによって］別の側からの物の見方を人びとに諭（さと）された」と。何事も距離を置いて、笑い笑われる余裕をもって、じっくりと観察すべし、純粋に過ぎると視野が狭まる、性急に結論ばかりを求めるべからず、ってか。

ホルヘが書物に火をかけ、キリスト教世界における最大の文書館が炎上する。

師弟は命からがら迷宮を脱出する。ウィリアムが言う、「反キリストは、ほかならぬ敬虔(けいけん)の念から、神もしくは真実への過多な愛から生まれて来る」。ウィリアムもエーコも狂信を嫌う。「人びとを愛する者の務めは、真理を笑わせることによって、真理が笑うようにさせることであろう。なぜなら、真理に対する不健全な情熱からわたしたちを自由にさせる方法を学ぶこと、それこそが唯一の真理であるから。」アーメン。

二人が「この宇宙に秩序が存在し得ない」かもしれないと、「神の自由意志とその全能」を疑う会話を始めた時、宿坊の屋根が崩れ落ち、師弟の危ない神学問答は立ち消えとなる。

小説は、「過ぎにし薔薇はただ名前のみ、虚しきその名が今に残れり」[15]との一句で終わる。

ウンベルト・エーコを一躍有名にした論文集に『開かれた作品』(一九六二年)[16]がある。豊かな芸術は鑑賞する者を、一方向へではなく多様な見方、解釈へと誘う、と語る芸術論集。されば終幕の引用は、神なる概念も人間が作った名前に過ぎない、神なき現代は……と読むことも、一読者のひとつの解釈として許されよう[17]。

僕は暑い夏、健全な左翼にして無神論者のエーコ先生の戯ミステリーを読みふけり、いわば〝答え〟のない、キリスト教の宇宙概念に変わる新たな世界観を呈示しない、むしろ権威を信じるな、すべてを疑え、既成概念を笑えと唱える道化師による難解かつ軽やかな諷刺小説に、かぎりない豊かさを感じた。研究者の書く小説は、往々にして知的なゲームになりがちなものだが、エーコは頭だけで綴っていない。自らの学問分野である記号論にしても、中世と現代を貫く現実認識にしても、一度彼の体を通って、自分の血肉となった叡智を物語化している。

芸術の存在意義は、結論や結末、つまりは〝答え〟を呈示することではないのである。

2　マクシム・ゴーリキー『どん底』

もう一作、古い話を。マクシム・ゴーリキーの『どん底』（一九〇二年）。ゴーリキーはロシア語で〝苦い〟、〝苦しい〟の意味だから、なんともすさまじいペンネームである。また、『どん底』なるタイトルも、作品世界を単刀直入に表現した即物的な題名。そう、「貧乏物語」そのもの、こんな暗くて、汚くて、夢のない芝居、今時誰が見に行くんだあ、という作品である。

いや、ウンベルト・エーコは『薔薇の名前』が売れるはずはないと信じ、あにはからんやベストセラーになっても、買った人はほとんど読んでいなかったとか[1]。しかし、ロシアの帝政末期に書かれた『どん底』は、モスクワ芸術座の初演で絶賛され、その後もよく読まれ、よく見られた。早くからプロレタリア演劇の古典という評価を獲得、わが国でも一九一〇（明治四十三）年の自由劇場公演以来、新劇の劇団による定番の演目として繰り返し上演されてきた。

プロレタリア演劇――「固そう」と言うなかれ。これが面白いのだ。でも「どこに現代が？」――そう急ぎなさるな。おいおいと。この〝どん底話〟、笑いながら、身につまされながら、人間の正体見たりと唸りながら、悠々と楽しめるようになりたい。

何がどうというストーリーがあるわけではない。吹き溜まりの木賃宿に住む人生の落伍者たちがグダグダと愚痴を言い、お互いに罵り合い、時に見果てぬ夢を語る。主な登場人物は十七人と、けっこう大勢。だからこの芝居、まずは人物を押さえることが肝要である。だが、その「地球のお荷物」[2]を自認する薄汚き面々、ひとたび見分けがつくようになれば、各人がなかなか個性的で味わい深い。実念論的に〝貧民〟と十把一からげにはできない。観客がどうこうの前に、俳優が演じたくて仕方ない作品ともいえようか。ひとりひとりに名ゼリフと見せ場が用意されている、そして彼ら彼女らの絡みが実に絶妙な群像劇である。

舞台は「ほら穴のような地下室」（第一幕冒頭のト書き）。朝、掃き溜めの大部屋でも、今日は誰が掃除番かと言い争っている。アル中の元役者は、かつて『ハムレット』で墓掘りの役を演じたとか。墓掘り――主役とはほど遠い道化役だが、教養のひとかけらはありそうだ。でも、酒で身を持ち崩した。帽子屋のブブノーフは、元は毛皮を扱い、自分の工場を持っていたという。また、三十三歳の男爵は、ほんとうに貴族だったのか？「だんな衆だったことはほんとうらしい」、今でも時々だんならしい癖が抜けきらないから。

と、貧民窟にたむろする連中の、それでも昔はまっとうだった姿が、お互いに相手をけなし合うセリフの端々から窺えて、苦笑もの。もう落ちるところまで落ちている、恥も外聞もない、地球のクズ同士、ケチのつけ合いも遠慮なしである。

ちょっとだけ上を向いているのは、錠前屋のクレーシチ。俺はおまえらと違う、ここをなんとか脱け出すんだと、仕事に精を出しているのだが、それがまた無為徒食のご同輩からみれば思い上がりと映る。嫌われ者。この作品には黒澤明監督が日本の江戸時代末期に設定を置き換えて作った映画『どん底』[3]（一九五七年）がある。クレーシチ（留吉、鋳掛屋）は、テレビの水戸黄門役でおなじみの東野英治郎が、ひたすら鍋をこする、その耳ざわりな音で、「俺は仕事してんだ」と主張して、周囲から白眼視されている。東野は先の副将軍より、貧相で狭量なクレーシチ役の方が似合う。

おっと、藤原釜足が演じる役者は、酒で五臓六腑をやられ、ろれつが回らずに「ゴローロップ」。男爵（殿様）は、昔は二本差して、そっくり返っていた、世話は全部腰元がやってくれた旗本だったとか。だが、今は「どん底」の貧民たちの中でも一番みじめったらしい着物をまとい、昔日との落差を示す。扮するは藤原と同じく黒澤組の千秋実、ボンクラでだらしのない殿様を飄々と演じて、笑わそうとせずに笑わせてくれる。

お話は戯曲に戻って、この安宿の家主コストゥイリョフが顔を出す。どうやら若い女房のワシリーサを探しに来たらしい。彼女は泥棒のペーペルと深い仲になり、しかしペーペルはワシリーサの妹のナターシャに気がある。また、コストゥイリョフはペーペルからの盗品を安く買い叩いている。なにげない会話の中に、一触即発の火種が垣間見える。

そんな折、生き地獄のボロ宿に、老いた巡礼のルカが現れる。福音書のタイトルにもなっている聖人と同じ名の爺さん、穏やかで優しい物腰、うがった説教や教訓を垂れるが、しかし清廉潔白な善人でもなさそう。当時は国内を移動するにも旅券[4]が必要だったが、そのパスポートを持っていないから、彼もまた浮浪者に近い。巡査のメドヴェージェフの前では、上手に彼を持ち上げて、余分な追及をされないようにしている。なにやら過去のありそうなルカが、「あんまりもまれすぎたんで、それで柔らかになったのさ」と宣（のたま）い、観客がこの謎の老人に興味津々となったところで、第一幕の幕が下りる。

第二幕は夕方、男たちが賑わしく賭博をやっている場面から始まる。同じ大部屋の中で、ルカがクレーシチの女房、余命いくばくもないアンナに、「あの世へ行きゃ休めるよ。もう少しの辛抱だ。みんな辛抱してるんだよ」と語りかけ、慰めている。両者の対照の妙。咳が止まらぬ錠前屋の嬶（かかあ）と彼女を介抱する老人の会話だけでは、舞台が陰気になり過ぎる。おめえ、ズルしたな、なにを、それがどうした、と怒鳴り合う喧騒の中だからこそ、しんみりとしたやりとりが映える。

ルカは役者にも、アル中の治療を無料で受けられる病院があると言って、励ます。もっとも、役者が、それはどこにあるんだと興味を示すと、しどろもどろになってしまうのだが。また、死は休息だと繰り返すルカに、アンナは、ならばもう少し生きていたい、「もしあの世に苦しみがないのだったら、この世でもうすこしくらい苦しんでも、いいの」と。舞台なら、ルカは絶句するか困惑顔で背を向けてしまうか。

さらに口の達者な巡礼は盗人のペーペルに、こんな「どん底」、早く出ていけ、シベリアへでも行ったらいい、と忠告する。いやなこった、シベリアなら官費で送られるまで待つよ、とペーペルが返すと、あそこは黄金の国だ、力と智恵のある者には無限の可能性がある、と。嘘も方便、皆なんで真実を欲しがるのか。爺さんは「真実なんてものはさ、お前さんにとっちゃあまあ、身の破滅みてえなもんだろう」と言ってはばからない。

ペーペル（Pepel）。ロシア語で〝灰〟を意味する。でも二十八歳、若い。ルカが、こんな木賃宿にしけ込んでいないで、だだっ広いシベリアへ行って一旗あげてみろというのは、わかる。黒澤映画では三船敏郎を配した。それから、戦前からのフランスの巨匠ジャン・ルノワールも『どん底』（一九三六年、フランス映画）を撮っているが、そこではジャン・ギャバンが扮した。なるほど、ちょいとグレた伊達男が演じる役なのだ。

けれども、ワシリーサが入ってきて、色仕掛けでペーペルに迫り、この穴ん中からあたしを助けてくれと、亭主の殺人を教唆する。なかなかの悪女。女優がやりたがるのは、こういう役だ。楚々としたお嬢様役なんてつまらない。情欲むき出しで男を惑わす、はらわたの腐った妖女。しかし、ワシリーサはコストゥイリョフに嫌々すがって生きている。戯曲に付された人物表によれば、夫五十四歳、彼女は二十六歳。つまりは、致し方なくくっついているのだ。そりゃ、若い不良のペーペルを愛人にしても無理はない。ところが彼は、おまえとは体だけだ、と。ペーペルがぞっこんの妹が、もう憎くて憎くて仕方がないワシリーサの、その女心や哀れ。

黒澤版のワシリーサ（お杉）は、山田五十鈴が演じた。うまい！　首に白いおしろいをつけ、年増のお女郎さんよろしく、しなを作り、ペーペルに抱きつき、男の顔色を窺い、そして「あの宿六をなんとかしておくれよ」。こんな女に誘惑されたら、悪女とわかっていても、彼女の亭主を殺してしまいそう。あだっぽくて、なまめかしくて、恐ろしくて、鬼気迫り、しかし悲しげで、寂しげでもある。女優は演技がうまければ、なるほど美しく見える。

　だが、黒澤映画でいちばん僕の目を開かせてくれたのは、戯曲を読んだだけではただの平凡な脇役にしか思えなかったコストゥイリョフ、彼（六兵衛）に扮した二代目中村鴈治郎だった。中村玉緒の親父さんと言ったら、わかるだろうか。上方歌舞伎の大御所で、後に人間国宝にもなった。年の離れた若妻が愛人に夫を始末するよう唆す様子を、ビリビリに破れた障子の穴から覗いている表情の迫力と滑稽さ。目の下に隈を作り、「このあばずれ、売女！」刻々と変わる表情、一言一言のセリフの出し方に内面の気持ちの変化がみてとれる。彼の一挙手一投足は、まさに芸の世界である。このいやらしい爺さんなら、ワシリーサがペーペルに夫殺しを頼んでも、一概に彼女を責められない。

　ペーペルはコストゥイリョフの首を絞める。あやうく殺しそうになったところで、ルカが「吼えるようなあくび」をする。巡礼は物陰で小競り合いを見物していたのである。ともかくも、大事に至らずに済んだ。ペーペルはルカに、「おめえ、なんだな？　自分でも間違ったことがあるんだな？」

　作者のゴーリキーは若いころから貧民窟に住み、職を転々とし、自殺未遂も経験し、放浪の旅へも出た。彼はウンベルト・エーコと同様、いやエーコ以上に頭でなく体に染みこんだ感覚で人間社会の裏側を綴っている。彼の社会主義はインテリゲンツィアの標榜する理論やイデオロギーではなく、自身の生活実感と人間観察から生み出された貧民救済のための革命思想であった。労働者が政権を握れば、それでめでたし、めでたしとは、ゆめゆめ思わなかったはず。「どん底」の人々の心をいかに浄化するか。

アンナがひっそりと息を引きとる。妻に死なれた錠前屋のクレーシチは、葬式を出す金がないと嘆く。

舞台は三幕だけ、外へ出る。夕暮れ時、雑草の生い茂る空き地で、若い娼婦のナースチャが夢のような恋愛談を木賃宿の住人たちの前で話している。モスクワ芸術座の初演の舞台では、チェーホフの妻オリガ・クニッペルが演じた役だ。夜鷹は、人生（ひと）を這（は）い上がる金も頭もなく、ならば空想に生きるしかない。切ないなあ。明日は誰かきっと特別な男が現れる、さもなければ、何か今まで起こらなかったことが起こる——薄汚い聴衆たちからは当然、作り話に茶々が入る。「人間はだれでもみんな、灰色の魂を持っている。だから、ちょっと紅をさしたがる」とは、斜にかまえた男爵の言。いいセリフじゃないか。

ルカは男爵に、「人に優しくすることは決して悪いことじゃあない」と話す。「人を憐れんでやるのは、いいことだよ。」ルカは人を慰めるために嘘をつく名人である。夢と嘘は紙一重、いつも真実がよいわけではないだろう。と、クレーシチが突然叫びだす。仕事がない、力がない、身の置き場もない、それが真実だ、少し休ませてくれ、生きていられないんだ、それが真実だ。

ペーペルは、女房に死なれても相変わらず仕事、仕事と声高に語るクレーシチが気に食わない。あいつは、自分だけ働いているつもりで、俺たちを見下している、高慢ちきな野郎だ、「働くことで人間の相場がきまるものなら、馬にかなうものあ一人だっていやしねえ」。

これも笑えるセリフ。掛け合い漫才百連発の芝居である。タイミングよく発せられる赤裸々なことばの応酬。下層民を描いて、彼らの内心を語る傑作文学は決して多くない。

ルカ曰く、「真実さえあれば、いつでも魂の療治ができるというもんじゃあない」。巡礼は真実の国を探し求めた男の話を始める。立派な人間ばかりがいて、互いに尊敬し合い、助け合っている国、シベリアにある、しかし学者が地図を広げて探したが見つからない……寓話仕立ての、もちろん作り話だ。けれども皆、嘘だとは知りながら、聞き耳をたてている。

と、そう、これはハリウッド映画にも通じる。夢を売ってナンボ。でも、いいじゃないか、甘いおとぎ話の何が悪い⁉

「ちょっ、畜生、くそ面白くもねえ話だ」と毒づいていたペーペルが、しかししばらくするとナターシャに、一緒にここを出ないか、俺、まじめに働くから、と持ちかける。爺さんのまじないが効いてきた。ペーペルは、生活を変えなきゃならねえ、「自分で自分を尊敬できるような生活を」と。

ほほう、ただ単に金を儲けるためだけの仕事ではない、自分で心底から納得できる労働をしたい——これ、マックス・ヴェーバーなら「天職（Beruf）」と呼ぶだろう。また、エーリッヒ・フロムの言う「自愛」の精神にも通底する。(5) 世の中、自分で自分を愛せる人間はそう多くない。自分が嫌いだからこそ、今の自分に納得できないからこそ、人を妬(ねた)み、見下し、憎む。人を尊敬できず、助けることができず、自分のことも大切にできない。

この「自尊心」の問題は、実に厄介である。ちなみにチェーホフも、自分を愛せぬ没落貴族やインテリゲンツィアたちを痛烈にこき下ろした。『どん底』はそのチェーホフに認められて、モスクワ芸術座で舞台にかけられ、大成功を収めた。ゴーリキーとチェーホフは、登場人物たちの階級の上下を超えて、同じ解決困難な人間性を凝視していた。すなわち、ロシア文学で広く取り上げられていた「余計者」たちをいかに再生させるか。[6]

で、ペーペルが心を入れ替えようと本気で思いはじめ、しかしここで女と手に手をとってシベリアへと駆け落ちしたらハリウッド映画である。彼の改心とナターシャへの求愛をさっきからワシリーサが立ち聞きしている、それを観客はずっと見せられているのだから、意地の悪い芝居である。ルカは雲行きを読むのが早い。そろそろ旅に出る時かな。だが、コストゥイリョフが食ってかかる。住む家を持たぬ人間は浮浪人だ、人間はウロウロせずに、働かなくちゃいけねえ。ヘッヘッへッ、芝居のセリフは、本来言う資格のない者が口にすると、おかし味が出てくる。額に汗せぬ木賃宿の冷酷な家主が「働け」と宣えば、観客は「おまえに言われたくないわ」と。実際、共産主義は「不労所得」を否定した。

ほどなくワシリーサが亭主と一緒に憎きナターシャを折檻（せっかん）する。助けに駆けつけたペーペルは、はずみでコストゥイリョフを殴り殺してしまう。やれやれ、やっと事件らしい事件が起こった。そのどさくさの間に、ルカはいずこへか姿を消してしまった。

幕間である。人間の欲求に関して有名な学説に、アメリカの心理学者A・H・マズローの「欲求五段階説」がある。何年か前の大学入試センター試験の問題にまで出ていたから、[7]今や古典的な心理仮説といえようか。

マズローによれば、人間の欲求は生きていくために必要な生理的欲求が最も強く、それが満たされると安全を求めるようになる。さらに次の段階では、社会の一員として認められ、また人々から愛されたいという欲求が出てくる。そして、それらが充足されると、今度は尊敬されたいという願望が現れる。欲求はこのように階層をなしており、基本的欲求が満たされるとしだいにより高次な欲求が生まれ、最終的には他人の評価を気にせず自己実現を追求するようになるというのである。

さしずめルカの語る真実の国の住人たちは、すでに他人から認められ、自分のなりたい自分になっているから、皆、己を周囲より上に見せようとしない。人を敬うこともできるし、打算なく助け合うこともできる。孔子様なら、「心の欲するところに従えども矩（のり）をこえない」心境と言うだろう。彼らは常に深く頭（こうべ）を垂れ、腰を低くできる。と、う～ん、そういう人間ばかりの国も、ちょいとうさん臭いけれど。

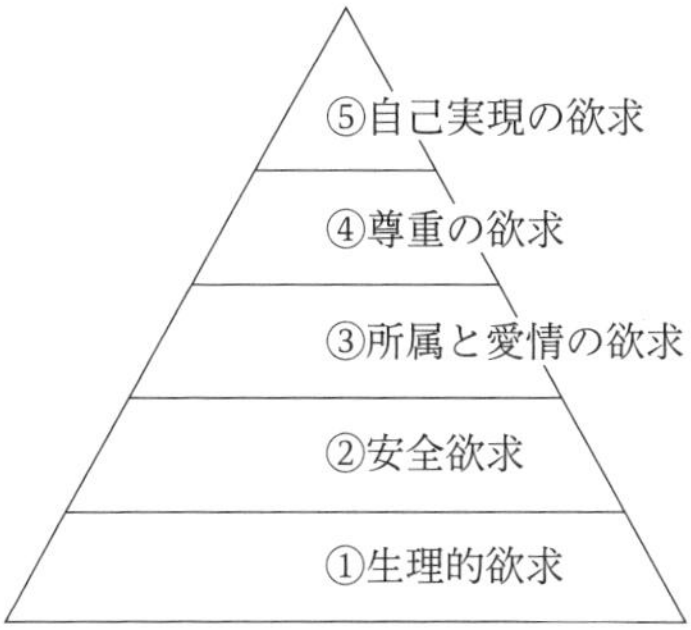

⑤自己実現の欲求
④尊重の欲求
③所属と愛情の欲求
②安全欲求
①生理的欲求

マズローによる欲求の５段階

僕がマズローのピラミッドを見ていつも厳しいなあと思うのは、人間、他人から尊敬されるようにならないと、自己実現には向かわない、とする点である。自分はわが道を歩んでいるつもりでも、周囲が相手にしてくれないと、だんだんつまらなくなる。それは自己実現とは似て非なる自己満足に過ぎないわけだ。なるほど仕事でも趣味でも、周りから一目置かれる実力がついて、初めて己の欲するところをなせばよい、という心境に達するのであろう。[8]

よって真実の国は、ピラミッドの下の方でウロウロしている「どん底」の住民たちにとっては夢のまた夢、絵空事の世界に過ぎない。彼らは人に認められない世のあぶれ者、だからこそ自己主張が強くなり、人間関係もギスギスしてくる。尊敬されるどころか、人から愛されない。おいおい人間不信になる。どこへ行っても、人と一緒にいても自分ひとりでも、心の落ち着く場所を持てない。自分の〝人生の居場所〟が確保できない。

そうなると、自己実現できる人間になるための長い道のりを歩きはじめる、コツコツと将来の自分のために投資する――なあんて気分にはとてもなれない。一刹那の快楽を求める。酒、セックス、ギャンブル、薬（ヤク）……人間、アドレナリンを出すと気持ちがいいものだ。一気に興奮できる遊びに飛びつく。

それもままならなければ、とりあえず食って、寝る。それがいちばん楽ちん！　本能的で、動物的な第一次欲求のみを追い求めるレベルに堕ちてゆく。あゝ、お粗末。

第四幕は、ふたたび木賃宿の中。夜、住民たちがルカの思い出話をしている。だったん人(9)が、「爺さんいい人あった。心に掟持っていた」と。荷かつぎ人足の彼は、仕事をしていて、右手をくだかれた。切断しようかどうしようかと言っているから、肉体労働者としては絶望的な状況だ。彼はイスラム教徒、アラーの神への祈りを忘れない。「なんじらのコーラン、掟たるべし。魂、コーランたるべし。」また、「人を侮辱するな、これ掟だ」とも。

いかさま賭博師のサーチンが言うには、爺さんは人を憐れむ思いやりから嘘をついた。弱い人間には嘘が必要だが、しっかりした人間、他人を頼りにしない人間には、嘘は要らない。「嘘は、奴隷と君主の宗教だ。真実は、自由な人間の神さまだ！」

なるほど、ルカは心を込めてヨイショができた。人に癒しを与えるためなら、本音で真っ赤な嘘がつけた。横から聞いていると大甘だが、誉められた本人はまんざらでもない、そんな砂糖をまぶしたようなことばが自然に口をついて出た。でも、それだけじゃあ人間は向上しない、真に自立した人間になるためには厳しい忠言も必要ってわけだ。

同情や慰めと、真実を直視することと、どちらが大切か――『どん底』の主題ともいえる問題を講釈するサーチンは、貧民窟の他の住人たちとはちょっと毛色が違う。なんでも若いころは気さくな人気者だった、それがかわいい妹のために男を殺して監獄に入り、グレてしまったとか。初演の舞台では、モスクワ芸術座の創設者のひとりであり演出家としても名高いスタニスラフスキーが演じた役柄である。

サーチンの長広舌は続く。人間は皆、よりよき者のために生きている、人間こそ真実だ、人は自由だ、「人間は尊敬しなくちゃならねえよ！　憐れむべきものじゃねえ」。四幕はルカがいなくなって、サーチンの存在感が急に増してくる。実際、ルカは主役ではない。堕落した「どん底」の面々を刺激する触媒の役割を担った人物のはずである。ところが、ゴーリキーはこの爺さんが面白くなってしまった、書きこんでしまった。文学作品では、しばしば起こることである。

モスクワ芸術座の舞台でも、批評家、観客ともに絶賛したのはルカであった。嘘ばかりつく、作り話が身についている、怪しげな巡礼に共感が集中する。ゴーリキーはそれが気に入らず、四幕で人間尊重を謳いあげるサーチンを重視する読み方を呈示する。その後のソ連時代も、ルカの株は下がり、サーチンに革命思想を読み取る解釈が定着した。[10]

「働け？　なんのために？　胃の腑を一ぺえにするためにか？……人間はもっと上のものなんだ！人間はふくれた胃袋なんかよりずっと高尚なものなんだ！」たしかに、ヴェーバーの「天職」、フロムの「自発的な愛と仕事」、マズローの「自己実現」についても、サーチンがすでに論じている。馬みたいな仕事じゃない、もっと上の存在になるための労働を！

だが、男爵は頭を振りながら、「おめえはなかなか理屈屋だなあ」と。誰かがうがったことを言うと、必ずそれを落とす奴がいる。そんな掛け合いの妙。

その落ちぶれ男爵にスポットライトを当てて奔放な映画が、ジャン・ルノワールの『どん底』である。舞台はロシアではなくフランス、冒頭は男爵が使い込んだ公金について、勤め先の大使館の上司から詰問されている。と、いきなり原作にない挿入シーンで始まる。ルノワールは男爵が凋落する様をたっぷり描いてから、彼を木賃宿にたどり着かせる。ルカはすでに「どん底」の一員になっていて、「余計者」たちとほとんど区別がつかない。

男爵に扮するは、舞台の名優ルイ・ジューヴェ[11]である。戦前の、映画より演劇の方がはるかに上等な芸術とみなされていた時代、ルノワールは演劇界で重きをなしていたジューヴェを男爵役に起用し、登場人物たちの比重を変えて、楽しんでいた。

で、帽子屋のブブノーフがウォッカを持って入ってくる。彼は人に奢るのが大好きだ。もし俺が金持ちだったら、ロハの料理屋をやる、と。でも、人を喜ばせる、人のために生きる、と口で言うのは簡単だが――人間の〝救済者願望〟もまた、厄介な心理である。自己実現ならぬ自己満足のレベルの場合も多い。少なくとも、人を本気で助けるには、それ相応の実力をつける必要があるだろう。

酔った「どん底」の住人たちの歌が始まる。「♪ 明けても暮れても、牢屋は暗い……逃げはしたいが、えい、やれ！ 鎖が切れぬ……ああこのくさり、わがくさり、てめえは、鉄の牢番よ、おれにゃ切れぬ、てめえは切れぬ。」彼らを縛っているものは、貧困なのか、それとも自分たちの内面の鎖なのか？ 巷(ちまた)にあふれるルンペン・プロレタリアートたちをいかに向上させていくか。帝政ロシアの末期、労働者の政府が志向されていた時期の戯曲。いずれにしろ、ロシア人たちの太い声で合唱されると、ひどく励まされる有名な挿入歌である。

と、男爵が飛び込んできて、「あき地で、あすこで、役者が、首をくくったあ！」、サーチンが小声で、「ちぇっ、うたを台なしにしちまやがった。馬鹿め！」これも有名な決めゼリフ。深刻かつ賑わしい芝居の幕が下りる。

芝居なら、「アンコール」といったところだ。『どん底』は暗いか、明るいか。いや、その前に、人生は、人間性は暗いか、明るいか。

人間はむろん、明るい面と暗い面を併せ持っている。我々はその暗い、後ろ向きの心情とはふだん、なるべく向き合わないようにしながら生活している。自分の嫌な面、直視したくない自身の姿と常に対峙していては、この辛い浮世を明るく生きてはいけない。だから、真実に目を向けないのは、なにも余計者たちだけではない。我々は皆、自己欺瞞のもとに日々を送っているといっても過言ではない。

しかし、時に人間本来の――もちろん、自分の内面にも存在している――怠慢さ、浅薄さ、嫉妬心、ずる賢さ、みじめったらしさなどを突きつけられると、それはそれでカタルシスを感じて、サバサバとしてくることがある。そうした人間の、自身の、〝後ろ向き性〟も受け入れてこそ、初めてあるがままの自分を愛せるようになろうというものである。

ハリウッド映画や日本のテレビドラマのように、明るくて楽しい、おおらかに笑える、胸がスカッとする、ハートウォーミングになれる、そんな〝ルカ的〟なおとぎ話だけでは、たとえ気晴らしにはなっても、我々の灰色の魂はリフレッシュされない。気分が落ち込んだ時には、『どん底』のような、人間のどうしようもなさを直視させられる文学を鑑賞する方が、かえって精神のビタミン剤になる。

ただし、観客に自分の見たくない己の姿を見せてしまうためには、芸術的な加工が必要である。〝力〟のない作品で目にしたくないものを見せられれば、拒絶反応の方が強くなって当然である。とくに演劇の場合は、戯曲だけでなく、演出と、そして俳優の演技力によって、観客の受容度も大きく変わってくる。

また、ゴーリキーの時代――ジャン・ルノワールや黒澤明の映画の時代も――、「貧乏物語」は単に頭の中の空想物ではなく、すぐ目の前にある現実を描いたものであった。だが今日、それは少なくとも先進国においては、多くの観客がただちに共感できるジャンルではなくなった。

むしろ〝先進国病〟にあえぐ現代日本、食うに困らず、政治的な抑圧もなく、しかしフワフワとした自由の中で自らの充実した生を見いだせず、刹那的で忍耐心なく、他人とも表面をひっかくような付き合いしかできず――そんな時代に『どん底』を見ると、本音むき出しで、ギラギラと欲望をたぎらせ、恥も外聞もなく赤裸々な感情をぶつけ合う人間関係が、明るくも、うらやましくも思えてくる。

いや、突然の解雇あり、長い闘病生活もあるかもしれない、老齢化もさらに進むであろう日本社会。福祉制度は以前よりはるかに整っても、いつ誰の人生に「どん底」の日々が訪れるかわからない。

だから、時代と社会がどう変わっても、何があっても心が折れないように、暗い人生への〝予防注射〟はしておくべきだろう。すなわち、時に文学や演劇で、適度のばい菌の混ざった暗い作品に接しておくことは、真の意味で明るい人生を送るために必要な予防手段であろう。

今日からみる『どん底』の普遍性は、人間の意識の変わらなさ、そして人間の集合体にほかならない社会なんて、制度改革だけではそう簡単に改善されないよという教え。百年以上前の貧乏物語に、人間社会の変革の難しさが垣間見える。げに厄介なるは人の心よ。

3　芥川龍之介「藪の中」

文学の〝幅〟について語っておきたい。

文学というとまず小説を思い浮かべる人が多いだろうが、ヨーロッパの文学史の類いをひもとけば、小説とともに、詩と戯曲のジャンルが並んでいる。いや、そもそも文学は、叙事詩や民間伝承の歌謡から始まる。つまりは詩の方が先なのである。また、戯曲も長らく韻文（verse）、すなわち詩の形態で書かれていた。そういわれれば、古代ギリシャ劇もシェイクスピア劇も、演劇であると同時に詩ではないか。

一方、小説は英語でいえばノーベル（novel）、これは形容詞で〝新しい〟を意味する単語である。その名のとおり、新聞が発行されるようになった十八世紀、そこに掲載された散文（prose）の物語として誕生した新しい文学。歴史的には、詩や戯曲よりも遅れてやって来た文学形態なのである。

では、さらに新しい芸術ジャンルたる映画のシナリオはどうか？　これは文学史では扱われない。戯曲は確固とした文学として認知されているのに。そう、映画は見せてナンボの〝視覚芸術〟、演劇の台本に比べれば、ことばに関しては量的にも質的にも劣るものがほとんどだ。なるほど、SFX、CG、3Dなどの時代になって、映画（のシナリオ）はますます文学から遠ざかっていくように感じられる。

ただし、文芸映画の場合はどうか、一考に値しないか――というのが、この節のお題である。

そこで、前述したジャン・ルノワールの『どん底』。「えっ、これが『どん底』？」と言いたくなる天衣無縫な映画だが、晩年のゴーリキーはルノワールから送られてきた、原作にかなりの脚色が施されている台本を承認し、公表用の承諾文まで書いている。(1) ルノワールはラストに、ペーペルがナターシャと一緒に「どん底」から脱出するシーンを付け加えた。〝灰〟を意味する泥棒ペーペルに、生きる希望を与えた。二人は田舎の一本道を新たなる世界へと旅立っていく。これは『どん底』撮影中に封切られたチャップリンの新作、『モダン・タイムス』（一九三六年）の終幕への臆面もないオマージュである。(2)

一九三六年――スペイン内乱が勃発し、パリは人民戦線の熱気で燃えに燃えていた。(3) また、世界恐慌の真っ只中で、各国の路頭に浮浪者があふれていた。いつも腹を減らし、職を求めて悪戦苦闘する、でも人に優しく、決して挫けない心を持つルンペン紳士――ルノワールは自分を映画に目覚めさせてくれた偉大なるチャップリンの作品からの赤裸々な引用によって、〝ワーキングクラス・ヒーロー〟の鎖を解き放ち、ペーペルに明日を信じさせた。暗い原作とは逆方向を向いたこの大甘のラストは、しかしおおらかなルノワールが『どん底』に潜在するかすかな希望を拡大して見せてくれ、それはそれでまんざらでもない結びとなっている。

一方の黒澤明版は、一九五七年の作品である。太平洋戦争後の焼け跡の時代から高度成長へと向かう時期。が、まだまだ「貧乏物語」が現実に照らして、見る者の心を捉えたころである。黒澤は落語のような、場末の長屋のワイワイガヤガヤと賑わしい庶民劇にしようとしたらしい。撮影前に彼は古今亭志ん生を呼び、俳優やスタッフたちに「粗忽長屋」と「長屋の花見」を聞かせている[4]。

また、前作『蜘蛛巣城』(一九五七年)で、『マクベス』のセリフをまったく使わず、しかしシェイクスピアの「原作の精神」をみごとに銀幕に移植した[5]のに対して、『どん底』ではゴーリキーのセリフを極力残し、舞台を日本の幕末に移した以外は、原作に忠実な映画を撮った。ルノワールの作品よりはるかに本格的な『どん底』なのである。

ところが、ゴーリキーの戯曲にある要素をひとつひとつ日本的なものに置き換えた結果、全体的にみると、原作とかなりのズレが生じてしまった。とくにラスト近く、ロシア人の合唱は暗い世界のいわば〝毒消し〟の役割を担っている。その場面で黒澤は、酔った男たちに馬鹿囃子を踊らせた。江戸の庶民の祭り囃子である。それはすこぶる愉快で、しかし彼らの踊り方は、どうもやけくそ気味で、虚無的にさえ映る。馬鹿になって踊って、それで住民たちの気が晴れることもなさそう。黒澤のめざした落語的なカラッとした世界に到達できていないのである。

さらに両巨匠の映画に共通してもの足りないのは、サーチンによる人間賛歌が完全に消化されていない点である。もっとも、こうも言えるだろう。モスクワ芸術座の初演を見たゴーリキー自身が、ルカを凌駕(りょうが)する人物を創造できなかったことを反省し、その結果サーチンを持ち上げる解釈が一般化していった。だが、しょせんサーチンは登場人物としての魅力において、ルカにかなわないのである。そうした原作の傷を、両巨匠とも補わなかった。サーチンに焦点を当てれば、作品が説教臭くなる。二人はその危険を冒してまで、いかさま賭博師に肩入れしなかったのであろう。

ウンベルト・エーコとジャン・クロード・カリエール[6]が対談して、面白いことを言っている。書物は読まれるたびに変容する、我々はシェイクスピアをシェイクスピアが書いたようには読まない、だからこそ我々のシェイクスピアは書かれた当時に読まれたシェイクスピアよりずっと豊かなんだ。作品は自らが喚起した解釈を吸収する。傑作は最初から傑作なのではなく、多くの人に読まれ、解釈されることによって傑作になってゆくんだ。偉大な作品は読まれることで互いに影響を与え合う。セルバンテスはカフカに影響を与えたが、カフカもセルバンテスに影響を与えた、セルバンテスを読む前にカフカを読んだら、読者は知らず知らずのうちに『ドン・キホーテ』の読み方が変わるはずだ、と。[7]

傑作は後世の解釈によって、より豊かな古典になるんだと、古典の古典たるゆえんを論じて痛快な対談である。

で、さて、本節の題材は芥川龍之介の短篇小説「藪の中」――加えて同短篇「羅生門」――と、それを解釈して映像化した黒澤明の『羅生門』(一九五〇年)となる。[8]

芥川龍之介の「藪の中」。おなじみの方も多かろう、また、たまたま手に取ったことがないという人も、文庫本にして十五ページほどの小品、あっという間に読み終えられる作品だが、一応簡単に紹介しておこう。

「藪の中」は、芥川龍之介のいわゆる「王朝物」と呼ばれるジャンルの一品である。発表は大正十一（一九二二）年一月の『新潮』、この時、芥川二十九歳。早熟な人気作家としては、脂の乗り切った時期の代表作ともいえるし、急激に凋落しはじめたころの一作といえなくもない。自殺はその五年半後、享年三十五。物語の題材は十二世紀、平安時代の説話集『今昔物語』の巻二十九に求めている。

芥川の短篇は、ある出来事をめぐる七人の証言で構成されている。いや、七人は相互に議論するわけではない。いわばモノローグが七つ並んでいるといったらよいだろうか。[9]

まずは、検非違使（けびいし）、すなわち京都の治安維持にあたった役人の前で、遺体の第一発見者たる木樵（きこ）りが証言する。人気（ひとけ）のない裏山の藪の中で今朝、男が仰向けに倒れていた。胸元を一刀のもとに突かれ、だが血はもう流れていなかった。太刀（たち）は見あたらず、一筋の縄と櫛（くし）が落ちていた。

同じく検非違使に問われた旅法師が語った話。死んだ男には昨日会った。馬に乗った女と一緒に山の中を歩いていた。女の顔は見えなかった、と。

次の証言者は放免（ほうめん）、検非違使庁の下級役人である。彼は昨夜、名高い盗人で女好きでも知られる多襄丸（たじょうまる）を捕らえた。彼は死んだ男の持ち物をもっていたから、殺しは彼の仕業と思われる。もっとも、多襄丸は京都への入口の石橋の上で唸（うな）っていた。たぶん馬から落ちたのだろう。

さらに、媼（おうな）（老女）が、死骸は自分の娘の亭主だと検非違使に申し述べる。男は金沢武弘という侍で、年は二十六歳、優しい気立てで、人から遺恨など受けるはずはない。また、娘の名は真砂（まさご）、十九歳。男に劣らぬくらい勝気だが、武弘以外に男を持ったことはない。顔の浅黒い、左の目尻にほくろのある、小さな瓜実顔（うりざねがお）の女。夫婦は昨日一緒に若狭へ出発したところで災難にあった。娘は目下、行方知れず。なんとしても娘を見つけてほしい、と。

　ここまでは、事件の概要の説明といえようか。そして、話は以下の三人の語りで佳境に入る。

　多襄丸の自白。あの男を殺したのは私だが、女は殺していない。二人に会ったのは、昨日の昼少し過ぎだった。ちらりと目にした女の顔が女菩薩（にょぼさつ）に見えて、とっさに女を奪おうと決心した。まず男を藪の中に誘い込み、不意をついて組み伏せ、縄で縛りあげた。そして、女のところに戻り、男が急病だと言って、藪の中へ連れ込む。が、男が杉の木の根に縛られているのを見ると、女は懐から小刀（さすが）を引き抜いた。あれくらい気性の激しい女は見たことがない。だが、私も多襄丸、女の小刀を打ち落とし、女を手に入れることができた。男の命は奪わずに。

　ところが、女は多襄丸にすがりつき、あなたが死ぬか夫が死ぬか、どちらか死んでくれと頼む。二人の男に恥を見せるのは死ぬよりつらい、生き残った男に連れ添いたいと、燃えるような瞳で訴えた。私は男に猛然と殺意を覚えた。けれども、卑怯な殺し方はしたくない。そこで男の縄を解くと、男は憤然として飛びかかってきた。私の太刀は二十三合目（ごうめ）にして、ようやく相手の胸を貫いた。これほど斬り結んだのは、天下にあの男一人だけ。だが、女は我々が太刀打ちをしている間に、何処へともなく消えてしまった。

　その逃げた真砂は、清水寺に現れて懺悔（ざんげ）する。男は私を手ごめにすると、夫を眺めて嘲笑った。夫はどんなに無念だったでしょう。私は夫のそばへ走り寄ろうとしたが、男に蹴倒された。その瞬間、私は夫の目の中に、怒りでもなければ悲しみでもない、私を蔑んだ冷たい光を見た。しばし気を失い、正気に戻ると、男はいなかった。夫の目には、さっきと変わらぬ憎しみの色。私は夫と一緒に自害しようと小刀を手にし、彼の胸をずぶりと刺した。私は息絶えた死骸の縄を解き、それから自分も死のうと思ったが、果たせなかった。

なるほど、多襄丸の告白と女の懺悔の間には、事実認識にかなり大きなズレがある。

で、最後は男の死霊が巫女の口を借りて告白するという趣向――盗人は妻を手ごめにすると、いろいろと妻を慰めだした。縛られている俺は、その男の言うことを真に受けるなと、何度も妻へ目くばせしたが、彼女は盗人の言葉に聞き入っているように見える。俺は妬ましさに身悶えした。一度でも肌身を汚したとなれば、夫婦仲も折り合うまい、自分の妻にならないかと誘う多襄丸の説得に、妻はうっとりと顔をもたげた。俺はあの時ほど美しい妻を見たことがない。妻はついに、「では何処へでも連れて行ってください」と言うではないか。

さらに妻は、「あの人を殺してください。私はあの人が生きていては、あなたと一緒にはいられません」と叫んで、盗人の腕にすがりついた。さすがの多襄丸も妻を蹴倒し、俺に向かって、あの女を殺すか助けるか、と聞いてきた。俺はこの言葉だけでも、盗人の罪を赦してやりたいと思った。

妻は藪の奥へと逃げだした。すると盗人は俺の縄を切って、藪の外へ行ってしまった。俺は妻が落とした小刀で自分の胸を刺した。生臭い塊が俺の口へこみ上げ、深い静けさに包まれた。その時誰かが忍び足でやって来て、そっと俺の胸に刺さった小刀を抜いた。俺の口の中に、もう一度血潮があふれてきた。

短篇は、そんな死霊の独白で終わる。盗人と妻と夫とで藪の中の出来事の見え方がいかに異なるか。意識的か無意識的か、自分に都合の悪い部分はそれぞれの告白からみごとに欠落し、代わりに各自の立場と感情が事実を微妙に脚色してはばからない。その結果、男は多襄丸との勇敢なる太刀合いによって殺されたのか、それとも妻が無理心中を図ったのか、はたまた絶望した夫が自害したのか。事件の核心は三者三様に食い違い、真相はすべて「藪の中」のまま、幕を閉じる。

と、この短篇、一種の推理小説として読める。ただし、最後の謎解きの部分がスッポリと抜け落ちている。なんでも、この物語の真相を推理した論文がたくさんあるんだとか。また、裁判劇の風も漂うが、最後に正義が成就する芝居とは対極をなす。むしろ、人の世の不可知性を見せつけられた思いのする、ザラリとした後味を残す作品である。

芥川龍之介は、僕も若いころからけっこう意識して読んだ作家だが、あまり好きにはなれなかった。才気が見えすぎる。筆が円熟する前に命を絶った。また、細面でハンサムで、おまけに大正時代随一の人気作家だったから、浮き名もずいぶんと流した。が、強姦された後の真砂が次々と豹変する様は艶(つや)っぽいといえば艶っぽいのだが、しかし全篇を通した読後感は、やはり理が勝っているという印象をまぬがれない。技巧が透けて見えてしまうのだ(10)。

芥川は東京帝国大学の英文科を二番で卒業した秀才である。作家であるだけでなく、古今東西の文学についてよく勉強した。何より外国語の諸作品を原書で読める語学力を有していた。そんな彼をヨーロッパの文学史の中に置いてみると、芥川が十九世紀のリアリズム小説から二十世紀の心理主義リアリズムの実験小説への移行期に生きたことが実感される。

周知のように、小説の黄金時代は十九世紀であるが、そのころの作品はとにかく長い。トルストイ、ドストエフスキー、ディケンズ、バルザック、ヴィクトル・ユゴーと、文豪のものした名作はどれもこれも悠々たる長篇小説である。当時の娯楽の少なさ、読者の時間的な余裕もさることながら、もうひとつ、自分の目を信じられた時代の幸福を痛感せずにはいられない。

十九世紀のリアリズム文学は、ごく簡単にいってしまえば、自分の目の前にある二つの花の、いったい何が同じで何が異なるかをできるだけ詳細に記述することをめざした。その際、二つの花を見る目は一つであり、小説の著者は自身の物を見る目の確かさに自信をもっていた。だから、小説も長く書けた。

ところが二十世紀に入るころから、にわかに自分と他人とでは、同じ花を見ても、異なった見え方がするのではないかという疑念が湧いてきた。それまでは、主体（subject）はあくまで単数であり、事物（object）が複数であったのだが、二十世紀の関心は、単数の対象が複数の主体にどう映るかに逆転した。いわゆる「主観の発見」である。

ここで面白いのは、こうした「主観の発見」が、文学の世界にとどまる現象ではなく、十九世紀末から二十世紀初頭のほぼ同じ時期に、各分野でそれもほとんど没交渉のうちになされたことである。ジークムント・フロイトの『夢判断』（一九〇〇年）は、「心理学の世紀」とも「フロイトの世紀」とも呼ばれる二十世紀の開幕を告げた、彼の代表作のひとつである。芸術の分野では、キュビスム、ダダイスム、シュルレアリスムなど一連の反リアリズム的傾向が目を引く。なるほど、パブロ・ピカソの絵を見れば、時代の趣向がリアリズムから大きく変貌したことを思い知らされる。また、社会科学では、マックス・ヴェーバーが、主観を通らない客観はあり得ないとする「客観性の議論」を展開した。さらに、アインシュタインの「特殊相対性理論」（一九〇五年）は、自然科学の分野でさえ、もはや「客観」があり得ないことを示している。

二十世紀はつまり、己の物を見る目に自信がもてなくなった時代といえよう。芥川が影響を受けた文学者のひとりに、心理主義リアリズムの代表的作家、アイルランドのジェームズ・ジョイスがいるが、彼の代表作たる『ユリシーズ』は「藪の中」と同年の一九二二年に出版されている。他にも、イギリスの女流作家ヴァージニア・ウルフの『ダロウェイ夫人』（一九二五年）、フランスの巨匠マルセル・プルーストの『失われた時を求めて』（一九一三―二七年）などは、いずれも人間の内面世界を執拗に探究した実験小説である。

そんな、時代の最先端にいた日本の作家が芥川龍之介だったわけである。

黒澤明の映画『羅生門』に移ろう。黒澤は「藪の中」よりもさらに短いショートストーリー「羅生門」から、映画の外枠を借りた。タイトルバックは大雨の羅生門。ザーザー降り。彼は雨と風が大好きだ。

門の下で、貧乏たらしい木樵り（志村喬）と旅法師（千秋実）が雨宿りしている。そこに下人（げにん）が駆け込んでくる。木樵りが「わかんねえ」とさかんにつぶやいている。彼は深刻そうな顔つきで下人に、人が殺された事件について話しはじめる。

木樵りの回想は、彼が山林の中を行く姿から。木々の間から覗（のぞ）く太陽。大雨のファーストシーンと好対照だ。ボレロ調の音楽に合わせて、木樵りが歩いている。上手に俳優の動きと音楽を融合させるものだ。と、死人の手のアップ。驚き慌てた木樵りが森の中を走る、走る。場面が転換すると、第一発見者の彼が、検非違使庁の庭で証言している。

続いて旅法師も証言する。二人の陳述はほぼ原作どおりだが、芥川の短篇ではただの説明役だった木樵りと旅法師に、黒澤は性格（キャラクター）を与えた。冒頭の羅生門で雨宿りするシーンから、ボロボロの服装の二人は物語の語り手として、「主観」を有した重要な脇役として設定されているわけである。

放免（加東大介）の証言の場面は、彼が捕らえた多襄丸（三船敏郎）を横に座らせた。洛中洛外に悪名を馳せた盗人が縄で縛られ、ふてくされてそっぽを向いている。そうなると、放免の表情も自慢気になる。ここも、チョイ役にまで感情と人柄を与えて、見事。多襄丸は河原で苦しんでいた。どうやら奪った馬から振り落とされたようだ。短篇では前後の脈絡なく一言だけ落馬したのだろうとある話に、猛然とそれを否定する盗人の姿を重ねた。

多襄丸は、男を殺したのは自分だと、自白する。彼は真砂（京マチ子）をレイプした経緯を話す。多襄丸が若妻に唇を合わせると、女の視線は呆然と太陽に向かい、やがて真砂の手が盗人の背中にまわる映像。女もその気になったよう。いや、これは多襄丸の回想だ。彼は原作にあるとおり、武弘（森雅之）の縄を解き、二人は壮絶に戦う。映画は決闘の様子をふんだんに見せる。ついに多襄丸の太刀が男の胸を突き刺す。

雨の羅生門の短いシーンが何度か挿入され、いい緩急を作っている。木樵りが、誰の話もみんな嘘だとつぶやくと、下人が「ほんとうのことが言えねえのが人間さ、人間ってやつは自分自身にさえ白状しねえことがたくさんあらあ」と、うがったセリフを吐く。

法師によると、女の話は多襄丸のとはまるで違うという。次いで男の死霊が巫女の口を借りて話すシーンは、巫女がいかにも芝居がかっていて笑える。ここいらへん、ストーリーは小説どおり、だが、蔑むように妻を見つめる武弘の冷たい目、また多襄丸に誘われた時の真砂のあだっぽい表情など、俳優たちの演技が出色である。文芸映画は、原作をすでに読んでいる観客が映像を見て、自分が活字を読んで想像した情景を超える表現に出くわさないと満足してもらえないから大変だ。真砂は逃げ、夫は妻の短刀で自分の胸を突く。

雨の羅生門で、木樵りが「嘘だ、嘘だ！　男の胸に短刀など刺さってはいなかった」と。下人がニヤリと笑う。そう、木樵りは一部始終を見ていたのだ。これは黒澤の創作。下人は「おい、話せよ。お前の話が一番面白そうだ」。原作にない木樵りの証言が始まる。

木樵りは死骸を見つけたどころか、盗人と夫婦のやりとりを藪の陰から覗いていた。多襄丸は真砂の前に土下座して、自分の妻になってくれと頼んだ。情けない奴だ。女は多襄丸に落胆したのだろう、武弘の縄を解くが、夫は「こんな女のために命をかけるのはご免だ」と。盗人にも、こんな売女（ばいた）、お前にくれてやる、と言い放つ。真砂は自分のために男たちが戦ってくれると思ったのに、すっかり思惑がはずれる。彼女は号泣し、それでもダメだとなると、今度は狂ったように笑いながら、二人を挑発する。

京マチ子は、楚々とした若妻から、哀れな被害者、男を誘う妖艶な女、さらには気性の激しい猛女と、次々にその様相を変化させて、絶品の演技。

真砂にアジられた男たちは、いやいや戦いはじめる。ところが、武弘だけでなく多襄丸も強くないのだ。剣術の基本もへったくれもない。英雄的な果たし合いとはほど遠い。芥川の短篇には、多襄丸は馬から落ちた、と唐突な一句があるのみだが、黒澤はそれを敷衍(ふえん)して、彼を噂とは異なった空威張りの小悪党と解釈したのである。

羅生門では、門の下に捨てられた赤ん坊が泣きだす。下人がその捨て子の着衣を剝(は)ごうとすると、木樵りが彼につかみかかる。すると下人は、ならば女の短刀は誰が盗んだんだと問い詰める。盗人のくせに盗人呼ばわりするなと言われてうなだれる木樵り。

ラストは、木樵りが罪滅ぼしに、赤ん坊を育てるという。いつの間にか、あれほど降っていた雨が上がっている。人間の良心と善意をほのかに見せて、幕が下りる。

と、それぞれが保身のために事実を少しずつ脚色し、各自のエゴが真実を曇らせてしまったという話。黒澤は人間心理の不可解さを見せ、しかし人間に対して懐疑的なまま、観客を劇場から帰すことはしなかった。そこが芥川の短篇とのいちばんの違いといえようか。


黒澤明の『羅生門』は一九五一年のヴェネツィア映画祭で金獅子賞を獲得した。黒澤映画、というより日本映画が国際映画祭で高い評価を受けたのは、これが初めてであった。もっとも、日本国内ではさほど好評を博したわけではなく、興行的にもヒットした作品とは言いがたい。いや、そもそも黒澤の前期の文芸作品は、ドストエフスキー原作の『白痴』（一九五一年）にしろ、『蜘蛛巣城』、『どん底』にしろ、封切り当時に本格的な批評の俎上に載せられた形跡がほとんどない。

では、ヴェネツィアは黒澤映画の何を高く評価したのであろうか。

まず黒澤が悠々と楽しんでいる映画的テクニックの数々が挙げられよう。例えばカメラ。多襄丸が真砂をレイプするシーンでは、光と影が鮮やかにコントラストを織りなす森の中で、真砂は強引に抱かれている間に、しだいに太陽を見つめ、手は盗人の背中を這いまわる。もはや強姦ではなく、女の方が恍惚となっているかのよう。背景の森と太陽は、人物たちの「心象風景」ともなり、次々と移ろいゆく彼らの内面心理と共鳴し合っている(11)。

また、ボレロ調の曲をはじめとするBGMは古い日本の物語にハイカラな気分と軽やかなリズムを与え、一方黒澤が創作した木樵りの回想シーンでは音楽をピタリと止め、人物たちの息づかいまで聞かせて、これが真実だといわんばかりの緊迫感を醸し出す。

今日振り返れば、ヴェネツィア映画祭での受賞は、そんな黒澤の高度なテクニックと繊細な演出からして、当然とも思える。同映画祭歴代グランプリ作品と比べてみても、ほとんど最上位に位置する出来映えといえよう。だが、ヨーロッパでの称賛は、そうした映像表現が高く評価されたがゆえだったのだろうか。

黒澤はヴェネツィア映画祭の後に、現代を舞台にした、自分の思想的なメッセージを十分含んだ作品による受賞だったらもっと嬉しかっただろうと述べたという(12)。そこで黒澤映画の思想なりモチーフなりの話だが、まず原作では各登場人物がなぜ事実に尾ヒレをつけて告白したかが、ほとんど語られていない。芥川は説明過多になるのを避けて、読者にあれこれ推理させるミステリー仕立ての短篇に仕上げている。

けれども、映画にするとなると、それでは収拾がつかない。黒澤は、短篇では単なる第一発見者に過ぎない木樵りが、実は事件の様子を覗き見ていたという状況を思いついた。その木樵りの見た真相とは――多襄丸は弱かった。面白い発想ではないか。決闘が勇ましくない。それが人生の真実なのではないか。被害者が楚々とした淑女ではなかったのと同様、悪名を轟かせた盗人がいざ果たし合いとなれば軟弱極まりなかった。音楽は完全にストップ。その泥臭い決闘が、『羅生門』のクライマックス、いやアンチクライマックスの大逆転シーンとなっている。

木樵りの回想は、おそらく真実に近いのだろう。彼は真砂の短刀を盗んだために検非違使庁では隠し立てをしたが、短刀の一件以外に嘘をつく理由はない。こうして黒澤は真相を明かしてしまう。もっとも、それは黒澤がテキストに加えたひとつの解釈ではあっても誤読ではない。文芸映画の観客はしばしば監督や脚本家の読みの浅さを指摘するが、実際にはそれは少ないのである。

また、終幕の捨て子をめぐるやりとりは、黒澤らしいヒューマニズムにあふれる、しかし賛否両論の甘口な結び。それまで人間の心の闇を探究してきたその閉鎖的な雰囲気が、最後の羅生門での木樵りと旅法師の問答で一変し、豪雨がおさまり薄日の差す中を、木樵りが大切そうに赤ん坊を抱いて去っていく。黒澤が一気に毒消しを施したわけである。

これは焼け跡民主主義の旗手として終戦後の日本人を励ましつづけた黒澤明の面目躍如ともいえよう。また、ヨーロッパに目を転ずれば、時代はイタリア・ネオレアリズモの最盛期であった[13]。荒廃した世の中を必死に生きる貧乏人たちへの共感がスクリーンにあふれていた。前述したとおり、

「貧乏物語」が即観客の心に響いた時代だったのである。

そもそも映画は大衆娯楽としてスタートし、高級な芸術として鑑賞される習慣を持たなかった。日本でもその傾向は長く続いた――今でも続いている――から、『羅生門』がややお高くとまって見え、観客さらには批評家の反感を買ったとしても不思議ではない。

しかし、ヨーロッパでは文学だけでなく映画においても、人間の内面を追究する作品が数多く生み出されている。仮にヨーロッパ文学史に置いても最先端に位置していた芥川文学を基に映像化された『羅生門』が最初に評価されたのがヴェネツィアだったというのも、存外偶然ではないだろう。先に、黒澤はもっと自分の思想的メッセージのある作品で受賞したかった由を紹介した。だが、彼の考える思想性とはやや異なるかもしれないが、『羅生門』には芥川文学を介して、人間の内面世界への強烈な関心という、二十世紀の大きな思潮が内在している。ヨーロッパ人からすれば、思想性も十分感じ取れる映画だったのだろう。

もっとも、芥川と黒澤では気質が違う。短篇の名手は、人間の言語の虚偽性を冷めた目で凝視し、ために真実は永遠に「藪の中」に隠れてしまうと、人生の不可知性を痛烈に描いてみせた。一方、理詰めの作品を嫌い、人間の善意を希求する昔気質の名監督は、シニカルな原作に寄り添いながら、最後には高らかに人生の応援歌を奏でないではいられなかった。

ともあれ芥川の短篇は、日本映画史上初めて国際的な評価を得た黒澤映画によって、新たな解釈と豊かな読みを与えられ、傑作の誉れを一層高めたといえるであろう。

第2章 未来と科学

4　スタニスワフ・レム『ソラリス』

過去の次は現代を飛ばして未来へ。「現代を知るため」とは名ばかり、著者は相当ふざけた奴らしい。ポーランド（現在はウクライナ領）生まれのスタニスワフ・レムが一九六一年に発表した長篇小説『ソラリス』[1]は、彼の代表作であるばかりでなく、今やSF小説の堂々たる古典と呼べるだろう。

SF、サイエンス・フィクション。科学を扱う。日本語では〝空想〟を付けて、空想科学小説と称された。だが、現代はまぎれもない科学の時代。空想を冠する必要もなくなり、英語のままSFで通るようになった。文学ももはや〝花鳥風月〟ではなさそうだ。科学、科学！　風情はどこへ飛んで行ったのだろうか。

また、レムは医者の家に生まれ、ヤギェウォ大学の医学部に学んでいる。医学というのは、人間を扱う分野にして、しかしある意味では人間の体の修理屋。ドライ！　愛や涙や情緒からけっこう遠いところにある。

そこで、サイエンス・フィクションとはいかなる文学か、さらに科学とは人間にとって何なのか。そこいらへんが本章のテーマである。

時はずいぶん遠い未来らしい、舞台は惑星ソラリスの上空に浮かぶ宇宙ステーション。私こと心理学者のクリス・ケルヴィンが語る一人称小説である。

物語は、私を乗せた宇宙船がソラリス・ステーションに着陸するところから始まる。そのステーションの乗組員スナウトは到着した私を見て、うろたえる。どうしたんだ？　今日の明け方になにやら事故が起こったらしい。

部屋に通されたケルヴィンは、そこの本棚にあった研究書『ソラリスの歴史』をめくりはじめる。ソラリスが発見されたのは私が生まれる百年も前のことだった。四十年以上、その惑星に生命が生まれるのは不可能だとする理論が公理とされてきた。軌道は不安定、直径は地球より二十％大きく、陸地の表面積はヨーロッパより狭い、また大気に酸素がない。毎年発見される惑星は数百にのぼる、ソラリスも最初はそんな惑星のひとつと思われた。

だが、その後の探検隊の調査で、ソラリスの海をめぐって意見が激しく割れた。物理学者はそれを、自分たちの概念では無生物にあたるのかもしれないが、しかし目的を持った、しかも天文学的な規模の活動ができる形成物だと論じた。また、ある仮説によれば、ソラリスの海は「弁証法的な発展の結果」であり、地球で見られるような発展段階を経ずに、「恒常性(ホメオスタシス)をそなえた海」の段階に飛躍することができた、と。

シロップを思わせる海は、「天才的な海」なのか、「重力ゼリー」なのか。新聞が諸説を書きたて、科学の世界では激しい論争が巻き起こった。ケルヴィンが学校に通っていたころには、惑星ソラリスには生命が存在するとされた。ただし、たったひとつの、重さが十七兆トンもある個体だけが。それは思考する怪物、だが理性をもっているといえるかどうか。海は機械を使わないし、機械を作ることもしない。

と、ヘヘエ、難しくなってきたでしょうか。花鳥風月で文学をイメージする人たちには辛いかもしれないが、なんのなんの、小難しそうな用語を使って御託を並べているが、レムはけっこうおおらかに伸び伸びと作り話(フィクション)を綴っている。やっぱり科学小説に「空想」をつけた日本語は間違っていない。だから、煙(けむ)に巻かれずに、わからない講釈も適当に読み飛ばせばよろしかろう。

さて、侃々諤々(かんかんがくがく)の議論を呼んだソラリス学は、ここ四半世紀の間に研究が専門化し、「たとえば、ソラリス・サイバネティクス学者とソラリス・シンメトリー研究者の間では、ほとんど話が通じなくなっていた」——と、同じ事象を分析して、専門の違う学者同士で議論が平行線って展開は、なにも未来でなくても、今日の学界でも頻繁に起こることである。

僕に近い分野の話をすれば、シェイクスピア。文学者は沙翁(シェイクスピア)をまず詩として吟味する。韻文で書かれたテキストを分析する。対して演劇学者は、芝居として、舞台のパフォーマンスとしてのシェイクスピアを考える。これが似て非なるもの、骨肉の戦いになることもあって。

それは外からみれば、両方やればいいじゃないか、と思うだろう。でも、沙翁劇の究極的な魅力は何か、詩かそれとも演劇か、って問題を含んでいるので、文学者も演劇学者も簡単には譲れないわけである。

そう、僕が学生のころは、二つの分野に片方ずつ足を突っ込んでいる人間は、〝両生類〟なんて呼ばれて揶揄（やゆ）された。ところが、しだいに学際的（interdisciplinary）なる発想が出てきて、今日の複雑な世界を分析する学者は、学問領域も二つくらいは持っていなきゃ、つまりはダブルメジャー（double major）でなきゃならん、と。

僕はこの〝学際〟が踊っている現在の状況を、「学問の世界も異種格闘技の時代に突入した」と説明している。相撲とレスリングと柔道と空手と……どれが一番強いか。でもね、しょせんルールが違う。一番を競う前に、ルールのすり合わせで揉（も）めてしまう。だから、学際も異種格闘技も、面白そうでいてなかなか主流（メジャー）にはなれない。

で、えっ、僕ですか。僕は若いころはシェイクスピアのテキスト分析からスタートし、それから歴史学をちょっとだけかじり、さらに小さな劇団で遊ばせてもらいながら芝居作りの現場を覗（のぞ）き、そして文学者も演劇学者もほとんど興味を示さないシェイクスピア映画を論じたのが、三十代後半から四十代のころ。その後はイギリス映画全般、ヨーロッパ（大陸の）映画へと大風呂敷を広げ……

これ、自慢ではないし、卑下もしていない。ただなんとなく、流れで、好きなように、のらりくらりと、学際的なんてまったく考えずにやってきた。なので、この本も文学を語るはずが、芝居や映画といった文学の〝ライバル〟を視野に収めながらの漫談になっている。でも、若者の通過儀礼が文学なんて時代はとうの昔に終わっている。ならば、他のメディアとの異種格闘技を試みる文学論があってもいいではないか。[2]

お話は『ソラリス』に戻って、しだいに科学者たちの間では「ソラリス問題」といえば、「徒労に終わった問題」の意味になってきたとか。しかし、若手は、ソラリス文明の究明以上に、これは人間の認識の限界が問題だと論じているという。

宇宙ステーションの乗組員はスナウト、サルトリウス、そしてもうひとり、ギバリャンがいたのだが、ケルヴィンの到着直前に自殺したらしい。

ところが、ケルヴィンが廊下に出ると、あれっ、大きな黒人女がアヒルのような足取りでやって来る。着ているものは黄色っぽく輝く短いスカートだけで、胸には巨大な乳房がだらんと垂れ下がっている。ほほう、笑える空想科学小説だ。彼女は死んだギバリャンの部屋に入っていく。また、サルトリウスの部屋からは、子供が駆け足をしているような音が聞こえる。何が起こっているんだ、誰がいるんだ。スナウトがケルヴィンに、「自分のところにもお客さんが来たら、わかるさ」。

ケルヴィンは仕事をしながらふと寝入り、目が覚めると、ひとりの女性が椅子に座っていた。白いビーチ・ドレスを着て、素足、ドレスの薄い生地が張りつめた胸元。それは十年前にケルヴィンと喧嘩し、多量の薬を注射して死んだ妻ハリーだった。十九歳の昔のままの姿、そして私が繰り返し夢にうなされた彼女の注射の跡もそのままだった。

夢か幻か。いや、現実だ。ケルヴィンは彼女の体を愛撫し、ぬくもりを持った人間だと確認する。でも、ハリーは彼女が死んだ後のことも知っていた。また、ドレスを脱ごうとすると、ボタンが一つもなくて脱げなかった。ヘッヘッヘッ、ＳＦにも、科学だけではなく、色気のある女性が登場してきた。けれども、ケルヴィンはハリーを小型ロケットに押し込めて、発射してしまう。

　自殺したはずの妻の似姿を追い出した私を、スナウトが待っていた。「お客さんが来たんだろう？」最初にお客さんが現れたのは、ギバリャンのところだった。そうか、あの黒人女か。お客さんは厄介払いしても、また戻ってくるぜ、何事もなかったかのように。

　スナウト曰く、「一番恐ろしいのはじつは……起こらなかったことだ。決して起こらないことだ」、「正常な人間とはなんだろう？　ひどいこと、下劣なことを一度もしたことがない人間だろうか？　その通り。しかし、下劣なことを一度も考えたことがないなんて人間がいるだろうか？」

　なるほど、もし人間の意識にのぼったものが、いや、そうではない、無意識にでも思ったものが現実に立ち現れたら、どうなるか。人間は妄想を抱くだけなら、犯罪者とはならない。作者は続けてスナウトに、「汚れた下着の切れ端に夢中」になるフェティシストの話をさせている。女性の下着泥棒も、空想するだけなら、警察に捕まることはない。さらに横領も暴行も殺人も、頭に思い描くだけなら、罪には問われない。ヘヘエ、思想信条の自由は憲法で認められている。でも、人間が心の中で思ったことが、頼んでもいないのに現実化したら？　怖いですねえ！

　いつぞや、テレビの「ドラえもん」――これもＳＦアニメだ――でやっていた。ドラえもんがのび太君に頼まれて、人の心がわかる道具をポケットから取り出した。ところが、友だち同士、思っていることが読めると、すぐに大喧嘩が始まって、やっぱりお互いに胸に秘めていることなんか知らない方がいいんだ、というオチになっていた。

また、スナウトが言う、「われわれは宇宙を征服したいわけでは全然なく、ただ、宇宙の果てまで地球を押し広げたいだけなんだ」、さらに「人間は自分のことを聖なる接触（コンタクト）の騎士だと考えている。でも、これが第二の欺瞞（ぎまん）だね。人間は人間以外の誰も求めてはいないんだ。われわれは他の世界なんて必要としていない。われわれに必要なのは、鏡なんだ。他の世界なんて、どうしたらいいのかわからない」。

これも、この小説のテーマに直結する重要なセリフだ。人間は古来、異文化の世界と真の接触をしようとした経験があっただろうか。ただ単に、拡大していく世界を自分たちの価値観が通じる領域に作り変えようとしただけではないか。大航海時代のヨーロッパしかり、帝国主義列強の植民地政策しかり、そして「世界に民主主義を」と唱える現代のアメリカも同様である。

異文化との接触――一昔前の小説だったら、アジアやアフリカのジャングルの奥地や山岳地帯あたりを舞台にしただろう。それが地球にまだ見ぬ秘境が乏しくなり、宇宙に舞台を求めるようになる。ところが、そこにいたのは「ソラリスの海」。天才的な海なのか、重力ゼリーなのか。思考力はあるらしい、でも理性はあるのか、いや、そもそも生きものかどうか。人類が蓄積してきた叡智を総動員しても、実体がつかめない。しだいに自分たちがものを考え、認識するフレームワーク自体が問われはじめる。

スナウトによると、お客さんがやって来たのは、海にX線を照射する実験の九日か十日後からだったとか。お客さんは、我々が眠りから覚めた時にはもう現れている。また、ケルヴィンが過去の報告を読むと、「われわれには理解できない「心理解剖」のようなものが脳に対して行われたのではないか」と。おゝ、海にはこちらの考えが、無意識の部分にいたるまで筒抜けのようだ。

部屋の暗闇の中で、ケルヴィンはハリーの頭を肩に乗せて寝ていた。やはりハリーは戻ってきた。彼女の心臓の鼓動が感じられる。私は突然ハリーのきゃしゃな肩を抱きしめ、「その震えを感じて彼女を信じた」。禁断の愛の予感！

ケルヴィン、スナウト、サルトリウスがテレビ電話で話し合うことになる。ケルヴィンが意見を述べる。すべては偽装（カムフラージュ）、仮面だ。けれども、スーパー・コピーだ、オリジナルよりも正確な再現なのだから。原子よりも小さな構成単位でできているのではないか。ニュートリノかもしれない。

おっと、ニュートリノ――原子よりも小さな粒子たる素粒子、その中でも中性の、つまりは電気を持たず、しかも知らないうちにどこかへ飛んでいってしまう幽霊のような粒子。そんな不安定な粒子のことは、僕が高校時代には教わらなかった（はずだ）が、娘の物理の教科書にはちゃんと載っている。なにせ小柴昌俊と梶田隆章の両氏がその分野でノーベル物理学賞（それぞれ二〇〇二年、二〇一五年）を受賞したから。しかし、ちょいと調べてみれば、すでに一九三〇年にはそれが存在するという仮説がたてられ、『ソラリス』が書かれる五年前の一九五六年に初めて発見されている。なるほど、当時話題の素粒子をレムが小道具に使ったわけだ。[3]

だから、まあ、いいかげんといえばいいかげんな話。でも、文学を書くには遊び心が必要。『ソラリス』もストーリーよりはうんちくが楽しい小説である。中世美学の大家ウンベルト・エーコのものした十四世紀の大嘘話と同様、科学をよく知っていて、そのうえで創作しているスタニスワフ・レムのハッタリ未来談義。よって読者も眉間（みけん）にしわを寄せずに、ニヤニヤ笑いながら読むべきなのである。

で、海には個性という概念が欠けている、また我々に悪意も抱いていないようだ、だって我々の一番痛いところを狙っている風でもなさそうだから。そして、不安定なはずのニュートリノの組成はいかなるものか……

そのテレビ電話の話を聞いてしまったハリーが悩む。自分はケルヴィン、あなたにとって邪魔者なのね。あなたたちは「ここにいるのは本物のわたしじゃないって言っていた」。でも、出て行こうにも、出て行くことさえできないのよ。さらに、「わたしがあなたの夢に現れたのよ。寝ながらわたしの名前を呼んでいたじゃない」。夢！　夢にケルヴィンの潜在意識が現れた。完全にフロイトの世界である。そして、その潜在意識が実体化する。フロイトのＳＦ化である。

ケルヴィンがハリーを抱きしめ、彼女が「愛してる」と告白する。ケルヴィンは叫び出したい気分になる。

一方のサルトリウスは、ニュートリノを破壊する装置を考えている。

『ソラリス』にはいろいろな書物の話が出てくる。ケルヴィンが『ソラリス研究の十年』なる大著を読む場面も含蓄がある。分類学者は、ソラリスのさまざまな形態を説明する際に、ことばが足りなくなると、新しい単語を作りだした、と。『薔薇の名前』のページで、わが家の三人の子供たちが生きものを、それぞれニャンニャ、ワンワン、アンパンの名前で認識しはじめたという話をしたのを覚えておいでか。また、中世スコラ哲学の唯名論と実念論の論争については――事物と名前、ないしはその名前が表す概念とは？　ケルヴィンは、いくら新しい単語（概念）を連ねても、ソラリスの多様な現象を論じることはできないだろうと思う。

ケルヴィンはハリーを救うためなら何でもしようと覚悟を決める。だが、ハリーは強力な腐食作用のある液体酸素を飲んで、自殺を図る。彼女の目が閉じ、脈がなくなる。けれども、ハリーは死ななかった。[4]「わたしは……ハリーじゃないわ。じゃあ、私は誰なの……？」三日前の朝、わたしは何も知らなかった、遠い過去のように思えるわ。彼女はケルヴィンの潜在意識から生まれ、しかし生まれてからは彼女自身のアイデンティティを獲得しはじめる。

そう、僕はいつも思うのである、ものまね芸人の自己同一性（アイデンティティ）とは何ぞや、と。幾多の歌手を真似て歌いまくるコロッケの究極的なアイデンティティはいずこにありや。コロッケはもうコロッケとして、あれはひとつの「自分」なのであろうか。

で、ケルヴィンは言う、前は死んだ妻に似ていた、でも今は妻の姿は見えなくなった、君だけを愛している。ヘッヘッヘッ、ダメだ、こりゃ。

理性、認識、潜在意識、フロイト、アイデンティティ、それから異文化接触……花鳥風月を愛（め）でて文学になった時代がうらやましい。いや、文学ならずとも、およそ「現代」を知るのは一苦労である。ここで若干の整理をしておきたい。

『薔薇の名前』のヨーロッパ中世は、神の権威が絶対だった時代である。それが近世になると、神と人間との間にバトルが始まる。ローマ教皇と絶対君主との権力闘争――だけでなく、神学と各学問間の闘いも。人間側の武器は科学、医学、そして理性。

ご存じ、パスカル（一六二三―一六六二年）は「人間は考える葦である」なることばを残し、デカルト（一五九六―一六五〇年）は「我思う、ゆえに我あり」と語った。人間はものを考えられる、そこが動物と違う偉大な点だ、考えることこそ人間の存在証明なんだ、と。そして、十八世紀になるとフランスの思想界を中心に、「理性」をスローガンとして、キリスト教の世界観から離れる動きが出てくる。

さらに、ニーチェ（一八四四―一九〇〇年）は「神は死んだ」と。いや、哲学者のことばだけで神が死ぬはずはない。かつては自分や自分の家族が大病をすれば、教会に駆け込んでお祈りをするしかなかった。だが、医学が進歩すれば、そりゃお寺さんに行くのではなく、まずは医者に診てもらうだろう。形而上のレベルではなく、むしろ形而下の、日常生活の風景の中で、神の存在感は小さくなっていった。それをドイツの哲人がバッサリと。

一方、思考力を有する人間は、自分という存在のこともよくわかっている、自我――自分が意識している自分――も確立できると思い上がった。そんな近代ヨーロッパの思潮に冷水を浴びせたのがフロイトである。人間の心の中には、我々が意識していない広大な無意識の世界があるのではないか。我々が自覚している意識の下に、もうひとつの本音の領域があって、我々はその無意識の欲求によって突き動かされているのではないか。

昔はわからないことがあれば、すべて「神の摂理」と言われ、そこで思考が停止していた。けれども、神の力を借りずとも、人間は科学や医学の助けがあれば、全部自分で考えられると勇んだ近代。しかし、神が死んでできた西洋人の心の闇は大きかった。その内心の空洞に、今度は自分の制御できないもうひとりの自分がスッポリと入り込んできた。

その潜在意識がご乱行におよんだら……あな、恐ろしや。

と、ちょいとザックリすぎる説明ではあるが、いずれにしろ『ソラリス』はただのエンタメ系のSFではなさそう。宇宙を舞台にして西洋の近代思想史を問うた寓話とも読めるのである。

それからもうひとつ。スタニスワフ・レムの生まれ育った環境である。(5) 故郷は古都ルヴフ。(6) 地図を見ただけで、「ウワッ」と声が出てしまう土地である。現ウクライナ共和国の西端。かつてはポーランドだった。

中世、ヤギェウォ王朝——レムの出身大学の名はこの王朝名からとった——のころのポーランドは大国だった。しかし、よく知られているとおり、十八世紀にロシア、プロイセン、オーストリアによって三度にわたり分割され、消滅した。ポーランドが地図上にふたたび現れるのは百二十三年後、第一次大戦とロシア革命の混乱の中で独立を果たす。レムはその三年後の一九二一年に誕生。彼は独立ポーランドで幼少期から青春期までを過ごすが、ギムナジウムを卒業した年に第二次大戦が勃発、祖国はドイツとソ連に分割されて、再度消滅する。ルヴフはソ連領となり、さらに独ソ戦が始まって、ナチス・ドイツが侵攻してくる。

レムは父親がユダヤ系。だが曰く、先祖はユダヤ人だったが、自分はユダヤ教についてもユダヤ文化についても、何も知らなかった。それが、ナチスの作った法律のおかげで、自分にユダヤの血が流れていることを意識させられた。(7)

レムの一家がゲットー行きをまぬがれたのは、偽の身分証明書のおかげだったという。やがて終戦。ルヴフはソ連邦内のウクライナ共和国領となった。ルヴフの住民に与えられた選択肢は、ソ連の市民権を取得するか、それとも新たに独立したポーランド——戦前に比べて、西方にズズッと平行移動した形の国土——に「引き揚げ」るか。もっとも、着の身着のままの難民のような形で[8]。

レムの家族は、ポーランドのクラクフへ逃れる。だが、裕福な医者だった父親も高齢となり、全財産も失われた。そこで、レムが家計を助けるために三文週刊誌に真剣ならざる短篇小説を書いたのが、彼のもの書き人生のスタートだったという[9]。

支配者が次々に変わり、そのたびに社会の価値観が根底からひっくり返される。そうした東欧社会の有為転変とそこに生きた人々の心性（マンタリテ）は、現代の日本人にはなかなか実感を込めて理解できないところである。レムは沼野充義のインタビューに応えて、「恐ろしいほどの変化、体制の脆（もろ）さを体験してきたんです……社会体制から人間関係まで、もう何もかもが崩れ、すべての価値が崩壊してしまう。これこそまさにわれわれの二十世紀の本質ですよ[10]」と語っている。

と、この話を聞けば、レムの遊び心に富んだ科学小説を、もはや軽々には読めなくなる。理解不可能な生物と出会ったら、人間はいかにふるまうか。最初は金稼ぎのために筆をとったレムだが、しだいに自分の苛酷な異文化接触の体験をＳＦに託するようになる。でも、なぜ目の前の現実をリアリズムで書かぬ。それはもちろん、共産主義に支配された、ソ連の衛星国だった、厳しい検閲の縛りのあったポーランドで、そんな素朴で無垢なことは許されるはずもなかったから。

もっともレムは、種としての人間を扱えるのでＳＦを選んだと述べている[11]。なるほどわが身の危険もさることながら、彼が二十世紀の本質と考える事象を、個人的な経験に矮小化して描きたくなかったというのも本音だろう。私小説の伝統に染まっている日本人がレムの空想科学小説を読む際には、我々の方が空想力を働かせなければ、その真剣さと深刻さを実感できないわけである。

さて、スナウトはケルヴィンの脳電図をとろうとする。そこには無意識のプロセスもすべて記録される。ケルヴィンは思う、「人は自分の潜在意識に対して責任を持てるのだろうか?」ケルヴィンが図書室でソラリス学の本を拾い読みする場面も、レムのうんちくがおかしい。ヨーロッパの心理学者たちはソラリスをめぐる世論の変化を研究した、すると科学者たちの研究プロセスが世論の動向と驚くほど緊密に関係していることがわかった、と。たしかに学問や科学も、これがけっこう時流に左右されるものなのである。[12]

また、有史前の人類は、自分を取り巻く世界を人間形態主義（アントロポモルフィズム）的な方法で把握していたが、現代の見かけは高度な学問も、そこからさほど進歩していない、と。人間形態主義——そう、ハリウッドのＳＦ映画に登場する宇宙人が、まさにそれだ。常に人間を中心に考え、スクリーンに登場するエイリアンも自分たちの似姿、パロディでしかない。一方、レムは自分たちの物差しでは到底計れない、人類の認識を超える生物に遭遇したら、と問いかける。

さらに『ソラリス学入門』には、ソラリス学は宇宙時代の宗教の代用品だ、科学の衣装を身にまとった信仰だ、と。科学が神を捨てさせた未来世紀に、ふたたび神の啓示を求めている、ってか。笑える挿話である。

しかし、検閲をかいくぐって宇宙時代の冒険を皮肉るレム文学の背後に、異文化も異教信仰も一切許容せぬナチスや反ユダヤ主義者や共産主義者たちの傍若無人ぶりと彼らに席巻されるポーランドの人々の姿を連想しても、決して深読みにはならないだろう。

スナウトがケルヴィンに言う、脳細胞の意識的な部分はわずか二％だ、やっこさんは俺たち自身より俺たちのことをよく知っている、と。[13] なるほど、我々が意識できる、理性で制御できるのは、自分の心のうちのほんの一部分、氷山の一角ってわけか。となると、天下国家の話だけが広大なのではない、我々人間の心の中にも違う種類の無辺な世界が存在していることがわかる。フロイトがその〝心のごみ箱〟の蓋を開け、二十世紀は「心理学の世紀」と呼ばれるようになった。[14] そして文学も、「藪の中」の節で紹介したように、「主観の発見」に至り、人間の内面心理をさかんに探求しはじめる。『ソラリス』もまた、そんな典型的な現代文学のひとつといえようか。

ハリーは私に睡眠薬の入ったジュースを飲ませる。私の目が覚めた時、彼女はいなくなっていた。短い置き手紙があり、最後に書かれた「ハリー」の名が塗りつぶされていた。彼女はサルトリウスが作ったニュートリノ系非安定化装置によって、一瞬のうちに消え去ったという。美しいメロドラマである。

ハリーが姿を消した後の最終章は、ケルヴィン、いや、作者のつぶやきである。レムによれば、『ソラリス』は何もないところから突然生まれた、書きはじめた時にはその惑星に「生きている海」が存在することも知らなかったとか。そして、執筆にはずいぶんと時間がかかり、ある時不意に最終章がどんなふうになるべきか悟って完成できた、と。[15]

ケルヴィンがスナウトに、「君は神を信じるかい?」と問いかける。神もまた人間の観念の産物、ある意味でロマンティックな存在だが、ケルヴィンのいう神は人間の似姿ではなく、全知全能でもなく、欠陥をもった、ただ存在するだけの神。海は成長の途上で神になるチャンスを逃してしまった、あれは宇宙の世捨て人、隠者だ、と。絶対神を信じられなくなった時代の神をめぐるつぶやきである。

愛について。ケルヴィンは初めて惑星に降り立ち、海と問答しながら考える。「自分は生理学と物理学の法則に支配される物質的な存在であって、自分たちの感情の力を全部合わせたところでこれらの法則には太刀打ちできない」、遠い昔から恋人たちや詩人たちは永遠の愛を信じてきたが、それは嘘だ。ただし、「この嘘は単に無駄なものであって、滑稽なものではない」と。ヘッヘッヘッ、愛を大声で叫ぶよりも、こういうピアニシモのつぶやきの方が、読者の心には残るもので。

事実、ドライで情緒を排する作品を書きつづけたレムの文学の中で、この『ソラリス』だけは例外といわれる。いや、作者の意図は宇宙空間における恋愛劇を書くことにはなかったと、レムもレムのファンも反発する。だが、作家の意図と小説の内容が異なるなんてしばしばあること。そして、代表作がその小説家の作風から外れているもの、ということも頻繁にある。だから、『ソラリス』はメロドラマ——と、それもまたひとつの読み方ではある。[16]

もっとも、正攻法の読み方としては、ケルヴィンが海と今後も接触を続けようとつぶやくラストに、レムの異文化との格闘を継続する意志を汲みとるべきであろう。[17] 科学や医学が進むにつれて、ますますわからないことが増えていく現代、そして未来。原子より小さい素粒子、さらにニュートリノ……なんだ、そりゃ。昔はそんなの、影も形もなかったぜ。

いや、ソラリスの海のように得体の知れない輩（やから）は僕の周りにもウジャウジャいる。己のこだわりを持つことを善しとする研究者なる人種との異種格闘技は日常茶飯事。おっと、自分の嫁さんや子供たちでさえ、何を考えているんだか。いやいや、最近は自分の心根も定かでなくなり、僕はすっかり不可知論者になってしまった。あゝ、茫々（ぼうぼう）たるかな、わが心のうち。

5　オールダス・ハクスリー『すばらしい新世界』

次はイギリスのＳＦ。オールダス・ハクスリーの『すばらしい新世界』（一九三二年）は、『ソラリス』よりも三十年近く前に発表された。日本ではジョージ・オーウェルの『一九八四年』（一九四九年）がよく知られているが、英米ではむしろ『すばらしい新世界』の方が評価が高い[1]。

オールダス・ハクスリーは、祖父がダーウィンの進化論を擁護した有名な生物学者トマス・ハクスリー、父は文人、母は十九世紀の詩人・批評家マシュー・アーノルドの姪っ子、兄ジュリアンも進化論を支持する生物学者、異母弟アンドルーはノーベル生理学・医学賞受賞者という超インテリ一家の出身である。医学を志すが、目を悪くして断念、英文学と言語学の道に進んだ。小説家といっても、スタニスワフ・レム同様、理系的な頭脳を有したサラブレッドである。

僕は若いころ、ハクスリーはヴァージニア・ウルフとならんで苦手な作家だった。いかにも頭のいい人間が書いている風。下町のベタ庶民階級の出身者としては、縁遠い存在だった。でも、学生のころ読まず嫌いだった小説が、中年を過ぎてからがぜん面白く思えるようになった。僕もちょっとは成長したのかもしれない。

「中央ロンドン人工孵化・条件反射教育センター」という三十四階建ての低いビル、正面玄関にはセンター名とともに「共有（コミュニティ）・均等（アイデンティティ）・安定（スタビリティ）」なる世界国家のモットーが記されている。物語はその所長が見習い生たちに所内を案内している場面から始まる[2]。

　時はフォード紀元六三二年とある。どうやら西暦でいうと二十六世紀にあたるらしい。所長によると、ここでは一卵から九十六人の子供を生み出せるという。九十六人の一卵性双生児。標準的で均等な人間を人工的に大量生産する。これこそが社会的安定の大いなる手段だ！

　しかも、瓶に詰めた胎児の段階から階級が決められる。生後は条件反射と睡眠学習によって、アルファ、ベータ、ガンマ、デルタ、エプシロンの五つの階級に収められる。ヘッヘッヘッ、イギリスの小説だ、未来社会でも「階級」はなくならない[3]。

　曰く、階級が低いほど酸素を少なくする、エプシロンの知能は十歳で成熟する、そして条件反射教育の目的は、自分の社会的宿命を愛するようにさせることだ、と。自分の能力と階級を疑うことなく受け入れ、周囲の人々や他の階級に嫉妬心を抱かない、ってか。ハクスリーも好き勝手に未来を空想している。

　また、読書は有害、花を愛（め）でる心は無益だから、条件反射教育によって嫌悪感を覚えるように仕込む。そう、焚書の話はよくＳＦに登場する。社会に反抗しないように、本を読ませない[4]。さらに、イギリス人は田園が大好き、引退したら田舎に小さな庭付きの家を買ってバラでも栽培するのが、彼らの典型的な夢。この作品、イギリス人のこよなく愛するものをひとつひとつ否定してみせる。

加えて人工授精社会では、人間は母親のお腹から生まれない。だから、母性なる観念がなくなり、家族も存在しない。父母、夫婦、兄弟姉妹、恋人さえも。生殖の必要がなくなっているから、フリーセックスの時代になり、男女はできるだけ多くの異性と交わることが奨励されている。うん、それも悪くないか⁉

ヘンリー・フォードが神の代わりになっている。かの自動車王は一九〇九年にT型自動車を開発、第一次大戦後の一九二〇年代に他国に先駆けて大量生産時代を迎えたアメリカ社会を象徴する存在となった。よって、西暦をフォード暦に変更。十字架はその頭部がカットされてT字型になる。昔はキリスト教とか神とか天国とかが存在した、と語られる。二十六世紀には、完全に科学技術が宗教を凌駕(りょうが)しているわけだ。

フォード様は「歴史はデタラメなり」と宣(のたま)ったとか。おっと、イギリス人は歴史好きで有名、対して十八世紀末に建国された歴史の浅い国アメリカは、過去がとぼしいから常に未来を指向せざるを得ない。そのアメリカが超大国になるのは第一次大戦から。ハクスリーは、急速に成り上がってきたアメリカをかなり意識しながら新世界を創造している。(5)

また、そこでは情熱も善しとされない。「社会的安定なくして文明は存在せず、しかして個人の心穏やかならざれば、社会の安定もおぼつかなし。」なので、人々は不愉快な気分になると、すぐにソーマを飲む。その効果抜群の精神安定剤のおかげで、キリスト教も酒も麻薬も不要になった。残る課題は老いの克服だったが、医学の進歩によって、身心ともに若さを保てるようになる。老人もせっせと働き、性交し、余分な暇はなく、だから座り込んでくよくよ考えることもない。

　こうして苦労なく痛みもなく快適さが得られる社会に人類は到達した。小説の序盤は未来の様子が淡々と綴られている。情緒や風情や、愛や情熱を文学に求める人はダウンしてしまうかもしれないが、よく読めば我々が生きる現代社会の足元を見つめ直させてくれる警世の書であることがわかってくる。


　そんな金太郎飴みたいに均一な人間たちが幸せに暮らす安定した未来世紀に、ちょいと基準から外れた人物が二人。小柄で陰気な顔をしたバーナード・マルクスは、アルファ・プラスなのにガンマ階級の背丈しかないことにコンプレックスを抱いている。そう、英国では労働者階級の方が中流階級より背が低く体格も貧弱だというのが、イギリス人たちの固定観念であり、彼らの描く〝自画像〟である。(6)

　バーナードについては、件(くだん)のセンターで培養されていた時、彼の血液代用液にアルコールが混入してしまったと、世間では噂している。彼は自分の優越性に確信がもてない人間によくある傲慢で攻撃的なものの言いをする。我々の周囲にも石を投げればすぐに当たるほどいるではないか、学歴が高くて、でも自分の実力に自信がなく、だからこそ高飛車な輩(やから)が。

　もうひとり規格外なのは、ヘルムホルツ・ワトソンである。文句なしの体格、動きは俊敏、ハンサム、精力絶倫、大学の講師で、文才があり、触感映画(フィーリー)(7)のシナリオも書いている。完璧なアルファ・プラス。しかし、完璧すぎて、孤立している。バーナードがその肉体的欠陥ゆえに抱いている心理を、ヘルムホルツは優秀すぎるがゆえに共有している。すなわち二人はともに、自分は「個人(インディビジュアル)」だ、他人とは違う人間だと認識していた。

　イギリスは個人主義の国である。ひとりひとりが自由で個性的で、時に風変わりで、皆バラバラなのを好む。ところが、そんなヤワな社会ではダメだ、個人の自由を重んじるより国家に奉仕することによって各人の人生も充実するはずだと謳うスローガンが巷(ちまた)にあふれ出した。全体主義と共産主義の台頭である。『すばらしい新世界』発表の翌年に、ヒトラーが政権を奪取。また、スターリンの独裁もすでに始まっていた。未来を舞台にした寓話の行間に、一九三〇年代のアクチュアリティが色濃くにじむ。

　人名にご注目いただきたい。バーナード・マルクスは、作家で漸進的社会主義者だったバーナード・ショーと共産主義の教祖カール・マルクスを合わせた名前だ。ヘルムホルツ・ワトソンは、ドイツの生理学者・物理学者ヘルマン・フォン・ヘルムホルツとアメリカの行動主義心理学の創始者ジョン・ワトソンが合体。他の登場人物たちも、モーガナ・ロスチャイルド、サロジニ・エンゲルス、ポリー・トロツキー、ベニト・フーヴァー、ダーウィン・ボナパルト……皆、どこかで聞いた名前の掛け合わせである。[8]

　名前といえば、序盤になかなか出てこないのが、シェイクスピアである。「すばらしい新世界(Brave New World)」は、ご存じの方も多かろう、沙翁(シェイクスピア)晩年の傑作『テンペスト』、絶海の孤島で育った娘ミランダが初めて島外から来た人間を見た時に発する有名な一句である。ハクスリーもシェイクスピアの大ファン。なのに、詩人の名も引用も出し惜しみしている。

で、ヘルムホルツは、ただの上手な文章ではなく、読者の心に突き刺さる作品を書きたいと言う。バーナードの方は、不快な気分の時も自分のままでいたいと、ソーマを飲みしぶる。「僕は情熱とはどんなものか知りたいんだ、何かを強く感じたいんだ」と語って、デート中のレーニナに「個人が感じ入れば(フィール)、社会は動揺して(リール)しまうわ」とたしなめられる。

ハクスリーの綴る未来社会は、どうも明るくない。ユートピアならぬディストピア（dystopia）というやつだ。もっとも、僕はこの小説を異なる時代のよそ様の国の戯言と読み捨てにする気にはなれない。だって、日本の学校は、無害な子羊を作る場所、無言で黙々と働く蟻んこの養成所、自己主張しないように躾(しつ)ける去勢教育が常態化し、時々周りと違うことをしたいと考えている子供がいると、皆でボコボコにいじめる。個性を育てるどころか、アイデンティティを消す作業を当たり前のようにやっているのが、日本の教育だ。えっ、違うか⁉

と、遠い国の読者にも思わせるのが、イギリス文学の保守本流たる〝諷刺文学〟である。イギリス人が愛してやまないユーモアとは、大方の日本人の理解に反して、人の気持ちをホンワカさせる、つまりはソーマのようなものにあらず。人を怒らせるための武器になるグロテスクな笑い。おかしくて、やがて腹が立ってくる。他人事のつもりで読んでいるうちに、いつの間にか自分と自分の社会も諷刺されているのに気づいて、ムカムカしてくる。

そんなイギリスのブラック・ユーモアと諷刺文学の伝統[9]を知ると、八十年以上前に今日の日本の現実を予知したハクスリーの空想文学のリアリティがにわかに胸に迫ってくるのである。[10]

さて、物語はバーナード・マルクスがレーニナを誘って、アメリカはニューメキシコの蛮人保留地にバカンスに行くあたりから、急に動きだす。高圧電流の流れるフェンスに囲われた保留地には、文明社会と接触を持たず、条件反射教育を受けていない野蛮人が住んでいた。そこには結婚の風習が残り、家族があり、猛獣や毒とかげがいて、伝染病や聖職者も存在している。ブルッ!?

バーナードらが宿泊した部落はマルペイス――マイペースとも聞こえる――といった。変な臭いがする。汚物があり、犬や蛇もいる。「清潔さはフォードらしさに次ぐものね」、「そのとおり、文明は消毒にありだ」とバーナードたちが話す。そう、戦後の日本で格段に平均寿命が延びたのは、衛生観念と抗生物質と健康診断のおかげなのを、ご存じか。また、近代文明は、すべからく汚いものを隠そうとする。我々は自分たちの汚物が水洗トイレから流れていった後どうなるか、ほとんど目にしなくなった。

レーニナは若い女が赤ん坊に母乳を与えているのを見て、赤面する。そんなみだらな光景を今まで目にしたことはなかった。だって文明には、もはや母親も子育ても存在しないのだから。観念、習慣、道徳、法律、思想、イデオロギー……すべて人間の作った代物である。ＳＦは我々が当たり前だと信じている常識をひっくり返してみせる。

バーナードとレーニナの前に、現地人の着物を着ているが、白人で、癖のある英語をしゃべる若者が現れる。名はジョン。彼の話によると、母親――そのことばを聞いて、レーニナは気まずくなる――は、男と一緒に文明社会からやって来た。散歩をしていて、山の斜面から落ちてしまった。男はそのままいなくなり、しかも彼女は妊娠していた。保留地では中絶もできず、致し方なくマルペイスでジョンを生んだ、と。

母親の名前はリンダ、ベータ・マイナスに属していた。ソーマのない蛮人たちの土地で、酒に溺れた。文明社会の道徳どおり、現地の多くの男たちと交わり、そのため彼らの妻たちから鞭で打たれた。前歯が抜け、爪は真黒、悪臭を放ち、ひどく老いた。

ジョンとリンダ――文明世界の人間たちの名にそれぞれ〝意味〟があるのに対して、二人の名前のなんと平凡なこと。ごくふつうの人間ってわけだ。また、ハクスリーは高度に進歩した未来社会と、文明が進歩したらなくなる多くのものを保存している蛮人保留地と、どちらがすばらしい世界かを論じない。どちらも一長三短！

ハクスリーが呈示している論題は、今日の先進国と途上国の関係にも敷衍（ふえん）できるであろう。

リンダはジョンに文字を教えた。ジョンが十二歳の時、一冊の分厚い本に出会った。部落の男が礼拝堂から拾ってきた本とか。何百年も前のものらしい、意味のないことばかり書いてあるから未開の時代の書物だね、でもおまえの読み方の練習くらいには使えるだろう、とリンダが酒を飲みながら言う。それが『シェイクスピア全集』だった。

ヘヘエ、お待たせしました、シェイクスピア。奇妙なことばがジョンの心の中で雷鳴のごとく鳴り響いた。半分も理解できないのに、恐ろしくも美しい魔法の言語。ジョンがバーナードたちに出会ったころには、出るわ出るわ、沙翁からの引用が蛮人世界で育ったジョンの口からあふれるように。

バーナードがジョンに、リンダと一緒にロンドンへ行かないかと誘う。ジョンは『テンペスト』

でミランダが出来損ないの人間を見て言ったセリフを語る、「なんという驚異！　なんてステキな生きものがたくさんいるんだろう。人間がこんなに美しいとは。おゝ、すばらしい新世界」。後世に残った成句としてはすばらしく、しかし文脈からいえばシェイクスピアは痛烈な皮肉を利かせている。そして、ハクスリーも……

バーナード・マルクスらが文明世界に帰った。彼を待っていたのは、以前から変わり者のバーナードを左遷しようとしていた所長による僻地アイスランドへの異動宣告だった。ところが、リンダの登場によって事態は一変する。リンダを蛮人保留地に置き去りにした男は、ほかならぬ所長だったのである。

所長は辞任、そして野蛮人見たさに皆がバーナードにすり寄る。彼は生まれて初めて重要人物として扱われる快感を味わう。人間が他人から認められる大切さ。『どん底』の節で紹介したマズローの欲求五段階説の第四段階である。それまで劣等感に苛（さいな）まれていた異端児がようやく世間と折り合いをつけた。ハクスリーはうんと作り物の小説を書きながら、人間の心の機微はよく理解している。

ジョンの見た「すばらしい新世界」はいかなるものだったか。イートン校――イギリスの名門パブリック・スクールは遠い未来においても不滅らしい――を視察すると、図書館には辞書類しかない。シェイクスピアは読まないとか。また、死に対する条件反射教育について説明を受ける。子供たちは生後十八カ月から重病人病院で週二日を過ごし、そこには最高のおもちゃが用意され、死者が出た日にはチョコレート・クリームがもらえる。そうやって、幼児のころから死を当然のことと受け止めるように教育される。

さて、小説後半で面白いのは、世界に十人いる総統のひとり、西欧駐在総統のムスタファ・モンド[11]をめぐる話である。彼はジョンが文明社会に悶々（もんもん）としはじめたころ、「生物学の新学説」なる論文を読み終え、独創的だが異端的だとして、出版不許可の裁定を下したところだ。この論文は、絶対善たる幸福信仰を阻害する危険性があるとか。

おかしいのは、ダーウィンの進化論を支持する祖父や兄をもつオールダス・ハクスリーが、進化論のパロディらしき論文をムスタファ・モンドに却下させていることである。総じて西欧のインテリは第一次世界大戦（一九一四―一八年）、すなわち人類史上初の国家をあげての一大殺戮戦を目の当たりにして以来、近代ヨーロッパを卓越せる文明社会と信じられなくなった。人間を理性的な存在だとする自負は、野蛮で陰惨でいつ果てるとも知れぬ塹壕戦を体験して、脆（もろ）くも崩れ去った。ハクスリーはそんな世界大戦の灰の中から生まれた、虚無的な一九二〇年代文学を象徴する作家のひとりとして登場した。

機械と科学、そしてそれらに裏打ちされた「進歩史観」への懐疑は、一九三二年に発表された『すばらしい新世界』に、一層色濃く反映されている。ハクスリーはその後、近代社会を諷刺的に批判する小説に限界を感じ、平和主義を唱えて宗教的神秘主義へと向かう。だが、思想性を求める傾向の中で、文学作品としては袋小路に陥っていく。

文学の摩訶不思議は、『薔薇の名前』の節でも述べたように、作者の〝結論〟なり〝答え〟なりがある小説が上質の作品とは限らない点である。むしろ解答が見つからずに暗中模索する姿にこそ、人生と社会の実相が浮き彫りにされることがままある。そう、ハクスリーの愛するシェイクスピア劇でも、出口の見えない五里霧中の人間心理を描いた『ハムレット』、『オセロー』、『リア王』、『マクベス』の、いわゆる「四大悲劇」が、しばしば最高傑作と呼ばれる。

一流の文学にはほとんど答えらしきものが示されない。それは人生に答えがないのと同じである。[12]

ムスタファ・モンド曰く、「幸福を考えなくてすむなら、どれほどか愉快であろうに」。総統の頭にある幸福とは、人々の心の平和、ひいてはそれに基づく社会の安定である。けれども、ジョンはバーナードに、「いつわりの幸福をもつよりは、不幸な方がましだよな」と。また、ヘルムホルツも孤独を歌う詩を書いて、校長と対立。心穏やかで嫉妬心なく、皆仲良く交際し、誰も孤立することがない、そんな未来社会に孤独など存在しないはずだから。しかし、ヘルムホルツは自分の書くべき題材が見つかりそうだと言って、トラブルを抱えながら、ひどく幸せそうに見えた。

ジョンはレーニナと相思相愛の仲になり、彼女に求婚するが、レーニナには結婚という概念がない。でも彼に体は許そうとするが、今度はジョンが激怒して、レーニナを売女（ばいた）呼ばわりする。野蛮人にはフリーセックス社会の道徳観念がわからない。リンダが他界する。嘆き悲しむジョンに、看護婦長はこれでは子供たちの条件反射訓練が台なしになると言って当惑する。死を恐ろしいものと思わせるなんて。反社会的な行為だわ！
居たたまれなくなった野蛮人は、人々の自由を叫んで、デルタ階級に配給されるソーマを窓から投げ捨てる。デルタたちは怒り狂って暴徒化する。警官隊が駆けつけ、噴霧器で気体ソーマを吹きかけて騒ぎを鎮圧する場面は、目に浮かぶおかしさというやつだ。

ジョンが、バーナード、ヘルムホルツとともに、総統の書斎に呼ばれる。最初は身構えていたが、ムスタファ・モンドが気さくで知的な顔を見せ、さらにシェイクスピアのセリフまで引用するので、ジョンの顔は一気に輝いた。沙翁は禁書だが、総統の私は読める。「でも、なぜ禁止されているんですか」、「古いからだ。古いものは役に立たない」、「だけど、美しいでしょ」、「美は人の心を惹きつけるから、なおさらよろしくない」。

話は『オセロー』へ。『オセロー』のような作品は新たには書けない。なぜなら、今の世界は安定している、人々は満ち足りている、欲しいものは手に入り、手に入らないものは欲しがらない、激しく感情を揺さぶられることはない。だから、新作『オセロー』は今日の「飼いならされた動物たち」には理解できないと、総統はつぶやく。

そう、『オセロー』が、そしてシェイクスピアが偉大なのは、人間の嫉妬心という、小さな小さな題材を扱って、読者や観客を震撼させる点にある。他人から見れば「えっ、そんな小さなことで」という動機で、人は信じられない激情に駆られ、とんでもない行動に出ることがある。妬み、そねみ、やっかみ、焼きもち、羨望、ジェラシー、見栄、虚栄心——そういった人間のちっぽけな、しかし断ちがたい〝後ろ向きの心情〟からもし万が一、我々が将来解放されたら、どういう世の中になるか。ハクスリーが実に深く沙翁を味わいながら、未来社会を空想しているのがわかる。

野蛮人は、あんな「白痴の語る物語[13]」たるフィーリー映画よりシェイクスピアの方が上等なのに、と。総統は「もちろんだ」、しかし「それが安定のために支払った代償だよ」、高級芸術は民衆の幸福のために犠牲にした。さらに、安定は不安定ほど目を見張るものではないし、人間が満足している時は逆境と勇敢に戦っている時ほど輝いてはいない、とも。

いい話ではないか。このあたり、夢みたいなことばかり考えていないで、堅実に就職活動しろと、大学生の子供を諭(さと)している親の気持ちに重なるところもあるだろう[14]。

ジョンはさらに、あなたは好きなように人間を作り出せるなら、なぜ全員をアルファ・ダブル・プラスにしないのか、と尋ねる。総統は、「アルファだけの社会は不安定で不幸にならざるを得ない」、彼らにエプシロンの仕事をさせれば、気が狂うか何もかも目茶苦茶にするかどちらかだ[15]。以前に、キプロス島でアルファ階級だけを住まわせる実験をしたら、六年たたないうちに内乱になった、と。

「最適の人口は、氷山と同じ、九分の八が水面下にあり、九分の一が水面の上に出る構成だ」とムスタファ・モンドは語る。それに、水面下の人間の方が水面上の人間より幸せだよ。彼らは軽い仕事を一日に七時間半だけ、それでソーマが配給され、ゲームとフリーセックスとフィーリー映画もある。それ以上何を求めよう？　なるほど、これにスマホが加われば、現在の日本と大して変わらないではないか。

総統が話を続ける。かつてアイルランドで下層階級の労働時間を四時間にする実験をしたら、かえって暇を持て余して、不安とソーマの消費量が激増してしまった。農業に関しても、あらゆる食物は工場で合成製造できるのだが、人口の三分の一は手間暇のかかる土地に執着させた方が、社会は安定するのだ。

我々は変化を求めていない、すべての変化は安定に対する脅威になる。新たな科学的発見も社会の転覆につながる可能性がある。芸術だけでなく、科学もまた、幸福に反することがある、と。

ここでヘルムホルツが驚きの声をあげる。何だって？　我々は科学がすべてと教わってきたじゃないですか。だが総統は、「君たちは科学的な訓練など受けていないんだ」と。民衆が知っているのは、公認の、無害な科学理論だけ。ムスタファ・モンドは、若いころ優秀な物理学者だったという話を始める。優秀すぎて、非公認の、真の科学に手を出して、あやうく島流しにされかけた。結局、島で純粋科学を続けるか、総統会議のメンバーになるかの選択に迫られ、彼は後者を選んだというのだ。

「幸福は手ごわい主人だよ、とくに他人の幸福となれば」、真理よりずっと手ごわい。ある時、フォード様がご自身で真理と美から快適さと幸福に舵を切った。大衆が権力を握れば、必ず真理や美よりも幸福が問題になる。また、科学的研究が無制限に許可されていた時代に、大戦争が起こった。その戦争に懲りて科学が制御されるようになり、真理も美も知識も幸福を得るための代償とされた。

ムスタファ・モンドは決して悪党ではない。大衆社会の長短をよく嚙みしめている。文学はしばしば脇役の、時には悪役とおぼしき人物に作品のテーマを語らせる。ハクスリーの問題意識の代弁者は間違いなく、ディストピアを統轄するこの独裁者である。

総統は言う、島送りは罰ではなく褒美のはずなんだが。島に行けば、自意識の強い個人に会える、公式テーゼに飽き足らず、自分自身の独立した思想を持っている人間たちに。

ヘルムホルツは、できるだけ気候の悪い島に流してくれと頼む。その方がいいものが書けそうなので。総統が、「その意気だ。気に入った。もっとも、公式には認められないけれども」。

独裁者と異端児たちの圧巻の幸福論である。

ウンベルト・エーコは、世界の改善のためにどうやって平信徒たちの側に立ちつづけるか、それがロジャー・ベーコンの命題であったと記している。また、文書館を牛耳る老僧ホルヘには、知識は探究しなくていい、僧院の文書はただ保管すれば十分だと語らせた。エーコは民衆の心の動静と平らかなる世の中を維持することの難しさを、中世の修道院の物語に託して描いた。

ハクスリーも世界恐慌の嵐が吹き荒れた激動の時代に、同様のモチーフを、逆説的(パラドクシカル)な未来物語の形で問うた。『すばらしい新世界』は発表当時、決して好評ではなかった。あまりにも痛烈、辛辣、そして冷笑的(シニカル)。しかし、その後の世界史を一望すれば、ハクスリーの苦い諷刺小説のリアリティを高く評価せざるを得ない。真に残念ながら、地球は今もディストピアへの道を進みつづけている。

総統の書斎には、ジョンとムスタファ・モンドだけが残り、二人きりの問答がまだ続いた。野蛮人が、芸術と科学と、あなたは幸福のためにずいぶん高い代価を払ったと言うと、総統は宗教も犠牲に供したと答える。人は死が近づくと宗教に頼るようになるものだが、我々は死ぬまで若く元気で生活できるようになり、それゆえ神からの独立を果たした。

ヘヘエ、宗教を否定的に捉えていながら、そこはヨーロッパ文学、『ソラリス』と同じく、最後はやっぱり信仰なき未来世紀の神について語らずにはいられない。

総統は、おそらく神は今も実在するだろう、と。しかし、形が違う。近代以前は聖書のような書物に記された姿で世に現れたが、今は不在という形で現れる。神は、機械や薬や幸福とは共存できない。我々は後者を選択した。人は何かを本能的に信じていると思っているが、実はそう条件づけられたから信じているに過ぎない。神もまた条件づけられて信じているだけだ、と[16]。

野蛮人はことばが見つからなくなると、沙翁のセリフを引用して反論する。笑える。

ふたたび総統。文明は孤独も禁欲も純潔も、高貴さも勇壮さも必要としない。努力しなくても、いざという時にはソーマが辛い現実を忘れさせてくれる。ソーマは「涙なしのキリスト教[17]」だよ。辛抱し、我慢し、自制し、苦労し、習練し、修行して、やっと人生の何たるかを悟る――そんなの、古い古い、って話である。科学と機械技術と医学の力で、不愉快なものを全部取っ払っちゃう。もちろん社会が変われば、人々の心の支えも変えなくてはいけない。なので未来においては「快適さ」を信仰する。

笑えない小説である。笑えないのはハクスリーが冷笑的なためではなく、現代の日本がハクスリーの未来世紀にかぎりなく近づいているからである。学校はプチブル・ファクトリーと化している。けれども、それは必ずしも学校だけが悪いわけではない。わが国の社会がプチブル[18]ばかりを求めている。学校は社会のニーズに応えなければならない。

日本の大衆が快適さを追求できるようになったのは、せいぜい戦後のことである。それまでは飢餓もあった、戦争もあった、常に死の危険があった。それが生きることを当たり前の権利のように考えられる時代になった。いい世の中だ、間違いない。しかし、人々は便利さと快適さに〝飼いならされた動物〟にもなってしまった。もうこの涙なしの快適信仰はやめられない。だから、原発も止められない。脱原発が理念のレベルにとどまっているのは、経済力を落とすからだけでなく、むしろ人々の快適信仰を制御できないからだ。

地球は傲慢な人類の所業の果てに悲鳴をあげているのに、まだ人々は根拠のない進歩史観にしがみついている。そのうち科学がなんとかしてくれるだろうと、無理にでも信じようとしている。

小説の終章は、野蛮人が文明社会に絶望し、首を吊って自害する。アーメン！

6　ベルトルト・ブレヒト『ガリレイの生涯』

太陽は東から昇り、西に沈む。常識だ。しかし、学校の理科の時間には、それは天動説の考え方で、ほんとうは地球の方が動いているんだ、と習う。だけど、いくら教わっても、我々は〝自分の見たものすべて〟のところがあって、ふう～ん、ってくらいの理解の仕方。そう、初めてニューヨークへ観光旅行に行けば、それで本を読むより人から話を聞くより、よほどアメリカがわかったような気になってしまうのが、ふつうの人間だ。百聞は一見にしかず、けれども一見は偏見の源でもある。

よって、我々の日常感覚とは反する地動説は、さながらSFの世界である。そこで本節は未来からふたたび過去へ。過去の科学のお話。ベルトルト・ブレヒトの戯曲『ガリレイの生涯』（初稿一九三九年、四三年、第二稿英語版四七年、ドイツ語版五四年）は、地動説を望遠鏡による観察で実証し、しかし宗教裁判に屈してその画期的な学説を取り下げたガリレオ・ガリレイの生き方を問うた秀作である。

『ガリレイの生涯』は一六〇九年、ヴェネツィア共和国領内のパドヴァ大学で数学を教えているガリレオ・ガリレイが、彼の貧しい書斎で家政婦の息子アンドレアとやりとりする場面から始まる。ガリレイは少年に、プトレマイオスの天球儀を見せながら宇宙について説明している。「二千年もの間、人類は、太陽はじめすべての天空の星が地球のまわりを廻っていると信じていた。[1]」だが、古い時代は終わった。有史以来船は岸辺に沿ってのろのろ走っていたが、これからは新しい星図を頼りに新大陸めざして大海原へ乗り出していく。

時は大航海時代である。ガリレイは、新しい世の中への気概に満ちている。「何千年もの間「信仰」がでんと構えていたその場所を、今占領しているのは「疑い」だ……絶対の権威と思われていた真理が気安く肩を叩かれるようになった。」なるほど、すべての既成概念を疑え、ってか——ウンベルト・エーコの中世ＳＦ小説と同じ匂いがする。

地球は楽しそうに太陽のまわりを廻り、町の市場では人々が天文学を話題にするようになるぜ〜。と、ガリレイは牛乳屋への支払いもままならぬ貧乏暮らしなのに、優秀な少年相手にルンルンでコペルニクスの唱えた地動説について解説している。

でもアンドレアの母親、サルティのおかみさんは、そんな神父さんに叱られそうな話を息子に吹き込むのはやめてくれ、と。

そこに、裕福な家柄の青年ルドヴィーコ・マルシーリが、ガリレイに家庭教師を頼みに来る。個人教授は月十スクーディだ。しかし青年が、自分には学問をやる頭がないんです、と言うと、では月十五スクーディ、と即座に授業料を上げる。ガリレイはアンドレアには楽しそうに宇宙の科学を語っているのに、出来の悪い生徒の家庭教師は、金になっても時間の無駄だ、と渋い顔になる。だが、ルドヴィーコがオランダで売っていた、ものが大きく見える奇妙な筒について話すと、ちょいと乗り気になる。

続いてガリレイのもとにパドヴァ大学の事務局長がやって来る。ガリレイの給料増額要求に対して、数学は人気科目ではない、「いわば食えない芸術のようなもの」、「数学は哲学のように必要でもなく、神学のように有益でもありません」。

おっと、神学だけでなく、哲学も出てきたか。哲学は神学の影が薄くなった後も、西洋では長らく学問の中心とされてきた。だって、今でも「博士」はPh.D.、どの分野で博士号を取っても「哲学博士」、Doctor of Philosophyである。つまりは単なる一分野の専門家であるだけでなく、博士には幅広い範囲で思索（デンケン）できる学識が求められるという含意である。

ガリレイもアンドレアに「ものの見方を教えてるんだ」と宣（のたま）っている。深い意味のあるセリフである。

で、事務局長は、大学に籍があれば、いくらでも個人教授の生徒が寄ってくるだろうと言う。しかしガリレイは、そんな暇はない、僕の知識欲は旺盛なんだ、研究に時間を使いたいんだ、と。対して事務局長曰く、ヴェネツィア共和国は「あなたの研究の自由を保証している」、天文学という教会の教義に尊敬の念を払わない学問をやっていても。

ブレヒトはガリレイを英雄として、また人格者として描いてはいない。ごくごくふつうの研究者のひとりとして設定し、彼らの素朴な本音を代弁させている。出来の悪い、ないしは学問に興味のない学生は教えたくない。とにかく静かに研究できる時間がほしいんだ。大学はパトロン、金だけ出して学問に口を出すな、と。そう、彼らの所属する機関に対する忠誠心（ロイヤルティ）は薄い。よりよい研究条件を提示されれば、むろんそっちへ行くだろう。

えっ、僕ですか。教育は有難い〝生業（なりわい）〟です。学生と過ごす時間を無駄だとは思わない。でも、前節でも述べたように、無害な子羊やら黙々と働くだけの蟻んこやらを養成するのは潔しとしない。学生には自分でものを考えられる人間になってほしい。よって、僕のゼミのスローガンは、「黙って俺について来るな」。僕はヒーローではないんだから。いや、教育に時間をとられるのは仕方ない。それより学校行政の仕事の煩雑さ、無意味さ、不毛さ。優秀な研究者の海外流出を嘆く声があるけれど、そりゃ有能なら海外へ行くだろう。至極当然の現象である。

ガリレイは愚痴る、「私は四十六歳だが、自分を満足させるようなものはまだ何もなしとげていませんよ」。ヘヘエ、実感のこもったセリフだ。「偉大なコペルニクスの学説さえも、まだ証明されてない、単なる仮説だ」、「天体に関するかぎり、われわれはみえない目をもった蛆虫（うじむし）同然なんだ」。しかり（アーメン）！　ガリレイの時代から四百年たっても、世の中まだまだわからないことだらけ、ちょっと興味をもてば、面白い未知の世界がいくらでもある。だが、世のため人のため、いやそれならまだしも、お国のためといわれても。

ガリレイはルドヴィーコから聞いた話をもとに望遠鏡を作り、ヴェネツィア共和国に贈呈する。

この筒を使えば、戦時に敵の艦隊を相手より早く見つけることができる。金になるもの、役に立つものを求める上層部も、これで満足するだろう。

望遠鏡がオランダの発明品のパクリなのはすぐにバレる。しかし、ガリレイは意に介さない。彼は望遠鏡を使った観察によって、地球が宇宙の中心でないことを証明しはじめ、興奮を隠せない。コペルニクスの地動説を支持したジョルダーノ・ブルーノが火刑にされてからまだ十年もたっていない。友人が、君は「教会の基盤である聖書が裏書きしている」プトレマイオスの体系を二十年間も学生たちに教える狡猾（こうかつ）さを持っていたじゃないかと諭（さと）しても、それは今まで反証できなかったからだ、と。

道具の発明によって、肉眼では見えなかったものが見えてくる。ルネサンスの科学が神学を打倒しはじめる。けれども、教会が聖書の世界観をひっくり返されて、はいそうですかと、すぐにそれを認めたはずはない。

ガリレイは無邪気であり、傲慢でもある。娘のヴィルジーニアには、ミサに行くように言っている。教会と争う気は毛頭ない。もっとも、「あの子は頭が悪い」と言って、娘の教育をおろそかにしているのも、たしかだが。また、「うまいものを食べていると一番いい考えが浮かぶんだ[2]」と語る、食い気たっぷりのエピキュリアンでもある。

ブレヒトの描くガリレイは、非の打ちどころのない天才からはほど遠い。むしろ、科学者として以外はただのオッサン。人間は矛盾の固まり、長所と短所、善と悪、賢さと愚かさの〝ごった煮〟ってか。

ガリレイは友人が止めるのも聞かず、ヴェネツィアを去って、フィレンツェの宮廷へ行く。あそこの方が時間と、それからうまい肉料理にもありつけるから。今日なら、時間と研究費をとるか、それとも学問の自由(アカデミック・フリーダム)を優先させるかという話になろうか。

ブレヒトはガリレイの友人に怖いセリフを吐かせている、「人間が真理を見てしまう夜は災(わざわ)いの夜だ、人間が人類の理性を信じてしまう時は目のくらむ時だ」、「権力者たちが、真理を知ってしまったような男を自由にうろつきまわらせると思うかね」。

この戯曲には、「仮説」、「証明」、「真理」、そして「理性」なることばが繰り返し出てくる。案の定、フィレンツェの学界ではガリレイの地動説は、かたくなな不信感をもって迎えられる。ペストが流行する。皆、町から逃げていく中で、ガリレイは観察記録の整理がつくまで留まるという。ここはちょっと英雄的。ブレヒトはガリレイのさまざまな姿を見せて、時に観客の共感を誘い、時に違和感を覚えさせる。

やがてローマ教皇庁の学者や僧侶たちも、ガリレイの発見を認めざるを得なくなる。だが、異端審問所は結局、コペルニクスの理論を異端と断じ、彼の書籍を禁書目録に入れる。ガリレイにも地動説を放棄せよ、ただし教会の見地に反しない研究は続けてもよい、と。バルベリーニ枢機卿[3]はガリレイに、人間の理性は不十分なものだ、あなたも穏健な仮面をつけるように、と忠告する。

この芝居、科学者――さらに、研究者一般、芸術家も含めて――の、権力者との、またスポンサーとのせめぎ合いの物語として普遍化できる。

ガリレイのもとにひとりの若い修道士が訪ねてくる。カンパーニャ地方の貧しい農民の息子で、知的好奇心の旺盛な平修道士である。曰く、私の読んだ教令と、自分で観察した天体の矛盾をどうしたら解けるかわからない。ガリレイは最初、自分の本心を探りに来たスパイではないかと疑いの目を向けるが、そうではないらしい。若い僧侶は、「私は教令のもつ英知に辿りつくことができたのです。それはあまりにも無制限な研究が人類にとって持つかもしれぬ危険を私に教えてくれました。そこで私は、天文学をやめる決心をしました」。

若者は天体を観測しながら、自分の貧しい両親の姿を思い浮かべたという。「彼らは決して幸福に暮してはいませんが、その不幸のなかにも一種の秩序のようなものが宿っています」、彼らは「日曜ごとに聖書の文句をきくことによって彼らに与えられる安定感」を得ている。なのにこの地球が世界の中心ではない、たくさんあるちっぽけな星のひとつにすぎないと聞いたら、「汗や忍耐や飢えや屈従など、すべての苦しみが必然的なものだと証明していた聖書が、今になって間違いだらけだったといわれたら」、彼らはどうやって自分たちの悲惨な暮らしを耐え忍んでいけるのでしょうか。

真理を探究しようとするガリレイに対して、やむにやまれず問いかけてくる若い平修道士の長ゼリフが、実に味わい深い。両親は貧しくとも、苦しくとも教会の教えを糧に必死に生きてきた。そこには〝一種の秩序〟が、〝信仰による安定感〟がある。そんな民衆の魂の平安を破ってまで、天地をひっくり返す科学研究を推し進めるべきなのか。

『薔薇の名前』のホルヘ、『すばらしい新世界』のムスタファ・モンドがこの芝居を見たら、大きくうなずきそうな訴えである。科学は、学問は、人間を幸福にするか。[4]

だが、ガリレイは断じる、「やさしい主イエスの代理人〔教皇〕がスペインやドイツで遂行している戦争の金をまかなっているのは、カンパーニャ地方の農民なのですよ、なにゆえに教皇は地球を宇宙の中心に置くのでしょう？　そうすれば聖（サン）ピエトロ寺院の玉座が地球の中心になるからですよ！」これも、しかりである。ローマ教皇が絶大なる権威を有していたのは、決して神の代理人だったからだけではない、民衆から膨大な税を取り立てる大地主であり、強大な世俗権力をその手に握っていたからでもある。

よって、この劇の主題は神と科学の葛藤ではない、時の権力と学問との間の闘い。ブレヒトの作品は、いつも政治劇である。

この場の終わり、ガリレイの差し出した海の潮の満ち引きに関する原稿を、修道士が夢中になって読みはじめる。ガリレイは「認識の木のリンゴの実さ！」と。アダムとイブは、神から禁じられた知恵の木の実を食べたために楽園から追放された。若い僧侶も「永遠の呪い」を受けても、禁断の書を読まずにはいられない。「不幸な食いしんぼだ！」これ、科学者たちの本音の物語である。[5]

ガリレイはそれから八年間沈黙する。今はお上を敵にまわすことのない水中の浮力の研究をしている。

ある日、ガリレイに破門されたかつての弟子がやって来て、自分がコペルニクスの地動説を断罪しているようにみえる箇所の説明をしたい、と。彼は教皇庁の教令に従って学問を続けている。しかし師匠は、「真理を知らないものはただの馬鹿者です。だが、真理を知っていながらそれを虚偽というものは犯罪人だ」と語って、彼を追い出す。[6]

ガリレイはすっかり青年になったアンドレアに、浮力に関するアリストテレスの学説の間違いを指摘する。「科学の目的は、無限の英知への扉を開くことではなく、無限の誤謬にひとつの終止符を打ってゆくことだ」――現代に通じる一句である。学問は、夢のように明るい未来を築くことではなく、これまでの誤りをひとつひとつ検証するのが、その大きな仕事のひとつ。金にならずとも、お上が顔をしかめようとも、そういう〝後ろ向きの仕事〟もするのが、研究者としての使命であり倫理である。[7]

そんな折、保守的な教皇が瀕死の床にあり、後継者には自身科学者でもあるバルベリーニ枢機卿が有力だというニュースが入ってくる。ガリレイは興奮して、はしゃぎまわる。実は屋根裏部屋で密かに天体の観測を再開していたのだ。アンドレアはハミングするように、聖書には地球は静止しているとあるが、それでも地球は動いている、と。ガリレイが宗教裁判の際につぶやいたとされる伝説的なセリフを、ブレヒトはアンドレアに軽やかに口ずさませる。

新しい思想が民衆にも必要なんだと、ガリレイは熱を込める。でも、どうやって彼らに伝える？私はラテン語ではなく、民衆のことばでだって書くことができる。なるほど、科学もダンテやルターのように俗語で書いて、特権階級から解放しよう、ってか。パンを食卓で見るだけの人は神様に感謝するだろうが、実際にパンを作る人間は自分たちで焼かなければパンはできないことを知っている。一般大衆のための科学！

マルキストたるブレヒトの、民衆への眼差しが窺(うかが)える場面である。

次の十年間に、ガリレイの学説は民衆の間に広まってゆく。瓦版や大道芸人の歌い手が地動説を題材として取り上げる。ブレヒトはそれを謝肉祭の様子で示すべく、今日でいえばミュージカル仕立ての一場を挿入した。「♪下のものが上のもののまわりを」廻りはじめた、「自分の主人、自分の親方になりたくないやつがいるかね？」――民衆の諷刺的な歌の中に上下の階級を回転(レボルブ)させる革命(レボリューション)思想を読み取ることもできそうだ。

謝肉祭の行列には、「新時代」と書かれたプラカードあり、ガリレイの張りぼて人形あり。おっと、プラカード。ブレヒトはしばしばプラカードなり字幕なりで、あらかじめストーリーを観客に教えてしまう手法をとる。全十五場からなる戯曲『ガリレイの生涯』にも、各場の冒頭にそのシーンのあらすじが示されている。舞台ではそれを、俳優に語らせたり歌わせたり、また文字媒体で呈示したり。[8]

インターネットの批評サイトにはよく「ネタバレ注意」と添え書きがある。それはよろしからぬ所業と思われているらしい。しかしブレヒトは、自ら各シーンが始まる前にネタバレさせてしまう。なぜそんなことを？

第4章で紹介するE・M・フォースターは、彼の小説論『小説の諸相』（一九二七年）の中で語っている。小説でいちばん基本的な要素はストーリーだ、これがなければ小説は成り立たない。けれども、ストーリーは小説の中でいちばん下等かつ単純なものであり、ストーリーの面白さだけで読者を引きつけようとする小説はすなわち下等である、と。[9]

これはむろん小説だけでなく、演劇にも映画にも当てはまる。初めて見た時はストーリーにぐいぐい引き込まれ、ワクワクドキドキしながら鑑賞した作品が、しかし一度だけでもういいかなということは、ままある。逆に繰り返し読んだり見たりしたくなる作品は、案外ストーリー以外の要素に大きな魅力があるものだ。

また、ブレヒトは観客があまり主人公に感情移入すると、作品の投げかける主題が見えなくなってしまうとして、ヒーロー、ヒロインに時々問題行動を起こさせ、見る者に冷水を浴びせる。ガリレイが科学に関する才能を有する以外はただのオッサンなのも、その手の趣向である。我々はハリウッド映画でも日本のテレビドラマでも、格好のいい、好感度の高い、スッと同化できる主人公に慣れ過ぎている。圧倒的な存在感のある人物に共感し、彼ら彼女らと心を一にして物語の旅をし、見終わった時には気分爽快、心は晴れ晴れ、でも今の今目にしたばかりの作品のテーマなどどこへやらという娯楽に慣れきっている。

大衆を感化する演劇をめざしたブレヒトは、しかしそうした大衆娯楽を嫌い、物語や主人公に対する興味よりも、作品それ自体が投げかける主題に観客の意識を集中させようとした。これが有名なブレヒトの「異化効果」、すなわちアリストテレスの「同化」[10]に対する反対概念の導入であった。

一六三三年、異端審問所はガリレイをローマに召喚する。時は三十年戦争（一六一八―四八年）の最中、ペストが流行り、戦乱に世は荒れ、宗教改革の嵐が吹き荒れている。件のバルベリーニ枢機卿が教皇となりウルバン八世、その科学に理解のある教皇が異端審問官と、ガリレイの学説およびその影響力について議論し、説得されつつある。もし大衆が自分の理性しか信じなくなったらどうなるか。大海原に乗り出した連中は神より羅針盤（コンパス）を信頼するようになっている。神はもう必要とされなくなった。ガリレイは天文学の本をラテン語ではなく、大衆の言語で書いている。彼は自分のやっていることの意味を理解している。

舞台上ではこの場面（第十二場）の間、ウルバン八世はお付きの者に僧服を着せてもらっている。下着姿から一枚、また一枚と礼服を身に着け、異端審問官の話に納得させられるころに、礼装が終わる。教皇の権威付けが完了するわけである[11]。

ガリレイに対する宗教裁判（第二回目）が始まる。彼の弟子たち――アンドレア、レンズ研磨工のフェデルツォーニ、以前にガリレイに感化された平修道士――が集まり、師匠の審問が終わるのを待っている。その横でヴィルジーニアがひざまずき、父親の釈放を祈っている。アンドレアが言う、先生は決して自説を撤回なさらないだろう、真理を知らないのはただの馬鹿者だが、真理を知りながらそれを虚偽だというのは犯罪人だと言い放った先生だから。

宗教裁判で学説が撤回されれば、午後五時にサン・マルコ寺院の大鐘が鳴らされるという――五時を三分過ぎた。鐘の音は聞こえない。先生は抵抗している、撤回はされない。弟子たちは抱き合って喜ぶ。「これから本当に知識の時代が始まるぞ。」

その時、教会の鐘が大きな音をたてて鳴り響く。男たちは棒立ちとなり、ヴィルジーニアだけが父親の無事を知って歓喜する。

アンドレアが大声で、「英雄のいない国は不幸だ！」と。いつの間にか舞台に登場していたガリレイがそれを聞いて、「違うぞ、英雄を必要とする国が不幸なんだ」。英雄嫌いのブレヒトらしい決

めゼリフである。(12)

ガリレイは宗教裁判所の囚人となり、その後他界するまでフィレンツェ近郊の別荘に幽閉される。半ば盲いた姿で、監視をつけられながら限られた研究を行なっている。ガリレイは原稿を娘のヴィルジーニアに口述筆記させるが、書くそばから没収されている。

そんな時、アンドレアがひさしぶりに訪ねてくる。オランダに科学の研究をしに行く途中に寄ったのだという。曰く、先生が屈服されてから、イタリアでは新しい主張が一切公刊されなくなった。デカルトも先生の撤回を耳にして、光の本性に関する論文を引き出しにしまいこんでしまったとか。

だが、ヴィルジーニアが部屋から出てゆき、かつての愛弟子と二人きりになると、ガリレイは『新科学対話』を書き上げたと語る。どうしてそんなことができたのか。原稿は夜な夜なコピーをとり、地球儀の中に隠してある、と。アンドレアはその原稿をめくりながら、「これは新しい物理学の基盤になるでしょう」。

あの時、裁判から戻ってきたガリレイを最も激しく糾弾したのは、アンドレアだった。が、師は、「俺は撤回したが、生きのびていくよ」と言った。あなたの手は汚れていると批判されても、「汚れた手のほうが空手よりましだ」と答えた。

興奮する弟子に、「現実的な言い方だ。いかにも私が言いそうだね」と。先生はいつも英雄というものを笑っておられた。「悲劇的に苦しむ人間てやつには退屈するな」とあなたはおっしゃった。「不幸というものは計算不足からおこるのだ」、「障害物がある場合には、二点間の最短距離は曲線でもありうる」とも。先生の撤回は、ただ勝ち目のない政治的ないざこざから身を引いて、科学本来の仕事を続けるためだったのですね。

共産主義者だったベルトルト・ブレヒトは、ヒトラーから逃れてデンマークへ渡り、先の見えない亡命生活の中で『ガリレイの生涯』を書いた。初稿を脱稿したのは第二次世界大戦開戦の前年、一九三八年十一月。その間、人気作家ブレヒトの著作は、ドイツ国内では焚書の憂き目に遭っている。

ナチスの支配によって自作の上演が不可能となった時期、国家権力にいかに抵抗し、暴政が終わるまでどうやって生き延びるか。権力との全面対決を回避し、生き永らえて真理を後世に伝えようとしたガリレイの姿には、苦悶する祖国を去ったブレヒトの心情の照り返しが見てとれる。

お話はクライマックス、ガリレイとアンドレアの対話の途中である。「あなたが火刑台上の栄光に包まれて最後を遂げておられたら、他のやつらが勝利者になっていたことでしょう。」ガリレイは、裏切り者呼ばわりして自分のもとを去っていった弟子に、ふたたび最大級の敬意を表される。けれども彼は、「ひとりの男にしか書けないような科学的著作なんてありはしないよ」、私が自説を引っ込めたのは拷問が怖かったからだ、研究を続けるための計略なんかなかったよ、と。

ブレヒトは舞台を見る者をガリレイに同化させたかと思うと異化し、観客の感情を激しく揺さぶる。

ガリレイの長い自己批判のセリフが始まる。科学を追求するには勇気が必要だ。「科学は知識を扱う、知識は疑うことによって得られる。」その疑いは、「何千年前から人為的に作られていた不幸」の上にも注がれた。となれば、必然的に支配者たちと戦わなければならなくなる。人類は迷信やお題目という、無知のもやの中にいる。「私は科学の唯一の目的は、人間の生存条件の辛さを軽くすることにあると思うんだ。」なのに、科学者が権力者に脅迫されて臆病になり、科学を民衆に解放せず、自分たちの知識を積み重ねることだけに満足していたら、科学の進歩は人類から遠ざかってしまう。

「私の時代に、天文学は民衆の集る市場にまで達した」、科学者として唯一無二の機会に恵まれたのだ。ところがひとりの男が節を曲げてしまった。「私が抵抗していたら、自然科学者は、医者たちの間のヒポクラテスの誓いのようなものを行なうことになったかもしれない。自分たちの知識を人類の福祉のため以外は用いないというあの誓いだ！」私は自分の知識を権力者に引き渡してしまった、「私は自分の職業を裏切った」。

ブレヒトは北欧からさらにアメリカへ逃げた。そして、カリフォルニアで『ガリレイの生涯』を改作していたその時――広島に原爆が落ちる。「一夜にして、新しい物理学の創始者であるガリレイの伝記は違った読み方をされるようになった。[13]」

エーコとカリエールは、後世の読者の解釈によってより豊かになるのが古典だと述べた。ゴーリキーはモスクワ芸術座の観客がルカにばかり共感するのを嫌い、もっとサーチンの革命思想を読み取れと訴えた。だが、それらが悠長に思えてくるのがブレヒトの改稿。彼は初稿では、ガリレイの撤回をひとつの抵抗戦略のあり方として好意的に捉えていたが、アメリカでは、「彼の撤回は犯罪行為であったこと、どんなに重要な著作によっても、その罪は帳消しにされないことを証明する」

方向に書き換えた。それが「台本作者の下した判決」だと宣って。[14]

ガリレイは握手を求めたアンドレアの手を握らない。「君も今は人を教える身だろう。私みたいな男の手を握っていいのか？」アンドレアが去った後、ガリレイはヴィルジーニアに「夜はどんなだい？」と聞き、彼女は窓外を見て、「明るいですわ」と答える。初稿から最も大きく書き直された戯曲の第十四場は、そんな簡潔なセリフで締めくくられている。[15]

僕はブレヒトにはたいへん申し訳ないが、この場面を読むたびにガリレイに〝同化〟してしまう。ブレヒトは、「［ガリレイの自己批判によって］観客が主人公に好意をもつようにしむけてはいけない」[16]と記しているが、僕は原爆を開発してしまった、そして政治家にそれを引き渡してしまった物理学者たちの痛恨の念を思いながら、何度このシーンを読み返しても、ガリレイの慚愧（ざんき）に共鳴してしまう。

ブレヒトは、ガリレイが権力者に対してとった姿勢を半ば容認し、かつ断固拒絶している。そうした肯定と否定の両方の側面がひとつの戯曲の中に内在する、その矛盾が『ガリレイの生涯』に厚みを加えている。

異化効果について一言。戦後のある時期まで、日本のいわゆる〝新劇〟の看板となっていた演目のひとつがブレヒト劇だった。したがって、異化効果も金科玉条。だが、それがどうもブレヒトの芝居を説教臭くて退屈な舞台にしていたような気がする。

ゲーテ曰く、「人はただ自分の愛する人からだけ学ぶものだ」[17]——なるほど、人に嫌われては、どんなにいいことを言っても、こちらの話を聞いてもらえなくなる。芝居もしかりで、舞台を見ていて愛せないヒーローやヒロインの話など、誰が耳を傾けようか。

ブレヒトは芝居作りがたいへん上手だった。観客を主人公に共感させることなど、お茶の子さいさいだった。だからこそ、自戒の念を込めて、時々異化した。なのに、わが国では曲者（くせもの）作家の理論をきまじめに受け取り過ぎて、ブレヒト劇をつまらなくしている時期があった(18)。

最終第十五場は、ガリレイの『新科学対話』を持ったアンドレアがイタリアの国境を越える。彼はガリレイの原稿を大っぴらに読むふりをして、国境警備員の目をあざむく。同場の冒頭にブレヒトが掲げたメッセージにはこうある、「君たちは科学の光を慎重に管理しそれを利用し、決して悪用するな。いつの日かそれが火の玉となって降り注ぎ、われわれを抹殺することのないように、そうだ、根こそぎにしないように」。

我々は、禁断の木の実を食べてしまった、神を超える力を持ってしまったのかもしれない人類の〝理性〟を信じてよいものであろうか。

第3章　不条理

7　ウジェーヌ・イヨネスコ『授業』

人間の理性を信じることができるか。第一次世界大戦で自分たちの残虐さを反吐が出るほど実体験してしまい、〝文明人〟たる自負が大きく揺らいだヨーロッパ人たちについては、オールダス・ハクスリーを紹介した際にすでに触れた。ところが、国家と国家がガチンコで戦う戦争の野蛮さ、不毛さにうんざりしたはずなのに、さらに第二次世界大戦に突入してしまう。戦いは戦場にとどまらず、ユダヤ人などに対するホロコースト、諸都市への無差別爆撃、そして最後には広島、長崎への原爆投下に至る。

これはヒトラーらモンスター指導者の出現に原因を帰すべきなのか、それとも第一次大戦の敗戦国に多額の賠償金を課したことが問題だったのか、はたまた帝国主義列強による植民地争奪戦の果ての黙示録、二度の大戦は近代史の必然だったのか。

いや、国家目線で戦争を語ると、個人の手には負えない〝天災〟の類いに、我々には責任を負いかねる他人事のように思えてしまうのが危ういところだ。しかし、そもそも喧嘩は、いじめは、もめごとは、乱闘は、そして戦争は、我々ひとりひとりの心の奥底に棲みついている悪魔が引き起こしているのではないか。

で、両大戦とそのクライマックスだった原爆の使用は、日本人だけでなく、ブレヒトをはじめとするヨーロッパの心ある知識人たちにも大きな衝撃を与えた。戦後の世界文学は、もはや人間社会の未来を明るく語れる作品を生み出し得なくなった。ここに小説家にも読者にも、劇作家にも観客にも、〝不条理〟を受け入れる素地が生まれたのである。

さて、僕が学生のころ、訳もわからず面白がっていた芝居に、ウジェーヌ・イヨネスコの『授業』（一九五一年）がある。不条理演劇なんて、小難しそうな、頭でっかちな、西洋のインテリたちが自分たちだけ深刻がって薄笑いを浮かべている作品にしかみえなかった時期に、このルーマニア人とフランス人のハーフの作家が書いた支離滅裂な――不条理な！――一幕ものだけは楽しめた。

渋谷ジァン・ジァンの中村伸郎主演の『授業』である。国鉄（現ＪＲ）の渋谷駅からＮＨＫホールに向かう公園通りの途中にある東京山手教会、その地下に百人入ればいっぱいになる穴倉のような小劇場、ジァン・ジァンがあった。静かにお祈りをする場の地下に、アングラそのもののホールがあるってだけで、なんか粋に感じられた。ヨーロッパなら、教会の地下納骨堂[1]という雰囲気の空間である。一九六九年、あの全共闘と警官隊による安田講堂の攻防戦があった年に開場し、以降二〇〇〇年まで、今でいう〝サブカル〟のメッカとなった。

井上陽水、五輪真弓、吉田拓郎、矢沢永吉をはじめ昭和後期を彩った個性的な歌手たちがまだメジャーになる前に、この小さな空間でコンサートを開いた。津軽三味線の高橋竹山が全国に知られるようになったのも、ジァン・ジァンでの演奏と津軽弁による語りがきっかけだった。その他、シャンソン、モダンダンス、フラメンコ、詩の朗読……[2]

と、ジァン・ジァンが最も脚光を浴びた一九七〇年代に僕がここでさかんに見た芝居は、演出家の出口典雄が旗揚げした劇団「シェイクスピア・シアター」によるシェイクスピア劇の連続上演だった。一九七五年から毎月一本、五日間公演、沙翁(シェイクスピア)劇を小田島雄志が渋谷の喫茶店で訳す――飽きると、パチンコで気晴らししながら、とか――そばからジァン・ジァンの舞台に乗せ、六年間で全三十七作品を上演し終えた。俳優は全員若者ばかり、メイクなし、衣裳も普段着で、当時「ジーパンのシェイクスピア」と呼ばれた。小道具少々、照明の変化なし、音楽は生演奏だったかな。何より若い俳優たちが饒舌なシェイクスピアのセリフをしゃべりまくる。早口で、目の前で、汗まみれになりながら、しゃべる、しゃべる、しゃべる。前列に座ろうものなら、役者たちの唾が飛んでくる。新劇の老舗(しにせ)劇団が大劇場でシェイクスピアを上演すれば、観衆は年配者が多くなるが、このアングラ劇場の観客は若者が中心だった。入場料は千円だったと記憶している。貧乏学生にも懐の痛まぬ木戸銭だった。

僕がシェイクスピアを勉強しはじめたのも、このシェイクスピア・シアター公演が大きなきっかけのひとつだったような気がする。

そして、その同じ前衛劇場で、毎週金曜日の夜十時から、一時間弱の不可思議な芝居を上演していた。中村伸郎が終演後のあいさつで、予約を取る必要なし、毎週同じ時間にやっているから、飲んだ帰りがけでもなんでも、気が向いた時に、ふらりと遊びに来てください、と。そう言われるとその気になって、何度も見に行ったなあ。いつぞやは、何百回記念とかで、観客に樽酒が振舞われた。

それがイヨネスコであった。ジャン・ジャンでは、大間知靖子演出、中村伸郎が実娘の中村まり子を相手役にして一九七二年にスタート、十一年間で五百八十回のロングラン公演となった。入場料六百円。[3]今でも中村伸郎のヨボヨボ爺さん姿が、つい昨日見たように思い出される。あな、なつかしや。

『授業』の舞台は、フランスの小さな町、そこに三十年来住んでいるという老教授の書斎である。教授は、ト書きによると、白いあご髭を生やした、背の低い老人で、鼻メガネをかけ、黒いコートを着ている。極端に丁寧で、ひじょうにおずおずとした態度、内気なため、声は蚊のなくように小さい。[4]と、うん、中村伸郎のために書かれたような役柄だ。

その教授に、十八歳の女生徒が家庭教師を頼みに来る。育ちのいい、礼儀正しい、明るい娘である。女中に書斎へ通された彼女は、お行儀よく先生を待っている。カバンからノートを取り出して、復習でもしているのだろう。

教授が入ってくる。「実は、今終わったところなんで……そのなにをですな……いや失礼しました。」何が終わったかは終幕になるとわかる。なんとなくぎこちない個人教授が始まる。女生徒は、とても知識に飢えていると言う。両親は財産持ち。三週間以内に博士号を取りたい、と。おいおい。

それでは、はじめましょうか、「先生のご随意に」、「ご随意に？」、教授の目が一瞬輝く。まずは算術をやってみましょう。あら、先生、わたし算術がいちばん好きですわ。でも、部屋に入ってきた女中は、「失礼ですけど、先生、よろしいですね。どうか冷静にしていらしてくださいよ」、「そのお嬢さんには、算術からおはじめにならないほうがよろしいですよ」。聞く耳もたぬ教授に、彼女は一応忠告しましたからと言い残して、書斎を出てゆく。

女中は丈夫そうな四十代後半の女性、赤ら顔で、百姓女の帽子をかぶっている、とト書きにある。まあ、あけっぴろげで、老教授にズケズケもの申すタイプであろう。先生より腕力も強いかもしれない。

その女中と、彼女を煙ったがりながらも一切の世話をしてもらっているらしい老教授との掛け合いの妙。演劇というよりはヨーロッパによくある、寄席芸、コントの雰囲気が漂う。

うるさ型の女中が退場して、さあ、授業が始まる。教授は、それでは「一たす一はいくつですか？」おっと、そこからか。「一たす一は二です」、すばらしい、博士号も取れそうですな。一桁の足し算が終わると、今度は引き算である。「四ひく三は？」、ええと、「七ですか？」早くも引き算で引っかかる。ガリレイも出来の悪い生徒の家庭教師を嫌がったが、この老教授はさらに同情に値する。

先生があれこれ説明しても、娘は理屈っぽくもトンチンカンな答えと質問をしてくるだけ。「あなたはすぐたし算をする傾向がある。しかし、ひき算もできなけりゃいけませんよ。総合するだけじゃだめだ。分解もしなければ。それが人生です。哲学です。科学です。進歩です。文明です。」

教授も蚊のなくような声のままではいられない。だんだん興奮してくる。ナンセンス芝居である。けれども、このナンセンスというやつ、最初から意味（センス）がないのか、それとも意味のあることをひっくり返しているのかによって、だいぶ質が異なる。前者は宴会あたりで仲間うちの受けをねらうダジャレの類いだが、後者となると世の常識（コモン・センス）を覆して、諷刺の機能を果たすことがある。

一桁の引き算もできない生徒、ところがこの娘、掛け算はできるのである。「三七億五五七九万八二五一、掛ける、五一億六二一〇万三五〇八は」と教授がいいかげんな計算を口にすると、彼女はすばやく「一九三京九〇〇二兆八五四一億一九一六万四五〇八……」先生は呆然とする。「でも、数学的論理の原則も知らないで、なぜわかるのですか？」、「簡単ですわ。わたし論理に頼るわけにはいかないから、あらゆる掛け算のあらゆる結果をまる暗記しちゃったんですわ」。教授はあっけにとられながら、不満を隠せない。数学にとって大切なのは理解することだ、答えは論理によって出すべきだ、と。「数学は記憶にとっては、不倶戴天（ふぐたいてん）の敵です。記憶というものはほかの点ではすばらしい、だが数学的に言うと、有害なのです！」

そこで数学の話を少々しておきたい。いったい数学者は、理系の研究者たちの間でとても尊敬されている。数学は〝学問の王様〟という人までいる。つまりは、実験がない、すべて自分の頭の中から答えを導き出す。そこがあこがれの的だ。古代からの、例えばピタゴラスの定理は覆されない。時代とともに変化しない。まさに真理！　神の摂理と同じくらい絶対的なものだ。理系の人間ならずとも、憧憬を覚える。

僕の友人に世界的な数学者がいる。初めて出会ったのは、お互いに三十代後半。彼は博士論文を書いてから、まだ一本も論文を書いていないとか。それで、すでに大学の専任教員になっていた。「数学者というのは、本は読むの?」と聞くと、「読みますよ。五年に一冊くらいは読む」と。でも暇ではない、「いつもひとつの数式のことを考えている。トイレに入っていても、たぶん寝ていても考えている」。ふう～ん、大変だなあ。それから、すべからく頭脳勝負だから、学生のころから、同級生の中で、自分はあいつより上、こいつよりは下、と全部わかっちゃう。僕が「そうか、文学なんかネタ(作家、作品)が違えば、結論も違って当然だ。論文のよし悪しなんて漠たるものだ」と言うと、「そうなんだ、狩野さんはいいなあ。うらやましいよ」。

彼と話していると、つくづく文学はお気楽だと思う。イヨネスコとベケット、カミュとサルトルと、みんな内容もタッチも異なるのに、彼らの作品を〝不条理〟と一くくりにしてしまう。むろん、不条理が〝不変の真理〟なんて考えていないのに、それで十把一からげにして説明したつもりになれる……

本音が過ぎた。お話は数学である。中学・高校の数学の教科書を思い出してみると、そこに鮮やかにヨーロッパの知の歴史が浮かび上がってくる。(5)

数学は幾何と代数の二つに分かれる。幾何学、中学では図形編と呼んでいたっけ。それは古代ギリシャで発展した。直角三角形の三平方の定理、そう、さっき触れたピタゴラスの定理、あれは測量に使えたんだと教わった。それからユークリッド(英名、ギリシャ語ではエウクレイデス)。五つの「公理」は、誰が考えても当たり前のことだから証明しなくてもいい、でも「定理」は証明できる、証明しなくちゃいけない、と。面倒臭そうだが、「神の摂理だ、信じろ」と言われるよりは、ずっと理詰めで説得力があるではないか。

代数。小学校で一足す一から始まった算数は、足し算、引き算、掛け算、割り算……鶴亀算には悩まされた。それが中学に入り、XとYを使った連立方程式を習うと、なんだ、簡単に計算できるじゃないか。算術ないしは代数学は、ヨーロッパにはイスラム世界から入ってきた。中世のころ、アラブ人の方がさまざまな分野でヨーロッパ人より優れていた。

高校に入学すると、幾何学と代数学が結びつく。方程式をX座標とY座標のグラフに表せば、ほら、こうなるだろう、と。その座標軸を用いる手法を思いついたのは、デカルトである。十七世紀、物理学や天文学、ガリレイやケプラーの研究は、数学の進歩に多くを負うている。

高校二年で教わる微分・積分は、ニュートンが切り開いた画期的な領域だった。同じく二年生で授業が始まった物理、そのスタートはニュートン力学だった。物体の運動、速度、加速度など。物理の先生曰く、「十七世紀は科学の世紀、ガリレイとニュートンの時代」、「物理学史上の二大天才は、ニュートンとアインシュタインだ」。

ここまで来れば、十八世紀のヨーロッパ人たちが「理性」を旗印として、神とその代理人たる教会を凌駕(りょうが)しようとしたのもわかろうというものである。

ちなみに数学は、すべて人間の頭脳が考える概念操作、実験を通して現実世界との関連をつけずとも成立する形而上の世界である。だから、人間とはまったく異なる知的成長を遂げたらしき「ソラリスの海」には、数学的な発想は全然ないかもしれない。

しかし、数学は西欧近代においては、世の中の現象を分析する自然科学の諸分野と密接に結びつき、それらを発展させる思考の原点ともなった。かつて大学受験で、理系の学部なら第一の必須科目は数学だったことに違和感を覚えた。医学部だったら生物学がいちばん近いだろうに、また大学で物理学や化学を専攻したくても、まずは数学だと。なぜだ？　西洋の諸科学の発想に、数学が深くかかわっていることは、まだ知らなかった。

数Ⅲの空間図形。僕はこれが苦手だった。一九〇五年にアインシュタインの特殊相対性理論が発表されると、ユークリッド幾何学もニュートンの力学もひっくり返される。宇宙空間ではユークリッドの平行線の公理も真ならず、さらに時間でさえも〝相対的〟なもので、人それぞれの見方によって速くも遅くもなる。なんじゃ、そりゃ？　まるで文学みたい。

「藪の中」の節でご紹介したとおり、二十世紀に入ると、文系だけでなく理系の世界でも「主観」が発見され、「絶対的価値観」が音をたてて崩壊しはじめる。公理なし、不変の真理なし、客観的事実なし、むろん神の摂理もなし。

また、アインシュタインがニュートン力学を覆して発見した質量とエネルギーの方程式を起点として、原子爆弾が作られた。ヘッヘッヘッ、僕が空間図形を嫌ったのは、これがためか!?⑥

ともあれ、イヨネスコがどこまで意識して数学をネタにしたのかは定かでないが、少なくとも西洋人の思索の原点に数学があり、ヨーロッパの教育の中枢に数学が据えられていることは間違いない。『授業』はそれをグロテスクに笑い飛ばしている。意味なり内容なりがあるものを皮肉っているナンセンス喜劇なのである。

で、女生徒には数学での博士号は無理なようだ。それじゃあ、言語学にしましょう。しかし、ふたたび顔を覗(のぞ)かせていた女中が、「先生、言語学だけはだめです。言語学は災難の源です」と。

ガツンと言われてうろたえる老教授がオチャメ。僕のイメージにある中村伸郎は、小津安二郎や黒澤明の映画の名脇役、重役や医者や弁護士など、自分の母親に変な役だと叱られない役をやったと彼は宣(のたま)っているが、そこは小柄で貧相でとぼけた老人、ちょいと皮肉っぽかったり、空威張りだったり、小悪党だったり。毅然とした〝偉い人〟にはなり得ない。

『授業』の教授も、女中に叱られてオロオロしている、それがまた愛嬌があって、クスリと笑える。だが、彼に共感できるかというと、そんなはずはなく。寒～い芝居である。シェイクスピア・シアターの熱い舞台とは対照的。観客は座席から乗り出すことなく、むしろ体を引いてしまう。異化効果満点[7]。でも、観客に冷めた目で見させながら、微妙な笑いで見る者をつなぎ止めるのが、中村の長年つちかった芸といえようか。

女中が、ご勝手にと言って退室した後、言語学の講義が始まる。比較言語学やら音声と音素やら。比較言語学——現在のヨーロッパ諸語の大本の言語、いわゆる「祖語」を再構しようとする学問、よく言語学概論の教科書に言語の系統樹が載っているじゃないか、あれだ。そういうヨーロッパらしい言語の歴史をたどる通時的研究から、二十世紀に入るとスイスのフェルディナン・ド・ソシュール（一八五七—一九一三年）の研究を嚆矢(こうし)として、主に言語の構造や機能を共時的に追究する研究が開始される[8]。音素もソシュールの影響を受けたプラーグ学派によって発展した音声と意味に関する画期的な概念である[9]。

と、教授の授業はそんな体系的な言語学のレクチャーではない。新スペイン語群がなんちゃらかんちゃら。デタラメもいいとこだ。けれども、いったい言語とは何ぞやと問い詰めるソシュール以後の近代言語学の香りが行間から、セリフの端々から漂ってくるのはたしか。

教授は音声と意味の関係にこだわりはじめる。音声は羽根で飛んでいるところを捕まえなければいけない、音声は大気より軽くて暖かい空気をはらんでいて、真の空虚であり……意味をはぎとられた音声は、大気の中で生き長らえることができる、だが「意味を背負った言葉だけが、その意味の重さに耐えきれず、打ちのめされ落下してしまう」。なんのこっちゃ？　支離滅裂だけど、笑えるご講説だ。

ここで思い出すのは、イヨネスコが彼の処女作、禿（はげ）も女歌手も登場しないのにタイトルが『禿の女歌手』（一九五〇年）なる戯曲を書くきっかけとなった有名な逸話である。ある日、イヨネスコは英語を学ぼうとして初級のテキストを写していると、一週間は七日であり、床は下にあり天井は上にあるといった、ふだんはまともに考えたこともない当然の事実を発見する。さらにすべての事実を断定調で語る「この初等英語の著者のまったくデカルト風な態度[10]」！

それに端を発してイヨネスコは、何の変哲もない手垢のついた会話が、しだいに偽の真実を語ることばに変容していく対話劇を書く。ことばとそれが語る内容にズレが生じ、人々の信頼関係が失われていく「ことばの悲劇」を書いたつもりなのに、戯曲を読み聞かせた友人たちは、とても滑稽な芝居だと受け取ったというのだ。[11]

意味があるはずだった言語の、その意味がしだいに崩壊していくナンセンス劇。そうした馬鹿馬鹿しい、不条理な芝居は悲劇か喜劇か。

女生徒は歯が痛くなってくる。言語に関する講義が難解に、形而上的になっていくにしたがって、形而下の肉体的な痛みに悩みはじめる。そりゃあ、生理的な苦痛の方が緊急を要するだろう。だが先生は、そんな些細なことはどうでもいい、途中でやめるわけにはいかんと、ボルテージが上がってくる。

教授は問う、「マドリッドで有名な新スペイン語の表現、《わたしの国は新スペインです》。これはイタリア語では、《わたしの国は……」。生徒は、「新スペイン》」。「違う！《わたしの国はイタリアです》。」そう、イタリアはフランス語ではフランス、東洋語でフランスは東洋だ……はて？

イヨネスコはフランス語とルーマニア語の二言語話者である。ルーマニアに生まれ、生まれてほどなく一家でパリに移住する。母語はフランス語。十三歳でルーマニアに戻ってから、ルーマニア語を覚えた。言語間の差異には敏感にならざるを得ない。

同じ意味を表すはずの単語が、言語によって等価性を持たない――こんな話はどうだろう。日本人にとって肉は肉、それに動物の名前を冠して、牛肉、豚肉、鶏肉、羊肉などと。でも、英語ではbeef、pork、chicken、mutton、さらに牛は生きている間はox（雄）とcow（雌）、去勢していない雄の場合はbullで、子牛はcalfで、集合名詞はcattle。ええと、生きている時の豚はpigで、鶏はcock（雄）、rooster（雄）、hen（雌）、羊はsheepと、受験生は大変だ。逆に、日本人はヒラメとカレイを区別するけれど、英米人は魚はあまり食べないから、両方とも flatfish でいいんだ、と。また、多くの日本人は「犬は英語では dog」と信じているが、いやいや、イギリス人は犬が大好き、だからペットは dog で猟犬は hound、両者をはっきりと分けて考える。

言語ごとに、現実の切り取り方が異なる。人々に身近なもの、必要不可欠なものほど、分類の仕方が細かくなる。赤ん坊の時は、ニャンニャでもワンワンでもアンパンでもよかったが、現実をより的確に認識しようとすると、そうはいかなくなる。しかも、言語によって、その的確さの尺度が違う。言語間の単語の等価性なんて、きわめて怪しいものだと、分析すればするほど泥沼に陥って、自信がなくなっているのが今日日の言語学。言語は単なる「記号」だ、現実をそのまま表現することは不可能だ、と。絶対的価値観は、言語学の世界でも、みごとに崩壊している。

翻って、「我思う、ゆえに我あり」のデカルト。人間は言語を持っている、それを使って思索できるからこそ神に近づき、さらには神を超える存在にもなれよう――現代からすれば、西欧近代のその鼻っ柱の強さ。

ちなみに、現在においても、フランスの高等学校では哲学が必修である。しかも、哲学の成績はフランス人たちの一生の語り草になるほど他の教科より比重が大きい。同世代の日本の若者たちが〝実用英語〟なる得体の知れぬ夢まぼろしを追って悪戦苦闘している時期に、およそ実用とは対極にある哲学を学ぶ。この違いは大きい。各国の国民は言語だけでなく、それぞれが受ける教育の差異によっても、異なる人間に成長していく。だから、表面的なことばを学ぶだけで、外国人と理解し合えるはずがない！[12]

教授は[f]の発音にも執拗にこだわる。日本人も苦手な音である。おっと、脱線ついでに、タモリは天才だ！　彼の若かりしころの一人芸、中国人とアメリカ人と韓国人と北朝鮮人がマージャンをやり、四言語が飛び交い、はてはひとりがチョンボをやって喧嘩になる。ことばは無茶苦茶、でもそれぞれの言語が実に本当らしく聞こえる。これ、意味と分離されて、音声だけになったことばの世界。ある時、タモリがラジオで言っていた、自分は日本語にない音とイントネーションに気をつけている、そうすればそれらしく聞こえるものだ、と。なるほど、その二つは外国語の発音学習の基本に適(かな)っている。タモリが音声学を学んだかどうかは知らないが、彼のことばのセンスはまさに抜群なのである。(13)

[f]の音の話だった。教授は生徒に「ナイフ」の発音をさせ、一気にテンションが上がっていく。教授の内心に潜んでいた狂気が露(あらわ)になる。ここは役者の腕の見せどころ。段取りではなく、俳優本人が心底からエネルギーを奔出(ほんしゅつ)させなければならない。冷めた芝居ではないのだ。ジーパンのシェイクスピアとは違う熱さ。そう、シェイクスピア劇に負けず劣らず早口でセリフを、しかもデタラメ言語学の講義をしゃべりまくり、その自分がしゃべることばの力によって、教授の内面に抑圧されていた暴力性、性的欲求、そして権力欲を噴き出させる。(14)

フロイトの世界である。教授はナイフを振りかざし、女生徒をズブリ。娘は両足を開き、みだらな格好をして椅子に倒れ込む。教授が我に返ると、そこに女中が登場して、あ〜あ、またやっちゃったんですか、と笑いを誘う。「これで四十回目ですよ！　毎日きっと同じ始末！」、娘さんを埋めなくちゃ、棺桶が四十個目。教授はペコペコと謝る。[15] 二人で遺体を片づけている間に玄関の呼び鈴がなり、次の生徒が入ってきて、幕となる。

小さな一幕物のコント芝居である。でも、おふざけ満載の笑劇は、その背後に、非合理な、反理性的な、さらにはアンチ・デカルトの、西欧近代を覆す毒をたっぷり含んでいる。

『授業』をはじめとするイヨネスコの初期の芝居は、すぐに観客や批評家に歓迎されたわけではもちろんない。イヨネスコは、プチブル相手の商業演劇だけでなく、チェーホフやイプセンらに始まる「近代演劇」をも挑発して、当初は「アンチ・テアトル」と呼ばれた。

十九世紀末にスタートする近代演劇は、しばしばリアリズム演劇とも称される。だが、そのリアリズムとは、カメラが外形を撮るがごとく現実を忠実に描くことだけをめざしたのではない。むしろセリフのやりとりによって、登場人物たちの心理と行動の因果関係を丁寧に説明して、観客を納得させようとした。だから、俳優たちはまず自分の演じる人物の気持ちを理解するところから役作りをし、それをセリフなり舞台上の行動なりに反映させる。今日に至るまでそうした演技術の基本となっているのが、有名な「スタニスラフスキー・システム」、モスクワ芸術座でチェーホフの作品を演出したスタニスラフスキーによる俳優訓練の方法である。

ところが、人間の心理なんてそんなに言語化して描けるものではないよ、もっとアナーキーだ、説明不可能、不条理だよ、と唱えはじめたのが、イヨネスコやベケットらだった。

日本でいえば、近代劇の移植に使命感を覚えたのが「新劇」である。その老舗劇団のひとつが文学座。名が示すとおり、文学を、ことばを、セリフを大切にする劇団である。中村伸郎は映画では脇役がほとんどだったが、実はその文学座の大黒柱のひとりだった。曰く、久保田万太郎と岸田國士がことばを大切にし、小劇場の実験室的な芝居をやるというので、自分も新劇に生涯を賭ける気になった[16]。また、中村が一九六八年に文学座を退団した時の経緯については、自分がこの作家と思った三島由紀夫が文学座を脱退するというので、私も辞めた、と[17]。だが、その三島は一九七〇年に陸上自衛隊市ヶ谷駐屯地で割腹自殺してしまう。中村がパリの小劇場「ユシェット座」で見た『授業』を自らジァン・ジァンで演じはじめたのは、その二年後のことであった。

一九六〇年代後半から始まった小劇場運動は、既成の演劇、とくに新劇を敵対視した。唐十郎（紅テント）、佐藤信（黒テント）、寺山修司（天井桟敷）、鈴木忠志（早稲田小劇場）、また蜷川幸雄や別役実ら。ジァン・ジァンの『授業』はそれらの翻訳劇版だったともいえようか。老優が演じた、しかし日本のアングラ演劇、不条理演劇としては、まさに〝旬〟の舞台。『授業』を見つめる観客たちは、はじめは不気味な芝居を神妙な顔で見、徐々にクスクス笑いだし、十一年間のロングランのうちにごく自然に笑うようになった。

僕は二〇〇九年にパリに遊んだ折に、カルチェ・ラタンの路地にあるユシェット座で、一九五七年以来現在もロングラン上演している『授業』を見た。でも、う〜ん、これは観光客を相手にしたマンネリ芝居、やっぱり芸術は旬の時に見なければと、つくづく中村の舞台を見ておいてよかったと痛感した。

中村は『授業』の教授に扮してからしばらくして、別役の不条理劇の常連となる。別役は中村を念頭に置いて、何本も戯曲を書いた。さもありなん。

イヨネスコの演劇は、アンチ・テアトル（反演劇）、ヌゥヴォ・テアトル（新しい演劇）、アヴァンギャルド（前衛）、さらにナンセンス喜劇、不条理演劇などと、さまざまなレッテルを貼られ、どの呼び名を冠するかで微妙にその内容理解の比重が異なる[18]。

また、「不条理演劇」は、イギリスの批評家マーティン・エスリンが一九六二年に出版した『不条理の演劇』によって広まった呼称である。一九五〇年代に既存の演劇に反逆した劇作家たちの作品はおよそ十年間、マニアックな前衛劇と受け取られ、エスリンが不条理演劇と呼びはじめたころから大ブレイクして一般の観客たちにも浸透していく。

はてさて、今日では「不条理」なることばもすっかり使い古されてインパクトを失った感があるが、しかし語るほどに漠たる概念に思えて、今一度きちんと不条理の出どころを追ってみたくなった。それには、カフカとカミュを俎上（そじょう）に載せる必要がありそうである。

8　フランツ・カフカ『変身』

不条理文学の本家本元はチェコのフランツ・カフカ（一八八三―一九二四年）である。オーストリア・ハンガリー帝国領内のプラハに生まれ育つ。両親はユダヤ系、ドイツ語とチェコ語で育てられた。ドイツ語で小説を書いたから、チェコというよりドイツ（語圏）の作家として知られている。いや、どこの国の、何語の文学かというより、今や世界文学史上において、「二十世紀の文学はカフカに始まる」といった扱いである。実存、不条理！

だが、そう認知されるのは、彼の数少ない作品が執筆されて三十年以上がたち、第二次大戦が終わってからのこと。さながら多くの名画のように、作者が他界した後、かなりの歳月が過ぎてから、江湖（こうこ）の喝采を浴びはじめる。カフカは生前、結核で四十年の短い人生を閉じるまで、地域的にも文壇においても、実に地味な、ほとんど世に知られぬ本家本元であった。

時に僕が最初に卒業した大学は外国語大学なのに、成績は優・良・可、不合格は不可なる和風の表記だった。学生たちが「俺は〝加山雄三〟だ」といえば、優は三つだけであとは可が山のよう、

「卒論はカフカで書いた」と宣(のたま)えば、可と不可の間くらいで、ギリギリお情けで論文を通してもらったという意味だった。

で、えっ、僕のカフカの理解度ですか？　まあ、カフカでございますから、この節もあまりご期待なさらぬよう。

さて、現代文学、不条理文学は、虫の話から始まる。カフカの生前に出版された作品の中で最も有名な小説『変身』（一九一五年）は、「ある朝、グレーゴル・ザムザが不安な夢から目を覚ましたところ、ベッドのなかで、自分が途方もない虫に変わっているのに気がついた」(1)なる、周知の書き出しでスタートする。甲羅のように固い背中を下にして、あおむけに横たわっていた、丸い腹はこげ茶色、アーチ式の段になっていて、「なんともかぼそい無数の脚が、目の前でワヤワヤと動いていた」。ウフッ、目に見えるような情景である。

虫になった彼の意識ははっきりしていた。「どういうことだろう？」と彼は思う。夢ではなさそう。いつもながらの自分の部屋である。ザムザはセールスマンだ、と短い挿入句が入る。机の上に置かれた小物もそのまま。外は雨。「窓を打つ雨つぶの音がする」。困惑しながらも、冷静に周囲を観察するザムザの目線での描写である。寝返りを打とうとするが、打てない。シーソーのように戻ってしまう。

リアルな、でも不条理のご本家といえる重みは感じられない、ちょいとおどけた筆遣い。

主人公が虫になる冒頭は有名だが、ザムザの虫男ぶりについては案外サラッと短く触れるだけ。

お話は彼の仕事に関する愚痴になる。くる日もくる日もセールスだ。旅回りは気が疲れる。入れかわり立ちかわり人と会って、しかし心を打ち明けることもない。朝が早い仕事。「両親のことがなければ、とっくにやめていた。」社長に洗いざらいぶちまけたいが、親の借金を返すにはもう五、六年はかかるだろう。

そろそろ起きなくちゃ、列車は五時だ。時計を見ると、ウッヒャー、もう六時半だ。ザムザは自分が虫に変身したこと以上におったまげる。ナンセンスな、不思議な、おとぎ話のような、つまりは不条理な物語だが、ザムザは虫ならず、日常を生きるふつうの人間の心情に照らして、とても現実感(リアリティ)がある。

この小説、ザムザがどんな虫になったかは必ずしも詳しく語られない。むしろ読者の想像にまかされている。よく知られたエピソードは、出版社が『変身』の表紙に虫男の絵をつけようとしたのを、カフカがそれだけはやめてくれと拒否した話[2]。そう、小説とは本来、活字を追いながら、想像の翼を広げて空想の世界に遊ぶメディアである。最近の我々は映画やテレビの見過ぎで、自らあれこれ想像することを面倒臭がるようになってはいるが、しかしまだまだ活字を通した娯楽(エンタメ)も捨てたものではないはず。

で、カフカは我々に何を想像させようとしているのか。六時四十五分――記述が具体的だ――母がドアをそっとノックする音が聞こえる。優しい声で「どうしたの、グレーゴル」。だが、返答するザムザの声には変な音がまじる。続いて父が拳(こぶし)でドアを叩く。行間から男親のイラついている様子が窺(うかが)える。さらに、妹は心配そうに「兄さん、どうしたの、気分が悪いの？」父母と妹、三者三様の対応ぶりが笑える。これはコミカルな家族劇でもある。

　壮大で超自然的な異世界を描くファンタジーではなく、チマチマとした日常の生活を活写する。ただし、その日常の風景は「異化」されている。我々がよく知る現実を別の角度から見せてくれる。要するになんのことはない、不条理文学は仕事に疲れて引きこもる男をそれまでのリアリズムとは異なった視点で捉えるところから始まったわけである。

　やがて会社の支配人が様子を見にくる。グレーゴルの部屋には鍵がかかっている。中から獣の声が聞こえる。グレーゴルの脚の先からネバついたものが出てくる。虫男はやっとベッドから起き上がるが、鍵を開けられない。鍵穴の鍵を、歯のない口で回すのが大仕事である。外では皆がそれを、固唾をのんで見守っている。

　ドアが開いた。変わりはてたグレーゴルの姿に、支配人はあとずさりし、母は髪を逆立てた。彼女は「フワリとひろがったスカートのまん中にしゃがみこむなり、顔をガックリと胸に落とした」。ほほう、実にリアルな描写、目に浮かぶ光景である。

　若いころ、実存やら不条理やらと唱えられると、絵画でいえば二十世紀の抽象画のような反リアリズム作品だと思い込んで、買ったまま読んでいなかった――実は、大学に入学して最初に付き合った娘が、カフカを愛読していて……虫になる男の話を面白いなんて、変な奴だと思っていたが……あいつ、どうしているかなあ、ドイツに行って、ドイツ人と結婚したってところまでは、風の噂に聞いたけど――でも、イヨネスコもカフカも、なあんだ、ベタのリアリズムとは異なるリ、ア、ルを有しているじゃないか。象徴的だの抽象的だのといっても、現実から遠ざかるにあらず。

支配人は階段を何段か跳び下りて、逃げていった。父親がグレーゴルに突きを食らわせて、彼を部屋の奥まですっ飛ばし、ステッキでドアを閉めた。これはある日突然ダウンした息子と、その家族の物語。平凡な日常が崩壊していく。

グレーゴルは自分の部屋に隔離された。閉じた世界の住人になった。

僕の好きなボードレールの散文詩の一節――「開かれた窓を外から眺め込む人は、しまった窓を見つめている人ほどに、多くの物を見ているわけでは決してない[3]」。

そもそもカフカの行動範囲は狭かった。池内紀がプラハを案内して語る、「［カフカの］住居、勤め先、カフェ、散歩の道筋……一巡するとわかるが、おそろしく狭いのだ。せいぜい数キロの範囲であって、これがカフカの生きた世界だった[4]」。また、プラハから出ても、せいぜい北イタリア、パリ、ドイツ（語圏）へ行ったくらい。カフカの文学に漂う、閉鎖的な、密室的な雰囲気の原点ともいえようか。

もっとも、内向的な文学ではあるが、人間の意識の流れを追う「心理主義リアリズム」の作家たちとは接点がなさそう。さらに、フロイトも読んでいなかったらしい[5]。カフカの小説に夢はしばしば登場するが、夢に潜在意識が反映しているという認識が強烈にあるようには思えない。プルーストもジョイスもフロイトも、カフカが諸作品を執筆した時期に活動していた面々だが、同時代人だからこそ、まだプラハにまでは彼らの〝内面心理革命〟は到達していなかった。なるほど影響関係には時差があるものだ。

カフカはいわばシロウト作家である。役所に勤めながら、夜の空いた時間に文章をノートに書きつけた。酒もタバコもやらず、菜食主義者で健康オタク。が、絵に描いたような根暗ではなさそう。職場での評判は上々。優秀な官吏で、人当たりもよかった。ハンサムでおシャレで、女性にもてた。買春もした。けっこう女好きだったみたいだ。『変身』発表の翌々年、一九一七年に結核と診断されている。当時の結核は、死に至る病である。(6)

さて、カフカの内心やいかに。彼は内向的か外向的か、彼の心は暗かったか、明るかったか。

お話は『変身』である。三章立ての第二章――夕方の薄闇の中で、グレーゴルが重苦しい眠りから目を覚ます。食べ物の匂いがする。白パンが浮かんだミルクが置いてある。ミルクはグレーゴルの好物だ。妹が差し入れてくれたらしい。だが、口に合わず、顔を背けてしまう。居間からいつもの家族の声がしない。ドアが少し開いたかと思うと、すぐに閉まった。誰かが様子を窺っている。でも、外から鍵がかけられた。

翌朝、妹はミルクに手がついていないのを見て、今度は腐りかけの古野菜やら夕食の残りの骨やらチーズやらを古新聞にのせて持ってきた。グレーゴルはガツガツと食べた。新鮮な食べ物には匂いを嗅ぐだけでむかついたのに、残飯には食指が動いて、満足げに平らげた。

虫の味覚になったのだ。いや、ちょいと想像すれば、ふつうの人間でも病気になって、食べ物の好みが変わることはある。

女中は自分の方から暇(いとま)を願い出て、許されると虫男のいる薄気味の悪い家を大喜びで去っていった。家族は皆、食欲を失った。お互いに食べろ食べろと勧めるが、自分は食べたくない。そんなやりとりが、グレーゴルの耳に入ってくる。

グレーゴルの世話を焼いてくれたのは、妹だった。もっとも、グレーゴルの部屋に入ると、即座にドアを閉めてしまう。兄の姿を誰にも見せたくないのだ。さながら大病を患っている家族を他人に会わせたくないように。その妹の名はグレーテ。この小説、父母に名前がついていないのに、妹だけはグレーテと呼ばれている。カフカには三人の妹がいたが、その末の妹オティーリエを彼はたいそうかわいがっていたとか。[7]

もうひとり、名が記されているのは、主人公のグレーゴル・ザムザである。ザムザ（Samsa）は、カフカ（Kafka）の子音を取り換えただけ。[8]奇妙な虫男には、なにがしか作者本人の照り返しがある。

カフカの他の作品では、『審判』（一九二五年）の主人公ヨーゼフ・K。ある朝突然、理由もわからず逮捕される彼にも、作者の刻印はあるが、しかしイニシャルだけ。逮捕されても拘束されず、日常生活をそのまま続けるが終始閉塞感があり、後のナチスや共産主義による警察国家体制さえ予言する不思議な物語だが、むろん自伝的な小説ではない。

いったい小説や演劇や映画には、固有名詞にこだわる作品と、あえてぼかす作品がある。例えば、移民国家アメリカでは、姓名を聞けば、まずは何系の人間か推しはかることができる。だから、恋愛小説で女にユダヤ系の、男にイタリア系――カトリックが連想される――の名前がついていれば、あゝ、この二人は最後には別れるなと予想しながら読むことになる。

日本の作品なら、山本周五郎の時代小説『赤ひげ診療譚』（一九五八年）はどうだろう。黒澤明の映画にもなっているが、主人公の赤ひげ先生の本名は新出去定（にいできょじょう）、彼に無理やり弟子入りさせられる若手の医者は保本登（やすもとのぼる）。江戸時代にそんな名前、あったのかあ？　映画では三船敏郎扮する、偏屈だが貧乏人たちの治療に専心する小石川養生所の赤ひげに、当時の若大将、加山雄三が演じる新進気鋭の長崎帰り、だがまだ世間知らずで頭でっかちな新米医師が反抗しながら、しだいに感化されてゆく。と、おゝ、新出去定は「新しきに出でて定石を去る男」、保本登は「保守本流を保って出世街道を登ってゆこうとする男」と読めるではないか。ベタのリアリズム小説・映画の、しかし名前に付されたその遊び心が笑える。

　けれども、僕の最も愛する映画監督、ギリシャのテオ・アンゲロプロスの作品では、主要人物が名なしのことがしばしば、時には主人公がAとだけ呼ばれたり。つまり、名前にはアイデンティティがないというのが、アンゲロプロスの基本的なスタンスなのである。名前をつけないと、個別の、特定の、個性的な、具体的な人物のお話ではなく、誰にでもあり得る普遍的な物語に思えてくる。

　そして地名。ハリウッド映画では、意図的に観光名所を映して、世界中の観客が場所を特定でき、親近感を抱けるようにするのが鉄則である。そう、昔は映画の舞台になった土地にあこがれを抱いて、海外旅行をした。だが今は多くの人がすでに行ったことのある観光地を銀幕に映して、「あっ、あそこ、行った、行った」と、映画の世界を身近に感じさせようとする。いずれにせよ、実在の土地を明示すれば、具体的なイメージと親近感を観客に覚えさせることができる。

　ところが『変身』は、たぶんプラハが舞台であろうが、プラハとは小説のどこにも書いてない。カフカは、曖昧模糊（あいまいもこ）とした、しかしいずこの土地の誰にでも起こりそうな、閉塞感があって、かつさまざまに空想できる、不可思議な物語を綴っている(9)。

『変身』は第二章の途中で、グレーゴルがセールスマンになった経緯が語られる。五年前に父親が商売に失敗して破産したのだ。小説冒頭にあった、グレーゴルが仕事に疲れている状況の説明がここでなされる。文学は情報を小出しにする。読者はその少しずつ示される情報に揺さぶられながら、想像の世界を漫遊する。

グレーゴルは必死に働き、家族は目を丸くして喜び、彼は家計をそっくりまかなえるようになった。彼の人生に張りができた。だが、ほどなく家族は彼の稼ぎに慣れ、感謝の念にも熱がなくなっていく。父は気が抜けて怠慢になり、体には脂肪がついてきた。グレーゴルは身心の疲れが溜まり、ついにダウンしたわけである。

息子にプッツンされた両親の落胆はいかばかりか。グレーゴルの世話は、ショックの大きい父母に代わり、十七歳の妹が引き受けた。それでも兄の変身から一カ月、妹も虫男を直視することは耐えがたかった。彼女の気持ちを察したグレーゴルは、四時間かけてソファーの上にシーツを運び、自分の姿が見えないようにした。

グレーゴルは閉ざされた部屋の中で、壁や天井を這いまわる気晴らしを覚えた。床に落ちても怪我はしない。母親はグレーゴルがことばを理解するはずがないと信じこんでいた。そう、認知症の老人には理解できないと思って、家族が本人のそばできついことを言っている、それを介護されている人間がわかっている。そんな光景が想像される。人生は残酷だ、不条理だ！

介護される人間の自尊心。そりゃ、誰だって人を助ける方が助けられるより気分がいいに決まっている。人は〝救済者願望〟なるものをもっている。『どん底』の節でも若干触れたが、これがある意味では面倒なのだ。とくに日本人には「かわいそう」という心情が容易に芽生え、しばしばそれを口にする傾向がある。だが、かわいそうと同情される側からすれば、そこでもう相手の〝上から目線〟が見えてしまう。さらには、私はどんなにあなたのために尽くしているかと、陰に陽に伝えようとする人もいる。それは救済者願望を超えて、自己顕示欲というべきである。

人助けのプロは、相手が重荷に感じないように、淡々と、感情を抑え、できるだけふつうに仕事をする。気を使っているところを極力見せない配慮をする。本当の人助けには、技術と見識と、そして胆力が必要である。

事は老人の介護にとどまらない。若者だって大きな事故なり大病なりで、ついこの前まで元気だった者がベッドに寝たきりになることがないとは限らない。また、失業も。職場から解雇されれば、それは単にお金に困るだけでなく、「私は必要ないのか」と、自尊心がひどく傷つけられるものだ。だが、こうした身近にあり得るネガティブな話を現実感たっぷりに物語られても、我々はあまり喜んで読む気にはなれない。文学としては、決して上等とはいえないだろう。けれども、ある朝起きると虫に変身していた男の話となれば……

カミュがカフカを論じて面白いことを言っている。象徴は逐語訳できない。象徴は常にそれを用いる人間を超え、その人が表現していると意識している以上のことをその人に語らせる、と[10]。

上手な説明ではないか。虫男に象徴される奇妙な物語は、作者カフカの創作意図を超えて、さまざまな人生模様に読み替えられる。読者は虫男の寓話を、自分や家族や近しい人々の苦境を連想しながら、しかし現実とは一歩距離を置いて楽しむことができる。それは大きな広がりのあるファンタジー、漠然としていて、多義的で、答えは読む人の数だけある〝開かれた作品〟といえようか。

妹はグレーゴルが自由に動けるようにと、部屋の中の家具を運び出そうとする。母親に助けてもらわなければ、ひとりではできない。だがその作業をしている際に、母が虫に変身した、グレーテが隠していたグレーゴルの姿を見てしまう。母親は声をふりしぼって叫び、絶望のあまり倒れて動かなくなる。グレーゴルは母親が心配で這いまわる。その時、父親が帰宅し、彼にリンゴを矢継ぎ早に投げつけた。リンゴが虫男の背中にめりこむ。母が飛び出してきて、父にすがりつき、哀れな息子の命乞いをする。

これは悲劇というより、ヨーロッパ流の黒い喜劇（ブラック・コメディ）と呼ぶべきであろう。


カフカはなぜ夜な夜な、不可思議な小説をノートに書きつづけたのか。自分の創作した物語を、本気で発表する気があったのかどうか。カフカの小説は、ほぼすべて彼の親友マックス・ブロートの仲介と編集によって世に出た。彼は死ぬ前に、自分の膨大なノートは焼却するように頼んだ。だが、ブロートがカフカの遺言にも近いことばを守らず、彼の遺稿を出版したおかげで、カフカは第二次大戦後、不条理作家の本家本元と認知された。(11)

この経緯とカフカの心情、僕はそれほど違和感を覚えない。総じてもの書きは、自分のために書く。もちろん発表したい気持ちがないはずはないが、しかし世のため人のためではなく、まず第一に自己解放のために文章を綴る。書くことは〝病気〟である。[12] だから、カフカが発表のあてなく、さながら日記のようにノートに小説（らしき物語）をものしたと聞いても、さして奇異な行為とは思わない。また、ノートを焼き捨ててくれと頼んだ逸話も、本心からかどうかわからないという人がいる。でも、自分の考えと異なる形で原稿が世に残るのは、作者にとってまことに不本意なことである。[13]

で、『変身』の第三章冒頭には、人助けのプロならぬ家族たちが、虫になったグレーゴルにどういう思いを抱いたかが記されている。グレーゴルの傷が癒えるまで一カ月以上もかかった。彼の背中に食い込んだリンゴは誰も取ってやろうとしなかった。だが、おぞましい姿をしたグレーゴルはやはり家族の一員であり、敵のように扱うべきではなく、嫌悪の念を呑みこみ、ひとえに我慢することが家族の戒律となった、と。なるほど、辛いだろうなあ。

夕方になると、居間へのドアが開けられるようになった。向こうからはこちらの暗がりは見えないが、グレーゴルには家族たちが見える。彼らに以前のにぎやかなおしゃべりはない。母親は縫い物の内職を始めた。グレーゴルが音楽学校に行かせようとしていた妹は、店の売り子の仕事を見つけた。そして、父親は銀行の守衛になる。おかしいのは、彼が家に帰っても、金ボタンの制服を脱ごうとしないこと。口では、年をとってまでこんな目にあおうとは、と愚痴りながら、破産して以来失っていた生活の張りを取り戻した。そんな家族たちをグレーゴルが心配しながら眺めている。カフカはグレーゴルよりもむしろ、家族の変身に注目している。

妹の兄に対する世話は、だんだんぞんざいになっていく。食べ物は出勤前に、あり合わせのものを足で押し込んでいくだけ。掃除もいいかげんになる。自分のことを自分で処理できない病人に、家族はそれほど長くは優しくしてやれない。せいぜい半年か一年か。介護をした経験のある人ならば、この家族を責める気には到底なれないだろう[14]。

ザムザ家は女中を解雇したが、その代わりに手伝い女を雇う。頑丈な体つきで、グレーゴルを見ても、平然としている。彼を「年寄りのクソ虫さん」とか「老いぼれのウンチ虫」とか呼ぶ。ある朝、グレーゴルが挑みかかるような姿勢を示すと、女は椅子を彼の背中に打ち下ろした。虫男に対して容赦がない。

また、家の中の一室を三人の下宿人に貸すことになった。きまじめで整頓好きで万事清潔にしていないと気がすまない。そこで不用品はグレーゴルの部屋に全部放り込まれた。三人とも頬に長い髭を生やしているというから、ユダヤ人であろう。

この節の最初に述べたように、カフカもユダヤ人である。だが、フランツという名でもわかるとおり、彼はドイツに同化すべく育てられた。学校はドイツ系のギムナジウムを卒業、仕事もハプスブルク体制のお役所勤め。ナチスによるユダヤ人狩りは、カフカが他界して後の話である。

しかし、一口にユダヤ人といっても、カフカ家みたいになるべくユダヤ性を表に出さず、自分の住む国や地域に同化しようとした者たちに対して、黒い服と黒い帽子、顔一面に髭を生やし、厳格にユダヤ教の教義を守るユダヤ人たちもいた。後者は東ヨーロッパの村落でしばしば見受けられた。その東方ユダヤ人たちが、一九一四年に第一次大戦が始まると、難民としてプラハに押し寄せてきた。カフカは、身なりも言語も世界観も異なる同胞を目の当たりにする。『変身』を文芸誌に発表する前年の出来事である[15]。

そんな自らとは異質なユダヤ人たちを、カフカはクスリと笑えるタッチで描写している。妹のグレーテが彼らにバイオリンを弾いて聞かせる。三人はすぐに演奏に飽きてしまう。その時、ふとグレーゴルの姿が目に入る。奇異の目で見つめ、当然のごとく騒ぎとなり、彼らは激怒しながら部屋の解約を通告する[16]。

両親だけでなく、ついに妹も爆発する。もう兄さんなんて呼ばない、縁切りしなくては、人間として出来ることはしてきた、面倒をみて、我慢した、「誰にも、これっぽちも非難されるいわれはないわ」。家族たちはグレーゴルにことばが通じないと思っている。妹は「いなくなってもらうの」、いなくなれば、「兄さんのことは大切に覚えている」。今日日（きょうび）なら、施設に入ってもらうというところであろうか。厳しいなあ、切ないなあ、人生はまことに苦いものである。

グレーゴルの部屋に鍵がかけられ、虫男はふたたび閉ざされた世界の人となる。彼は背中にめりこんで腐ったリンゴもそのままに、衰弱し、家族のことを思い返し、そしてひとり息を引きとった。翌朝、手伝い女が「くたばっている」グレーゴルを発見し、ザムザ夫妻に報告した。父は「神さまに感謝しなくては」と十字を切る。

だが、手伝い女は死体を片づけ、感謝されると思ったら、そうではなかった。「隣のあれね、心配ご無用、もう片づけといたからね」と言い放ったが、ザムザ氏にそれ以上語るのを止められ、憤然として出ていった。ザムザ氏は、ドアの閉まる音を聞いて、「今夜にもクビだ」と。厄介扱いしていた家族の一員の死に対する父母と妹の胸の内やいかに。

残酷な話である。しかも悲劇なら心の浄化（カタルシス）を味わえるが、ブラック・コメディにはそれもない。ハラハラと気持ちよく泣けない。『すばらしい新世界』の節で、イギリスの諷刺文学について述べたが、それは汎ヨーロッパ的な伝統ともいえる。西洋のユーモアはソーマのように心をなごませてくれる精神安定剤にあらず。むしろ人の世の非情さや矛盾に目を開かせるためのカンフル剤にもなる。

問題は著者カフカの内心が暗いか明るいかではない。こういう、現実を斜めから、異化して、反転させて、閉塞感たっぷりに、グロテスクに、冷笑的に、心から泣けも笑えもしない調子で、さながらモノローグのようにノートに綴った、小話みたいな物語を、戦後の人々が不条理文学の名を冠して面白がるその心性（マンタリテ）にこそ、現代文明の実相が見てとれる点に注目したい。

現代はどうやら、パッとしない、何事もはっきりとしない、カラッと明るくもドスンと暗くもない、どんよりとした時代のように思える。

『変身』の最終ページ。グレーゴルの家族たちが今日は一日、休息と散歩にあてようと言って、外出する。何カ月ぶりだろうか。三人一緒に電車に乗って郊外へ行く。暖かい日差しを浴びて、のんびりとした気分で、将来の見通しについて話し合う。「よく考えると、現状はさほどひどいものでもない。」ザムザ夫妻はグレーテが「いつのまにやら、めだって美しい、ふっくらした娘になっていた」ことに気づく。そろそろ娘にもいい相手を見つけてやらなければ。電車を降りる場所に着いた。「娘がいちばん先に立ち上がり、若いからだで伸びをしたとき、それが二人には、自分たちの新しい夢と、たのしいもくろみを保証しているような気がした。」

小説中ほとんど唯一、外の空気を吸える、開放的な気分を味わえるページである。

この家族の気持ち。ブラックだが、しかしあり得べき赤裸々な心情を活写している。いつぞやラジオで聞いた逸話——何年も長患いしていたお祖母ちゃんが他界し、通夜の晩にお棺の横で家族が、止むに止まれずマージャンを始めたとか。いい話じゃないか。喜んではいけない、笑顔を見せてはいけないと思いながら、後ろめたさもものかは、長かった自分たちの大仕事の達成を称え合いながら、ポン、チー、ロンッと。大いなる解放感の漂う、実に晴れやかな情景といえよう。

そう、僕の親族にも心の病にもがいた人間がいる、二十年以上入院生活を送った人もいる、脳性麻痺のまま六十年以上の生涯を終えた者もいる。本人にとっても家族にとっても、それはまさに、いと長き旅路……いったい人生って何なのだろう？

世の中には諸々の事情で、全力を尽くしたくても尽くせない、思う存分生を燃焼できない人々が大勢いる。そういう人たちの目に映るこの世の風景は、いかなるものか。およそ身心の健康を有する者は、己の能力を出し惜しみせずに日々を精一杯生きるべきかと考える。

僕の好きな概念に、マックス・ヴェーバーの『プロリン』[17]中の分析で有名な「天職（ベルーフ）」がある。『どん底』のサーチン流にいえば、胃袋を満たす以上の仕事、金銭のためではなく、これこそが天から我に与えられた職業だと信じられるベルーフ（Beruf）。だが、自らの仕事をそんな風に考えられる人は、決して多くないはずだ。たいていは、生計を立てるため、家族を養っていくために、毎日腹の立つことも多々ある生業に明け暮れている。そのうえ家族に病人でも抱えようものなら……人生はごく平凡に生きていくだけで、不条理きわまりない。『変身』はそうした凡人たちの物語をデフォルメして描く。

いったい文学は万人に受けなくてよい、ベストセラーになる必要もない。そもそも文学を欲しない人間はたくさんいる。文学は我々の第一次欲求ではない。けれども、ある作品を切実に求めている読者もいる。『変身』に〝人生の応援歌〟を聞く人がいる。それがごく一部の読者ではなく、世界中に愛読者が広がったことが、現代を象徴する現象といえるだろう。

9　アルベール・カミュ『異邦人』

フランスの『ル・モンド』紙が選んだ「二十世紀の一〇〇冊」（一九九九年）で、アルベール・カミュの『異邦人』（一九四二年）は、プルーストの『失われた時を求めて』（一九一三―二七年）を押さえて、第一位に輝いた。へえ〜、プルーストより上なんだ。まあ、『失われた時を求めて』は、長くて訳のわからない、ストーリーがあるんだかないんだかないんだかないんだか、意識の流れを縷々（るる）綴った、内面心理革命を象徴する超大作だ。そこへいくと『異邦人』は、窪田啓作訳の新潮文庫版(1)で百二十ページほど。お話も暑いアルジェリアで、まったりとした主人公ムルソーがひょんなことからアラブ人を射殺してしまう。なぜ殺したんだと問われると、太陽のせいだと、とぼけちゃって。後半は緊迫した裁判劇。手ごろな長さで、物語もしっかりしている。批評家も一般の読者も、両作品を完読した人の数は比べものにならないはずだ。

また、僕のひとつ上の世代、一九六〇年代の全共闘世代の大学生は、カミュとサルトルを読んでいないと、日常会話についていけなかったとか。本当かいな!?　この二人、実存だの不条理だのとくくられるが、テイストは全然違う。サルトルはブルジョワ階級に生まれた教養人、彼が己の存在理由（レゾンデートル）を自問自答した小説『嘔吐』（一九三八年）は、「高等遊民」ないしはインテリのプー太郎が悶々（もんもん）として思索する話だ。一方のカミュは僻地アルジェリアの極貧階級の出身、『異邦人』は自意識も向上心もほとんどない、「こいつ、何考えてんだ」と苦笑したくなるノーテンキなお兄（にい）ちゃんの物語である。

フランス（文化）の中央に生まれ育った風雲児と、地中海を挟んだ植民地への入植者（コロン）の出自から這（は）い上がった「辺境人（マージナル・マン）」。二人は没交渉で似たような思想動向の書物を書き、やがて議論をし、喧嘩別れする。むべなるかな。紛争世代の読者も、サルトルとカミュ、どちらも愛読しているという人は少ないのではないか。たいていはどっちか、片方が好きなら、もう片方は好かん、と。

本節ではカミュを選んだ。僕はひどく貧しく育ったわけではないが、かといってブルジョワにはほど遠い。カミュの方が、スッと頭に入ってくるのだ。

さて、『異邦人』[2]に入る前に、まずはアルジェリアから。北アフリカの地中海沿岸地域は長くオスマン・トルコの版図にあった。オスマン帝国で面白いのは、その全盛期が十六世紀のスレイマン一世の時代、そして国家なるものは一度衰退しはじめると、ある時期から坂を転げ落ちるように滅亡へ向かうことが多いのだが、かの大帝国は徐々に徐々に、三百年以上かけてきわめてゆるやかに衰退していった。十九世紀末からは政治的空白地帯となったバルカン半島がヨーロッパ列強による争奪の場となり、それが引き金となって第一次世界大戦が勃発する。

アフリカ大陸の地中海沿岸地域も同様で、十九世紀前半にはオスマン帝国の支配はヨレヨレの状態にあった。そこにナポレオン失脚後、王政復古したブルボン家の反動政権が、国内の政情不安から国民の目をそらすためにアルジェへ遠征したら、あれま、トルコ軍を撃退してしまった。時に一八三〇年、以来アルジェリアが国家としての独立を果たす一九六二年まで、かの地は百三十二年間にわたってフランスの植民地となる。

我々は植民地と聞くと、スペイン・ポルトガルによる南米支配や「太陽の没することのない」大英帝国など、本国から遠く離れた地域をその勢力下に収めたというイメージで捉えがちである。しかし、近隣の国を植民地化した歴史は、遠方の地域のそれよりもなお苛酷を極めることしばしばであった。近ければ近いほど人の行き来は頻繁になり、利害関係は当然濃くなり、トラブれば強圧的な手段も遠方よりずっと取りやすい。よって、フランスとアルジェリアの関係には、イングランドとアイルランド、また日本と朝鮮半島の関係と同じく、幾多の近親憎悪の歴史が刻みこまれている。

アルジェリアにはフランス人をはじめとするヨーロッパ諸国の人々が入植していき、そこはフランスの直轄植民地となり（一八八一年）、やがて移民した人間より彼らの子孫、アルジェリア生まれのヨーロッパ人の方が多くなる。カミュが『異邦人』を書いたころ、ヨーロッパ系の住民は百万人弱、対してムスリムが八百万人弱という数字がある。[3]

もっとも、移民していく者は本国で暮らしてゆけぬ貧困階級がほとんどである。したがって、アルジェリアでも、白人のコロンが原住民を一方的に搾取したという単純な図式は成り立たない。カミュの伝記を書いたヴィリジル・タナズは、カミュの言として、アルジェリアに住むヨーロッパ人とは、たった数千人の金持ちではなく、フランス本国と比べてずっと低い生活水準に甘んじている何十万人もの貧しい白人だったと述べている。そして、カミュもまた、フランスの海外県アルジェリアに生まれた、アラブ人を搾取しているという感覚などついぞ持たぬ、極貧階級のコロンのひとりであった。(4)

「きょう、ママンが死んだ」――小説の有名な書き出しは、ちょいと甘ったれた言いまわしで母親の死を語る。もしかすると、昨日だったかも、養老院からの電報だけではわからない、おそらく昨日だったのだろう。あいまいな記述が続く。主人公ムルソーの語る一人称小説である。

私は職場の主人に二日間の休暇を願い出る。不満げな顔の主人に、「私のせいではないんです」と、言わずもがなの言い訳を言ってしまう。午後二時のバスで、アルジェから八十キロ離れたマランゴにある養老院へ向かう。ひどく暑かった。

母親は三年間、養老院に入っていた。ここ一年、ムルソーはほとんど母に面会していない。院長に会ってから、死体置き場に通された。門衛がお棺を開けようとすると、ムルソーが引きとめる。「御覧にならないですか」、「ええ」。門衛は不思議がったが、非難するでもなかった。「理由はありません」と私が言うと、「わかるよ」と答えた。

私は門衛に煙草を一本やり、一緒に煙草をくゆらせた。通夜を終え、翌日母を埋葬する。葬儀屋に「年とっていたかね？」と聞かれるが、母親の正確な年齢を知らなかったから、「まあね」と返答した。

いったい肉親の葬式の時の心情は微妙である。それはひどく非日常的な儀式であり、どう周囲に対応していいか、またいかなる感情を表に出していいのか、とまどうものである。ふだん、いかに我々が慣れで行動しているか、気づかされもする。肉親との別れの場は、自然な感情の発露というよりは、参列者たちの前で、神妙に、控え目に、そして心から悲しんでみせる儀式ともいえよう。そう、息子に死なれたザムザ家の人々がもったような複雑な心情は、できるだけ隠しておくべき神聖な礼式なのである。

ムルソーは、やれやれ、アルジェに帰ってほっとする。十分睡眠をとり、目が覚めると、土曜日なのに気づいた。まだ二日休める。海に泳ぎに行く。そこで以前に事務所でタイピストをしていたマリイ・カルドナと再会する。「当時から私は憎からず思っていた」女性である。二人で泳いだ後、夜は映画館に行った。映画の途中で、「彼女は足を私の足にすり寄せていた。私は胸を愛撫した。映画の終わりごろ、彼女に接吻したが、うまくゆかなかった。映画館を出て、彼女は私の部屋へ来た」。

喪中にもかかわらず、いい雰囲気になった。だが、段落が変わると、ヘッヘッヘッ、もう朝になっている。「眼がさめると、マリイは出て行ったあとだった」と。ベッドの中の描写はなし。しかし、私は「長枕のなかに、マリイの髪の毛が残した塩の香を求めた」。いいじゃないか、暗示的で、なまめかしくて、品のいいラブシーンだ。決して息苦しい小説ではない。

私は当てのない日曜日を過ごした。夕方、「屋根屋根の上に、空は赤味を帯び、夕闇とともに、通りは活気づいて来た」、「街灯がこのとき突然にともり、夜のなかに上った、最初の星々を青ざめさせた」。美しい風景描写だ。地中海に面した異国の、異邦人の町へとイマジネーションをかき立てられる。

もっとも、母親の葬式から帰った翌日に、女性とベッドを共にする。決して誉められた行動ではない。でもそれは道徳の問題であって、人間の心理としては、死と生は止揚（アウフヘーベン）する関係にある。死を思うと、生を燃焼させたくなる。そして、生を体感できる行ないの最たるものがセックスである。非日常的な気分の中で、ムルソーが女を抱きたくなるのは、むしろ当然の心理ではないか。それにまあ、結核という死に至る病に侵されていながら、情熱的な恋愛なしでは生きていられなかったカミュの作品でもあるし。

月曜日、私は職場に戻る。海運関係の会社らしい。自分の机の上には、船荷証券が山と積んであった、と。仕事ってのは、ちょっと休んだだけで、そうなるんだよねえ。主人がママンの年を聞いてきた。今度は「誤りを犯さぬように「六十ぐらいで」といった」。

仕事を終えて帰宅すると、同じ階の隣人、サラマノ老人と会った。老いたスパニエル犬を連れている。愛犬なのに悪しざまに言い、虐待している。一流の小説に無駄はない。このエピソードは、ことばや行動が必ずしも本音と一致しないムルソーの主筋と共鳴している。

また、同じ階のもうひとりの隣人は、名をレエモン・サンテスといった。倉庫係で、女を食い物にしている、短気な男。愛人のことで彼女の兄に因縁をつけられ、喧嘩になったとか。

ムルソーだけでなく、どいつもこいつも知性を感じさせない面々ばかりである。カミュの子供のころ、彼の周りにたくさんいたであろう輩（やから）。おっと、カミュの父は彼が生まれた翌年に第一次大戦で戦死し、一家はアルジェの場末町にいた祖母[5]と叔父のアパルトマンに住み込む。祖母は傲慢で支配欲の強い独裁者、叔父は障害者、母は難聴で極端に無口。三人とも文盲であった。家には本も新聞、雑誌もなかったという[6]。カミュは母を愛し、しかし彼女から優しいことばをかけてはもらえなかった。ムルソーの死んだママンに対するどこか甘ったれた、でも妙にそっけない態度に、カミュの満たされぬ愛情飢餓を読み取る批評は多い。

だが、カミュは子供時代の、無知無学が当たり前だった窮乏生活を恨むことはなかった。地中海の海と太陽をこよなく愛し、毎日毎日を生きてゆけるだけで幸せを感じた。むしろ、彼の才能が見いだされ、奨学金を得て大学へ進学し、迷った末に共産党に入党し、ほどなく植民地の住民と党との間で板挟みとなって除名され、地中海を渡ってフランス本国のインテリたちと交わりながら、自らの出自と異なる世界ではよそ者であり続けた。

一週間後の週末にまたマリイがムルソーのところに来た。私は「紅白の縞の綺麗な服を着て、革のサンダルをはいていた」彼女にひどく欲望を感じた。二人で泳ぎに行って、水の中で接吻し、マリイはその晩、私の部屋に泊まった。翌日、ムルソーのパジャマを着たマリイが、あなたは私のことを愛しているかと聞いてきたので、「それは何の意味もないことだが、恐らく愛していないと思われる――と私は答えた」。う～ん、困った男だ。そういう時はふつう、深く考えていなくても、「愛してるよ」と耳元でささやいてやるものだ。馬鹿正直というか、不器用というか。

平日の夕方にも、マリイが私を誘いに来る。その時彼女は、「自分と結婚したいかと尋ねた」。そうね、結婚となると、軽く「あたしのこと好き?」、「もちろん愛してるよ」って会話とは違うだろう。しかし、「私は、それはどっちでもいいことだが、マリイの方でそう望むのなら、結婚してもいいといった」。マリイが、結婚は重大な問題だと詰め寄ると、「私は、違う、と答えた」。やれやれ、ため息の出るやりとりだ……

が、さはさりながら、僕も遠い昔の記憶を手繰り寄せれば──三年ほど付き合った彼女がいて、周りも、おまえたち、どうするんだ？　でも、僕はまだ学生で、大学院を出ればプー太郎になるのはほぼ決定的。そのころのアルバイトは高校の非常勤だけ、月給にして四万八千円。結婚するか、別れるか、「おまえ、決めろよ」、「あなた、決めなさいよ」。別れた方が彼女のためだよな〜、とは思いながら、銀行員の彼女は月給十五万円。二人で二十万円なら、食っていけないこともない。結婚しちゃおうか。そして、新婚生活ならぬ貧困生活をなんとかくぐり抜け、彼女は今でも僕とひとつ屋根の下に暮らしている。

だから、人生の重大事と呼ばれるものを、我々がいちいち深く考えて決めているかというと、必ずしもそうではないのであって……となると、ムルソーはとっても本音に忠実な男なのだ。そのうえで、アホッ、ブキッチョ、と罵声を飛ばしたくはなるけれど。

また、ムルソーは事務所の主人からパリの出張所勤めをしないかと持ちかけられる。いわば栄転だ。だが、どちらでもいいと、気のない返事をする。生活なんてどんな場合も似たりよったり、「ここでの自分の生活は少しも不愉快なことはない」と。上昇志向なし、向上心なし、野心なし。暑いところで生活すると、こうなるのか。

いやいや、明治の文明開化以来、立身出世を連呼する焚きつけ教育を受け、戦後は教育と就職をピッタリ連結させて、「しっかり勉強しないと、いい会社に入れないぞ」と常にプレッシャーをかけられてきた日本の若者たち。けれども、経済が停滞した平成、さらに令和の世にあっては、そんな大人たちの掛け声も馬耳東風、ニートやらフリーターやらが珍しくなくなった。カミュやサルトルを読んで議論した紛争世代は、社会に反逆するを善しとしたが、今日日（きょうび）の若者たちはそういう無駄なプロテストはしない。親にも教師にも上司にもおよそ逆らわなくなった。世の中の理不尽にも、抵抗するでもなく従うでもなく。二十一世紀の日本、石を投げればムルソーに当たる。

ムルソーは、そして今日のわが国の若人（わこうど）、もとい大人も含めた民衆（ナロード）は、何を思うや⁉で、ムルソーは隣人のレエモン・サンテスに誘われて海に遊びに行く。ところが、浜辺でサンテスが彼の愛人の、アラブ人の兄と出くわして喧嘩となり、ナイフで腕と口を切られてしまう。サンテスは手当を終えると、ふたたび海岸へ向かうので、ムルソーは素手でやれと、彼のピストルを預かる。だが、それが仇（あだ）となる。ムルソーがひとりとなった折に、浜辺で件（くだん）のアラブ人に出会った。

波音はもの憂げで穏やか、アラブ人は顔が影になっていたせいだろう、笑っているように見えた。「眉毛に汗の滴（しずく）がたまるのを感じた。それはママンを埋葬した日と同じ太陽だった」と、文章は高揚し、詩的になっていく。アラブ人がナイフを抜き、私は涙と塩気で目が見えなくなった。サンテスから預かっていたピストルの引き金を引いた。汗と太陽とを振り払う。私は身動きしないアラブ人の体に、なお四発の銃弾を撃ち込んだ。

あ〜あ、やっちゃった。二部構成の第一部が幕を閉じる。

第二部は、裁きの場に立たされたムルソーの顚末(てんまつ)である。

逮捕された私は、弁護士を選んでいなかったので、予審判事が選任してくれた。弁護士は小柄で太っている若い男で、髪を丁寧になでつけていた。彼は自分を信頼してくれれば、訴訟には勝てると言った。

ママンを埋葬した日のことを聞かれた。予審判事側は、私がその日、「感動を示さなかった」ことを知っていた。弁護士はそこを突かれた時の答弁を考えて、「その日私が苦痛を感じたかと尋ねた」。私はひどく驚いて、「もちろん、私は深くママンを愛していたが、しかし、それは何ものも意味していない。健康なひとは誰でも、多少とも、愛する者の死を期待するものだ」と。こいつ、正直の上に何とかがつく。弁護士も、それは口にしないよう、私に約束させた。

弁護士は考えた末に、私が自然の感情を抑えていたんだろうと言ったが、私は「それはうそだ」と。彼は憤慨して「あなたは裁判所と交渉をもったことがないようだ」とだけ答えて、出て行った。ムルソーは不良でも反逆児でもない、だがはたからみれば世のすね者、もっと常識や規範をわきまえろよと言いたくなる。

予審判事の尋問の折には、なぜ銃を一発撃った後、間をおいてから四発撃ったのかと質問されて、答えられなかった。さらに、「神を信ずるか」と聞かれて、私は「信じない」と答え、キリスト教徒の判事を激怒させてしまった。しかし、判事はその後興奮しなくなり、私の肩を叩いて「反クリストさん」と呼び、十一カ月におよんだ予審も終わった。

カミュは子供のころから教会へは行かなかったという。フランス人だからむろんカトリック教徒だが、一家は最低限の教えだけ守っている程度だった。また、わずかな間とはいえ共産党に入ったくらいだから、「神が死んだ」二十世紀のごくふつうの左翼知識人。教会とは生涯、一定の距離をとり続けたようである。(7)

裁判が始まる。裁判長は事件自体よりも、私のママンに対する態度に関心があるらしい。証人尋問では、養老院の院長が証言した――ムルソーは埋葬の日、いかにも冷静で、一度も涙を流さず、ママンの年齢も知らなかった、と。また門衛は、私がママンの顔を見たがらず、煙草を吸い、よく眠ったと語った。私は自分が人々に憎まれていると感じた。傍聴席にも憤激した空気が漂い、私は初めて自分が罪人だと理解した。

マリイも呼ばれた。私との関係がいつから始まったかと聞かれ、その日付を答えると、「検事は素しらぬ風に、それはママンの死の翌日のように思われる、と指摘した」。検事はママンが死んですぐに私が女と遊び、情事にふけったことを糾弾した。マリイは愛する男に不利な証言をさせられたと気づいて、声をあげて泣きだした。

ムルソーが殺したのは直轄植民地の原住民である。当初は重い罪になるはずもないと思われたが、被告人に対する批判の矢はその人間性へと向かいはじめた。

だが、それにしても、ムルソーという男、何を考えているんだか。昔、カウンセリングの訓練を受けた際に先生から言われた、「心の細かい部分を描写するのは、心理学者より小説家の方がうまい。小説を読め」と。そう、不条理演劇たる『授業』を解説した際にも述べたが、近代のリアリズム文学は現実を見たまま切り取るものと考えられがちだが、むしろ人間の内面と行動の因果関係を詳細に語って、読者に現実感（リアリティ）を味わわせた。

いつぞや新聞のコラムに、松本清張の推理小説が今でもテレビドラマで引っぱりだこなのはなぜか、という記事が載っていた。曰く、殺人の動機がしっかりしているので、見ていて安心できる、と。つまり、衝動殺人が巷（ちまた）にあふれる今の世の中、過去の怨念が積もり積もって犯行におよぶサスペンスはほっとできるんだとか。

しかし、ある時期から、人間の心根なんてわからないよと開き直って、そこに読者がリアリティを感じる文学が出現した。心理を説明しない心理文学。その嚆矢（こうし）がカミュの『異邦人』であり、その後のイヨネスコやベケットらの不条理演劇の流行へとつながった。[8] だから、カウンセラーになるために小説を読む場合は、先端的な文学ではなく、ちょいと古めかしい作品を選ぶべし。

もっとも、カミュの研究者たちは言うだろう、『異邦人』が発表された一九四二年当時は、まだ人間の行動にはすべて動機があり、それをきちんと説明して、初めて小説が成立した時代のはずだ、と。[9] 文学史の流れからすれば、それが当を得ているのだが、でもカミュは時代に先んじてしまったのではないか。いや、そもそも近代以前の散文文学は、小説というよりは空想物語、そこには近代人が納得するような、人物たちの複雑な心理は書き込まれていなかった。また、二十世紀に入れば、すでにプルーストもジョイスも登場し、人間のグジャグジャの（無）意識を書きたい放題長々と叙述する長篇小説をものしている。文学史なんて、そんなに直線的には進んでいない。

なのでカミュは、場当たり的で投げやりでノーテンキな、条理でものを考えないアンチ・ヒーローを描いた、よってムルソーの行動の動機をいちいち理詰めで解釈しようとするのは〝不条理〟だ、ということでいいんじゃあないでしょうか。[10]

弁論で検事は、ムルソーが計画的にアラブ人を殺したことを論証しようとした。後から撃った四発の銃弾は落ち着き払ってとどめを刺す行為だ、それは情状酌量の余地のある衝動的な殺人とは違う。また、「この男はインテリです」、答え方を、ことばの価値を知っている。彼は自らの大罪を悔いていない、魂というものがないのだ、と。検事は彼を人間らしい心をもたぬ確信犯と断じて、死刑を求刑する。

ムルソーは裁判長に促されて発言し、あらかじめアラブ人を殺す意図はなかったと語る。では動機は、と聞かれ、少しことばをもつれさせながら、「それは太陽のせいだ」と。あれま、ムルソーのどこがインテリだというんだ。廷内からは笑い声があがり、弁護士は肩をすくめた。

ムルソー（Meursault）が「死」と「太陽」の合成語であろうとは、よく知られた説である。彼が殺人の動機を太陽のせいにしたのは、とぼけたわけではなく、ほんとうにそう思ったからだろう。アルジェリアの貧者の富たる太陽。だが、彼のことばは、きわめて思慮に欠ける、周囲を敵にまわしかねない、不謹慎な戯言と受け取られても仕方のない一句である。ムルソーは無垢で嘘のつけない、それゆえに俗世と折り合いをつけられない自然児である。「異邦人」とは、フランスの僻地アルジェリアの青年という意味ではなく、社会と歩調を合わせられぬ「よそ者」を意味していることがしだいにわかってくる。[11]

いったい我々は社会の中で共存していくために、法律や道徳などの〝縛り〟[12]を甘受しながら日々の生活を送っている。それら有形無形の縛りを一旦解いて、人間の本性に忠実な人物を創造したら、何が立ち現れるか。『異邦人』は、己の本音にしたがって生きる、理性的とはいいかねる主人公が、彼の遭遇する苦境にあって、何を考え、いかに行動するかを描いた形而上的な寓話である。

およそ小説家はインテリである。文章を書く人間は、自意識の固まりともいえよう。だから、ふだんほとんどものを考えない人物の内面を扱った文学に傑作は多くない。その点、カミュは植民地の無知無学な民衆に囲まれて育ち、また彼らを心から愛した。人間は「考える葦」として生まれつくわけではない、理性や知性で生きる存在ではない――それを身をもって実感しながら成長した。ヨーロッパ思想の中心たるフランスの辺境から、理性を標榜した近代思想へのアンチを唱えるひとつの魅力的な文学が誕生した。

陪審人の評決が下りる。裁判長がムルソーに斬首刑を言い渡す。どうやら殺人ではなく、人間存在そのものを問われてしまったようだ。ムルソーは激することなく法廷を後にする。

独房の私は、三たび御用司祭の面会を拒絶した。何も言うべきことはない。死刑のことを想像し、特赦請願のことを考えた。人生は生きるに値しない、それは誰でも知っている。

拒絶したはずの司祭が独房に入ってきた。司祭がなぜ面会を拒否するのかと尋ねるので、私は「神を信じていない」からだと答えた。彼は私を「友よ」と呼び、「われわれはすべて死刑囚なのだ」と言うので、私は皆同じではないし、そんなことばは慰めにならないと返した。司祭は私の目をまっすぐ見つめた。これは「私のよく知っていた遊戯」だ。ヘッヘッヘッ、司祭のテクニックはムルソーには通じなかった。それではあなたは希望を持たずに、死ねばすべてが終わりだと考えるのか――私は「そうです」と答える。なんでもカミュがキリスト教の教義の中でどうしても受け入れられないのは、来世への信仰だったとか[13]。

カミュがこの小説と同時進行で執筆し、サルトルが『異邦人』の「正確な注釈[14]」と記した不条理に関する哲学的エッセイ集に『シーシュポスの神話』（一九四二年）がある。ギリシャ神話に登場するシーシュポスは、神の怒りを買って、山頂まで大きな岩を運ぶ罰を科せられるが、その岩は山頂まで達すると、いつも転がり落ちてしまう。神々は無益で希望のない労働ほど恐ろしい懲罰はないと考えるが、しかし神々を否定し、自分こそが自分の日々を支配する存在だと認識するシーシュポスは、何度でも岩を山頂へと運び上げる[15]。

しかり！　徒労に終わること多き作業を延々と続けるのが人生である。この世の中は不条理だ、神も仏もない――西洋人にとっては、最初から仏はいないか!?――と腹をくくった方が、よりよい人生を送れるのではないか、来世には天国へ行けるなんて言われて神にすがるよりは、そろそろ人間も自らの足で立って、己の運命と対峙すべきではないか。

『異邦人』と『シーシュポスの神話』は――さらにブレヒトの『ガリレイの生涯』も――ヨーロッパがヒトラーに席巻された絶望の時代に、スーパーヒーローたる神に頼らぬ民衆の社会のあり方を模索していた。その真っ暗闇の中の思索にこそ、不条理な世界を生きつづけるための励ましが内在している。

司祭は私に、特赦請願は受理されるだろうが、あなたは神の裁きを受けなければならないと言う。

だが私は、自分の死刑を宣告したのは人間だと答える。そして、司祭の抱擁を許さず、彼のことを「わが父」と呼ぶのを拒否した。司祭が、あなたの心は盲いている、「私はあなたのために祈りましょう」と言ったその時、ムルソーは怒りを爆発させ、怒鳴り散らす。

日本人は「反体制」ということばを聞くと、まずは政府に政治的にプロテストすることをイメージするであろう。けれどもヨーロッパでは、むしろ教会が既存体制の象徴的な存在である。その点は、日本のお寺さんとかなり事情が異なる。

非政治的どころか、およそ世の中に抵抗せず、万事に無関心、自分自身に対しても冷めていて投げやり、裁判でギロチン刑を言い渡されても他人事のように受け止めていたムルソーが、ここでただ一度だけ感情を露にして憤る。カミュが猛毒を込めたクライマックス・シーンである。

司祭はあきらめて去っていく。ムルソーは平静を取り戻す。ひさしぶりにママンのことを思い、世界の優しい無関心に心をひらき、幸福感を味わう。最後の望みは、自分が孤独でないことを感じるために処刑の日に大勢の見物人が集まり、憎悪の叫びをあげてくれることだという。

ムルソーの行為はほとんど自殺である。判事や司祭におざなりにでも頭を下げれば、助かったのに。[16]だが、考える葦にはほど遠かった主人公は、自分の意志でそれを拒否し、人間はちっぽけな、無意味な存在であり、世界は理不尽だ、しかし神の救いは求めないという考えに殉じた。

ヨーロッパ文明の異邦人だった若きカミュは、ムルソーを埋葬することによって、己の体内の毒を吐き出し、自らが生き延びる道を選んだのであろう。そんなカミュの浄化作業が、広く読者たちへの静かな応援歌となって後世に残った。[17]

第4章 近代

10　E・M・フォースター『インドへの道』

　次のお題は近代、ないしは近代なる時代に人々がどうもがいたか。現代よりちょっと前、帝国主義と植民地支配の嵐が吹き荒れた近代である。

　で、そんな物騒な国家と国家との争い、ドンパチの硝煙の臭いとは無縁に思われた小説家に僕の大好きな英国作家E・M・フォースターがいる。彼の文学テーマはただひとつ、人と人とがほんとうに理解し合い、信頼し合うのは難しいよ、と。それをイギリス国内の階級の異なる男女――さらに男男――の恋愛模様の中に、クスクスと笑える諷刺喜劇仕立てで綴ってみせた。彼は大仰な、声高な、壮大なストーリーとメッセージを嫌った。大した事件は起こらない、ちっちゃな話を好んだ。だから、彼は愛すべき〝小作家〟――と、僕はフォースターをそう理解している。(1)

　その古風で寡作の小作家が最後に書いた大作が『インドへの道』(一九二四年)である。宗主国と植民地の人々の交流と対立と葛藤、イギリス人とインド人の民族意識を取り上げたそれ一作で、彼は二十世紀の大作家と認められた。が、フォースターの代表作は最も彼らしくない作品、そして彼はわずか六篇の長篇を残しただけで小説の筆を折った。

三部からなる『インドへの道』の第一部冒頭は、物語の舞台たるチャンドラポアの風景描写から始まる。曰く、マラバー洞窟のほかには、その町に目を見張るものは何もなく、ガンジス川沿いにあっても洗い清められているという風ではない、ここではガンジスは聖なる川ではないので沐浴をするための踏み段もないのだ。町はごみのよう、人々は泥のよう、目に飛び込んでくるものはすべて見すぼらしくて単調、だから川が増水した時にこのいぼのような町が大地に還ってくれたらいい。だが、川岸から奥に入った高台にあるイギリス人居留地はまるで別世界、醜悪な点はみじんもなく、風景だけがただただ美しい。両者に共通しているのは、頭上に広がる空のみ、そしてインドではこの空がすべてを決める、と。[2]

淡々とした、グチャグチャの、つかみどころのない書き出しである。そう、この長い小説、暑い夏の日の日なたでダラダラと汗をかきながら、〝灼熱のインド〟にのめり込みながらページをめくらないと読破できそうもない、とっつきづらい作品である。はて、どこが名作なのか。

主要人物のひとりは、イスラム教徒で医者のアジズである。彼の友人たちが、イギリス人と友だちになるのは可能かどうかと議論している。イギリスでなら可能だが、インドに来ると彼らは紳士然とできなくなる、と。最初はまともだった連中が、植民地では皆、傲慢になってしまう。

ある晩、アジズは回教寺院(モスク)でイギリス人の老婦人に出会う。暗がりの中でアジズは、ここは神聖な場所、靴のままでは入れないと叫ぶ。すると彼女は、「靴はもう脱いでいます」。人が見てないと女性は知らんぷりするからと言うと、「でも神様が見ていますわ」。イギリス人の横暴さに日ごろからうんざりしていたアジズの心も、フッとなごむ。

老婦人はムア夫人と名乗る。当地の治安判事ロニー・ヒースロップの母親だという。夫人は、おそらくはロニーと結婚するであろうアデラ・クウェステッドとともに、息子に会いにはるばるやって来たのである。

そのアデラは探求心旺盛な娘――クウェステッドは英語で〝探求〟の意味――、「あたしは本物のインドが見たいのよ」と息巻き、ロニーが通りかかった官立大学校(ガバメント・カレッジ)の校長フィールディングにどうすればいいかと聞くと、彼は「インド人に会ってみるんだな」と答えて、姿を消した。

アデラが知りたがったインドは、しかし「百のインドに分かれていた」。そうなのだ。日本人ならお釈迦様の生まれた天竺(てんじく)をパッと思い浮かべる人もいるだろうが、高校の世界史ではヒンズー教徒が多数派（今日のインドでは人口の約八割）と教わる。となると、イスラム教徒のアジズは少数派だ。また、ヒンズー教徒にはバラモンから不可触民まで厳しい階級の縛りがあった（ある）のはご存じのとおり。さらに言語の数は何百とも千以上ともいわれる。[3] そのうえ、帝国支配は昔からの常套手段たる「分割して統治せよ」の教えに従い、直轄支配する地域と藩王国に分けられ、その藩王国は五百とも六百とも。

つまりは宗教、階級、言語、そして民族も文化もバラバラのだだっ広い領土を〝アジアの悪魔〟と呼ばれたイギリスが、原住民たちの一致団結した抵抗運動のなきよう、できるだけバラバラの状態を維持しながら統治した。

もっとも、まじめな治安判事のロニーなどは「正義を行ない、治安を守るために、インドくんだりまで来ている」と。「このどうしようもない国を力ずくで押さえるために仕事をしているんだ」、「僕は宣教師でも労働党員でも甘ちゃんの文学者でもない」。なるほど、植民地を統治するイギリス人たちも、個々人からすれば、苦心惨憺（さんたん）、青息吐息で日々の仕事にはげんでいるのである。

E・M・フォースターはインドのイギリス人たちをステレオタイプ化して捉えない。本筋とは関係なく登場する宣教師二人は、三等の汽車に乗り、英国人たちの集うクラブには顔を出さない。二人は神の愛はどこまでおよぶかと議論する。人間どまりじゃないだろう。猿にも、ジャッカルにも、では蜂には、泥には、体内のバクテリアには……また、イギリス人とインド人の交流パーティの席上では、地方長官タートンの奥さんが片言のウルドゥー語(4)であいさつする。でも、召使としか話したことがないので、動詞は命令形しか知らない。

と、個々の英国人たちの会話や行状に、クスリクスリと苦笑させられる。それが小作家E・M・フォースターの真骨頂。

いちばん滑稽に描かれているのはアデラである。彼女はパーティで西と東の交流不全（ディスコミュニケーション）に憤慨するが、それもフィールディングに言わせれば、どこか理屈だけのような気がする。また、アデラがロニーに鳥の名前をしつこく聞く場面がある。名前がわかれば――それがニャンニャでもワンワンでもどんな名称でも――インドの生きものが理解できた気になる。西洋的な思考回路の持ち主。だが、インドでは何事もはっきりしないのだと、作者は涼しげに記す。

ページが進んで第一部の終わり近くになると、独身のフィールディングがアジズから、アデラと結婚してはどうかと言われて反発する。「あれはうぬぼれ屋さ」、「西洋流の教育の哀れな産物」、インドやら人生やらを懸命に理解しようとして授業に出ているって風、メモなんか取っちゃって。はてはアジズも、「美人じゃないし、胸だってないみたいなもんだ」と、もう散々。作者は同性愛者でもあり、お勉強ばかりでしたり顔の女性にはいつも手厳しいのである[5]。

一方、インド人で笑えるのは、ゴドボレ。フィールディングの学校の先生で、ヒンズー教徒、バラモン階級の老人である。校長に呼ばれてアジズの部屋にやって来たその謎の老教授は、礼儀正しく、でもどこか超然としていて、周りからちょっと離れたところでお茶を飲んでいる。テーブルの食べ物を取る様子は、さながら偶然に手と食べ物が出会ったかのよう。白い口髭を生やし、目は灰色がかった青、顔はヨーロッパ人のように白く、薄紫色のマカロニみたいなターバンを巻いている。全体の服装は西と東を、物質的にだけでなく精神的にも調和させているかのようだ、と。

アデラとムア夫人はゴドボレから宗教の話を聞きたいのだが、そんな危ない真似をする御仁ではない。笑顔を絶やさず、ひたすら食べ物を口に運んでいる。でも別れ際、ムア夫人のために彼が歌った不思議な宗教歌は、ヒンズー教の神クリシュナに向かって「来たれ」と繰り返すが、神は絶対に来ない、と。はて？

イギリス側に戻って、フィールディング。四十歳を過ぎてからインドに渡り、その虜（とりこ）になった。一応学者だが、さまざまな人生経験を積んで、今は我慢強く気さくで知的、教育に信を置く中年男になっている。毛むくじゃらで大柄、生徒たちには人気のある先生だが、しかしイギリス人たちとの溝は広がっていく。植民地では本国と勝手が違い、それがために群れをなす同胞たちを尻目に、善意と教養と知性があれば世界の人々は交流できると信じているからだ。彼は誰とでも分け隔てなく付き合おうとする。それはチャンドラポアでは危険な信条だった。

フィールディングは信仰心あついイスラム教徒たちの前で、自分は神の存在を信じないと語る。彼の言い方は率直至極、イギリスのインド支配に関しても、正義だの道徳だのといったことばで体裁を整えることをしない。また、彼は一度婚約を破棄されたとか。子供も要らない。子供なんかより思想のひとつでも残せればと、アジズに話す。どうやらフィールディングは、誰とでも交際するが、自分の懐にはなかなか人を入れないタイプの人間のようだ。

このはぐれ者の先生が、作者フォースターに最も近しい人物である。しかし、自分の分身をよく書かないのがまた、フォースターのフォースターたるゆえん。

フィールディングは生徒に、「個人たれ、そして自分とは異なる他者を理解せよ」と教えている。それが自分の唯一の信念だ、と。けれどもアジズは、ムガール帝国以来のイスラムの伝統と信仰を胸に刻み、幼児婚によって好きでもない女性と結ばれ、子供を三人授かり、そして妻に愛を覚えはじめたころに彼女に死なれてしまった。そんなアジズにとって、身軽でわが身以外に守るもののない個人主義者フィールディングは、「ほんとうに心の温かい、因習にとらわれない、でもやっぱり賢いとは言えない」存在、そのあけすけな話しぶりは危険で野暮だと思えてならなかった。

個人主義に与（くみ）するE・M・フォースターは、いわば大店（おおだな）の作家である。自らの主義主張を声高に唱えず、物語を軽やかな諷刺喜劇に収める姿勢には、ゆるりとした余裕が感じられる。だが、『インドへの道』の出版は一九二四年、そう、国家と国家が史上初めてガチンコでぶつかり合い、ヨーロッパ全土を荒廃させた第一次世界大戦の終戦から六年後である。哲学者シュペングラーが『西洋の没落』（一九二二年）を、また現代詩人T・S・エリオットが『荒地』（一九二二年）を世に問うてヨーロッパ文明が斜陽の時代を迎えたことを印象づけた、その翌々年の作品。産業革命をいち早く達成し、十八世紀の後半には太陽の没することのない大植民地帝国を築いたイギリスも、むろん下り坂にあった。『インドへの道』の時代設定は明確には示されていないが、おそらくは小説発表時からそう遠くない過去、大英帝国の屋台骨がそろそろゆるんできたころである。

フォースターは前述のとおり、『インドへの道』を最後に小説の筆を折るが、しかし個人主義と、そして自由主義の価値をその後もラジオや評論によって訴えつづける。時はウォール街の株の大暴落（一九二九年）に始まる世界恐慌の大混乱期、資本主義と共産主義が対峙し、その間隙を縫って全体主義（ファシズム）が跋扈（ばっこ）する。『すばらしい新世界』の節でも述べたように、個人なんてヤワなことを言っていてはダメだ、確固とした主義主張と強大な国家に寄り添え——と、軍靴（ぐんか）の足音が高くなっても、フォースターはまだ個人を唱えつづけた。

僕が愛読しているフォースターの代表的評論のひとつ「私の信条」[6]——一九三八年、第二次世界大戦開戦の前年に『ネイション』誌に掲載——は、「私は絶対的信条を信じない」の一句で始まる。無数の戦闘的信条が横行している時代に、自分は強い信条を主張したくない、むしろ他人に寛容たれ、そして個人的な信頼関係を築いていこう、と。そこから彼の有名な、「国家を裏切るか友を裏切るかと迫られたときには、国家を裏切る勇気をもちたい」とする決めゼリフが綴られる。[7]
　また、民主主義は個人を重視する、「ひとつの文明を形成するにはあらゆるタイプの人間が必要だということを大前提にしている」。さらに、民主主義のもうひとつの長所は批判を許すことである、と。されば、民主主義に二度万歳をしよう、一度目は多様性を許すから、二度目は批判を口にできるから――ファシズムに席巻され、ふたたび世界大戦の悪夢が現実にならんとしていた時期の発言、大店ののんきな理想論とも受け取れる――、しかしそれに続いて、「ただし、二度で充分。三度も喝采する必要はない」と付け加えるのが、フォースターの気合である。

　お話は『インドへの道』に戻って、第二部は第一部と同様、ダラダラとした自然描写からスタートする。太古の昔、北インドはまだ海の底で、したがってガンジス川も存在しなかった……ほほう、そこから説明するか!?　やがて土地が隆起して陸となる……が、チャンドラポアの近郊の丘陵地帯にはめぼしいものは何もない。ここいらへんをかつて仏陀が訪れたはずだが、彼が修行したという伝説は残っていない。

　チャンドラポアの郊外にあるマラバー洞窟も、内部は空っぽで真っ暗なただの洞窟群である。人間が入れる部屋もあるが、入口のない、神々がこの世に姿を現してからは封印されてしまった部屋もたくさんあるらしい。その洞窟群を有名にしたのは人間ではなく、空を飛ぶ鳥たちが「異様だ」と叫んだからだ、と。

　その何の変哲もない洞窟にピクニックに連れていく、と第一部でアジズはムア夫人とアデラに口をすべらせてしまう。イギリス人に一所懸命かしずこうとするイスラム教徒の空約束のために、誰も乗り気ではなかった遠出が実現する。

大変なのはアジズである。まず休暇をとるのに四苦八苦。食事については、ヒンズー教徒のゴドボレは牛肉が食べられない、イスラム教徒のアジズは豚肉を使ったハムがダメ。イギリス婦人たちのために、大勢の召使を雇う。さらに彼は遅刻を恐れて、前日は駅に泊まり込んだ。涙ぐましい努力を重ねるアジズに次々と降りかかる難題は、彼が人々を別々の客室(コンパートメント)にとどめておこうとするインドの大地の精霊に挑戦したためだった。

翌日の早朝。フィールディングとゴドボレを乗せた馬車が汽車の出発時間になっても到着しない。なんでもゴドボレのお祈りが長引いたんだとか。意図せぬ故意か!?　バラモンの教授は恥じ入って目を伏せたとあるが、危険な気配があれば、それを避けて通る業が身に染みついている、変わり者の運命論者である。

列車が出発し、それにつれてストーリーも動きだすと思いきや、フォースターのうんちくが始まる。曰く、人生の大部分は退屈で話すべきことなど何もないのに、本やおしゃべりがそれを面白いというのは、自らの存在理由を示すために誇張しなければならないからだ。人間の精神なんてほとんどの時間、仕事やら社会的義務やらにかまけて、うたた寝をしている。世の中に適応している生きものは沈黙しているものだ、と。しかり!

イギリス人の女性二人は、この二週間何事もなく過ごしていた。老婦人はそんな無感動な日々も平気でいられたが、アデラの方は退屈さに苛立(いらだ)ち、無理に情熱的なことばを吐いた(8)。

また、ムア夫人は結婚について、皆大騒ぎし過ぎる、人間は何世紀にもわたって肉体的な抱擁を経験しても、お互いに理解し合えないでいるのに、と。そう、彼女がお供をしているアデラも、婚約者のロニーと結婚するかしないか迷っているところである。

二人は汽車を降り、このピクニック最大の呼び物、アジズが用意した、額にペンキを塗った象に乗り換えた。アジズは自らの歓待に、ムガール帝国の皇帝になったような気分を味わっていたが、ご婦人方は大喜びしている風でもなかった。双方の心はなかなか交流しない。

マラバー洞窟に到着。だが、黒い穴が空いているだけ。見た目を気にする人類が生まれる前の地球もかくやと、フォースターは茶化す。ムア夫人は最初の洞窟でまいってしまう。インド人たちの人いきれと悪臭と、そして暗闇の中でのこだまの音に失神寸前となる。彼女はその響きに自分の人生観を根底から覆された思いがする。けれども、自分の知性では理解できない宇宙は彼女に何の安らぎも与えなかったと、これも深刻ぶってはいるが、ちょいとおどけたいつものフォースター節である。

結局、丘の上の洞窟群へは、アジズとアデラがガイドだけを連れて登っていく。あれま、植民地で現地人と白人の若い女性が――危ないよ。なにやら起こりそうな予感。アデラは結婚だの愛情だのと考えを巡らせている。アジズに「奥さんは一人か、それとも何人かいるのか」とぶしつけなことを聞く。アジズはそれがショックで、洞窟のひとつに駆け込む。彼とはぐれたアデラも、他の洞窟にふらりと入っていく……

と、次章では、迷子になったアデラが丘の下の方にチラリと見える。どうやら一行を追ってフィールディングが乗ってきた車で、さっさと先に帰ってしまったらしい。アジズはちょっと安心して、汽車でチャンドラポアに戻ると、えっ、駅で逮捕される。

　やれやれ、ようやく事件らしい事件が起こった。でもなんか冴えない。出来事も間が抜けていれば、フォースターの書きっぷりもパッとしない。あゝ、アンチクライマックス。

　アジズの逮捕は、洞窟の中でアデラを暴行しようとした容疑だとか。イギリス人とインド人が交流するのはかまわない、だが本気で親しくなろうとすると必ず問題が起こると、タートン長官は興奮気味。本国では皆バラバラに行動する個人主義を心地よしとするイギリス人たちが、今や老若男女を問わず、憐れみと憤怒と英雄的な精神（ヒロイズム）に駆られて、民族の旗の下に集結している。感情に走る群れの中で、理性の灯火を消すまいとしているフィールディングを除いては。

　そして、ゴドボレ教授は中央インドの故郷へ帰ると言って、姿をくらました。

　アデラは寝込んでいた。周りのイギリス人たちは親切すぎるほど親切だった――『変身』の節でも述べたように、人は誰しも〝救済者願望〟なる厄介な心情をもつ――が、彼女がいちばん見舞いに来てほしいムア夫人は顔を出さなかった。アジズの無罪を疑わない夫人は裁判の証言台に立つことを拒否して、トランプのペイシェンスを始める。なるほど人生は忍耐ってか。そしてイギリスへ帰ると言いだし、後のページでは帰国途中の船上で他界した、と。

　学生時代に読んだ時は、この唐突な退場がわからなかった。おそらくは物語のキーになる脇役、第一部の開幕早々に回教寺院でアジズと出会って、イギリス人とインド人が一瞬親しくなる場面を現出させて以来、ヨーロッパ文明とは異なるインド世界を感知できる想像力をもった人物として存在感を有した。そのムア夫人が、あれれ、ここでいなくなっちゃうの⁉

でも、夫人は六十歳過ぎの老人、それにアデラともそんなに親しい関係ではない、助ける義務もない、当然といえば当然の行動か。善玉らしくはあっても、スーパーレディにはあらず。彼女もまた不完全で無力な年寄り。と、僕もムア夫人と同じくらいの年齢になって、フォースターのリアリズムがごく自然に理解できるようになった(9)。

裁判が始まる。おっと、法廷にも気になる脇役がひとり。廷内に風を送るために大きなうちわ(パンカ)の紐をひたすらひっぱり続ける下層民の男がいる。裸も同然だが、その肉体は実に見事。自然の女神は、時々不可触民(アンタッチャブル)の中にそんな力と美を体現する男を置いて、自分には階級に対する差別心がないことを示そうとしている。イングランドの中流階級出身のアデラは、法廷を超然と仕切っている彼の姿を見て、己の苦悩の卑小さを責めたくなった。

と、突然登場するこの〝運命の男神(メイル・フェイト)〟を描く際のフォースターの嬉々とした筆さばき！——実は彼のお好みの相手は労働者階級のこんな肉体派だったらしい。ヘヘエ、フォースターの小説をまじめに読みすぎてはいけない。個人主義と寛容の精神と民主主義を唱えた良識派の作家は、同時に茶化したり、ふざけたり、さらには読者を驚かすのが大好きな小作家でもある。

肝心の裁判は弁護側がカルカッタから反英で鳴らした辣腕弁護士アムリトラオ(10)を呼んできて、いざ英印の民族紛争になると思いきや、アデラが告訴を取り下げて、あっけなく終わってしまう。「アジズ先生は洞窟に入ってこなかった」と証言する彼女は、どうやらロニーとの結婚のことを考えていて、洞窟の中で妄想にとりつかれたらしい。

　ここも小説の存在理由を示すために面白く書こうと思えばいくらでもできるのに、フォースターは、人生、こんなものだよ、と。せっかく正義感に燃えて一致団結したイギリス人たちはドッチラケ。あゝ、肩透かし、ドタバタコメディ、滑稽なアンチクライマックス。

　で、さて、マラバー洞窟とはいったい何だったのか——それがこの小説をめぐって昔から議論されている大きな論題である。内部は空っぽで真っ暗、何の特徴もなくて、神々が降臨してからは閉じられてしまった部屋もたくさんある。その洞窟群を有名にしたのは人間様ではなく、空を飛ぶ鳥たちだ。フォースターが時々おどけながら、わざと舌足らずに描写する原初的な洞窟は、つまりインドの象徴なのである。ヨーロッパ流の合理主義では説明できない、理性を拒絶する、キリスト教の通じない、宣教師の唱える愛は意味が不明になり、人知のおよばぬ、異教世界どころかいかなる神々も支配力をもたない、漠としてとりとめがなく、曖昧模糊（あいまいもこ）、支離滅裂、複雑怪奇、混沌無秩序、人間が近づくと前後不覚に陥る……おゝ、ソラリスの海と同じではないか。

　フォースターはしばしばイギリス人の、とくに自らが属した上層中流階級（アッパー・ミドル・クラス）の面々の感受性と想像力のなさを揶揄（やゆ）した[11]。だが、同じ階級のムア夫人は、まだインドに来たばかりで感性の豊かさを失っていなかったので、最初の洞窟で不気味なこだまを聞き、すぐに引き返してしまう。ところが、理性を重んじる西欧合理主義の教育に毒された哀れな優等生、鳥の名前を知ればそれでインドの鳥を明確に理解できたと思い込む頭でっかちのアデラは、真っ暗闇の洞窟にひとりで入っていって、錯乱してしまったわけだ。

この小説、ストーリーはゆるいが、一読して作者の小ネタと思われたうんちくやエピソードが作品の主題とすべて赤い糸で結ばれていて、みごとな構成である。

アデラはフィールディングと今回の一件についてじっくりと話し合い、お互いの心と心が交流するひと時をもって、帰国の途についた。しかしアジズは、自分を破滅の淵に追い込んだアデラを助けるフィールディングに疑念を抱き、二人の仲を勘ぐった。一匹狼のイギリス人はイスラム教徒のインド人とギクシャクしたまま、祖国に戻ることになる。

笑ってしまうのは、第二部の最終第三十二章である。フィールディングが海路、エジプトからヴェネツィアに行くと、そこは理性的な様式美と地中海的な調和を有する、混乱とは無縁な文明世界。と、たった一ページの記述で気分をガラリと変えてしまう、そのフォースターの明晰な筆遣い。なんだ、やっぱり書けるんだ。第一部も第二部もグチャグチャとした自然描写から始め、その後も無名の小人（しょうじん）たちのから騒ぎをまだるっこしく記述していたのは、神秘的な――フィールディング曰く、それは混乱と同義――インドを描出するためだったのである。

短い第三部は、二年後、ところはマラバー丘陵から西へ数百マイル行った、内陸の藩王国マウである。ヒンズー教の祭りをやっている。おっ、ゴドボレだ。彼はマウの文部大臣になっている。この祭りの描写がまた、わかりづらい。せっかく地中海文明を綴って理知的な筆運びだったのに。

クリシュナ神は生まれるのか生まれないのか、それが祭りの最後まではっきりしない。キリスト教なら、東方の三博士が来訪して、イエスはちゃんとクリスマスの夜に馬小屋で生まれるのだが。

村のヒンズー教徒たちは皆、優しくて幸せそうな集いの中で、個人とはかかわりのない輝くばかりの美しい表情を浮かべている。音楽は多くの音源からさまざまな音が鳴り響いていて、訳がわからない。ヒンズー教徒でなければ、劇的と感じるものは何ひとつない。今訪れようとしているインドの勝利は、我々イギリス人からすれば、混乱、理性と様式の挫折でしかない……と、ヘッヘッヘッ、きちんと中心があって、ひとつひとつが区分けでき、全部ことばで説明できる西洋文明とは異質な、あらゆるものが意味もなく一時に放り込まれているインド、ってか。

この奥地の藩王国に、アジズもまたイギリスの直轄領から逃れて移住し、藩王の侍医として働いていた。ゴドボレが呼んでくれたのである。そして今、フィールディングがインド各地の教育を視察するために、ひさしぶりにイギリスからやって来るという。

フィールディングは結婚し、妻と共にマウを訪れると知らせてくる。だが、アジズはフィールディングがアデラと結婚したものと思い込んで、機嫌が悪い。けれども、渋々会ってみると、フィールディングの相手はムア夫人の娘だった。なんて誤解をしていたんだ。

終幕はフィールディングとアジズが馬に乗って遠出をするシーンである。信頼を取り戻した二人は心おきなくお互いを罵倒し合い、インドが独立すれば、イギリス人が出てゆけば、その時は僕たちも友だちになれると話す――と、そのとたんに、キスせんがばかりに近寄っていた二頭の馬がスッと離れてゆき、周囲の自然が、さらには空が「だめだ、まだだめだ」と語る絶妙の結びの一句。

本節の冒頭でも記したように、人と人とが理解し合い、信頼し合うのは至難の業だよというのが、作者の初期からの一貫したライトモチーフである。そして、彼はしばしば、登場人物たちが胸襟を開いた瞬間を活写しながら、でも実際はそう簡単ではないよねと〝予定調和〟を拒絶する。

フォースターは徹底して個人を描く。イギリス人がこよなく愛する個人主義を標榜する。だが個人主義なんて、ことばの響きは心地よくても、いたって脆弱（ぜいじゃく）な理念なのもたしか。フォースターはイギリス人たちが植民地に行って、集団主義に陥っている姿を滑稽に綴り、ラストもアンチクライマックスに終わらせる。そんな自らの信条の実現を描ききりはしない作家の小説は、しかしだからこそイギリス人たちが信じたいものを再認識させ、それが世の中に実在してもいいんじゃないかと思わせる力をもつ。これが文学の逆説（パラドックス）というやつ。

フォースターは政治制度を信じない。民主主義でさえも、万歳は二度で十分だと喝破（かっぱ）する。いや、制度だけでなく、あらゆる概念もまた人間の作りもの、万能ではないのだ、と。神も愛も理性も、鳥の名前も、寛容の精神も、みんな人間の頭が作ったもの。それらが混沌としたインド世界の中で厳しく試される七転八倒の痛烈な黒い喜劇（ブラック・コメディ）。

だから、『インドへの道』は植民地時代の帝国主義を糾弾する政治小説などではない。もっと文明論的で、西欧近代を問い直す、壮大な諷刺小説。その大きさがフォースターらしくなく、しかし彼が社会を小さな個人のレベルから見つめる視線は、やっぱりフォースターらしくもあり。

自然の情景で始まり、自然に拒否されて終わる作品である。自然界からすれば実にくだらない人間たちの右往左往を、飄々（ひょうひょう）と、皮肉たっぷりに、まわりくどくて退屈な筆致で記述しながら、その行間には決してヤワではない、真剣な、秘めたる気骨を覗（のぞ）かせる。フォースターは大作家の風格を退け、小品のブラック・コメディを書く手さばきで、二十世紀の古典と呼べる大作を世に残した。

11　魯迅「狂人日記」、「阿Q正伝」他

次は中国である。僕の父親は日中戦争に従軍した[1]。伯父（父親の兄）はニューギニアで玉砕し、母親は東京大空襲で九死に一生を得た口、母の親族は何人もその折に死んでいる。昭和三十一（一九五六）年生まれの僕は、子供のころ両親から「おまえたちは戦争を知らない」としばしば言われて育った。

それもあってか、高校を卒業する前後の一時期、自分の親の世代の日本人が何をしたか、もっとはっきりいえば天皇の軍隊がアジア各地でいったいどんなことをしたかに、無性に関心をもった。浪人していたころには中国の近代史・現代史の本を読みあさり、そして翌年もまた受験に失敗してしまった。

だが、魯迅は読んでいない。エドガー・スノーとかアグネス・スメドレーとかの本[2]は、ずいぶん興奮しながら読んだ記憶があるが、魯迅は素通りだった。文学には興味がなかった？　大学は結局、外国語学部の英米語学科に入り、その後シェイクスピアと出会う。でも、高校時代から小説くらい

はごくふつうに読んでいたけれど、まさか大学で文学を専攻しようなんて考えてもみなかった。

魯迅は、カミュやサルトルと並んで、〝過激な六〇年代〟を過ごした大学生たちの必読書といわれた。しかし僕が大学に入学したのは一九七五年。大学紛争世代からは、「七五年ごろから問題意識のない、頭パッパラパーの連中が入ってきた」と揶揄された。無気力・無関心・無責任の〝三無主義〟と叩かれ、〝シラケ世代〟と名づけられた。そう、政治的挫折の後は優しさしか訴えるものがなく、同棲が流行り、今でも耳に残っているのはかぐや姫の「神田川」（一九七三年）なるフォークソングの調べ。ショボい時代だったなあ。もっとも、僕たちからすれば、上の連中は既存の権威に反発し、壊すだけ壊したけれど、「おまえら、自分たちで何を創った？　えっ⁉」と。

全共闘世代に、僕はあこがれと、そして反発と、その両方をもっている。爾来、僕は政治的にはノンポリ[3]、生活はなんとなくプチブル、信じる思想なし、ついでに進歩史観なしの、典型的な一九七〇年代育ちの人間だと自認している。

なので、戦闘的な魯迅とは出会わなかった。何年か前に、大学院に中国人留学生が多くなったので、遊び心もあって授業で魯迅を一緒に読み、とても面白い感想が聞けて楽しめたが、しかしいまだに自分の腹にストンと落ちてくるものはない。僕の気質には合わない。

でも、だからこそ書いてみようと思い立った。魯迅を貶めなければいいのだが。以下はシラケ世代からみたラディカルな文学者についての漫談である。

魯迅はつまらない、と魯迅の専門家が言い、教室の留学生たちもそう話す。なんだ、それ？　魯迅、魯迅と大作家扱いしながら、つまらない、と。そこで何がどうつまらなくて、なぜ国民作家とまで呼ばれるのか。

まずは魯迅ここにありと謳われた「狂人日記」であるが、先に時代背景の説明が必要であろう。中国の近代、それは帝国主義列強による半植民地化の歴史であった。一八四〇―四二年のアヘン戦争(4)でイギリスに敗北して以来、清朝はその弱体化を露呈し、ついに明治維新（一八六八年）以降近代化を急速に進めていた日本にまで日清戦争（一八九四―九五年）で苦汁をなめさせられる。〝眠れる獅子〟と恐れられたアジアの大国の没落が白日の下にさらされた。

一八八一年生まれの魯迅は日清戦争時が十二歳。彼は家が没落したこともあり、科挙による出世の道をめざさず、驚異的なスピードで国力をつけつつあった日本に留学した。二十歳から二十七歳（一九〇二―〇九年）の青春期を魯迅は仙台と東京で過ごす。仙台では医学を学び、東京では読書に耽（ふけ）って後の魯迅文学の思想形成に励んだ。その間に日本は、なんと日露戦争（一九〇四―〇五年）でロシアにまで勝ってしまった。

帰国後、魯迅は学校に勤めた。リベラルな教員で、生徒たちにも人気があったという。そして一九一一年、辛亥（しんがい）革命が勃発する。孫文が臨時大総統に就任し、宣統帝（溥儀（ふぎ））が退位して、二百六十八年間にわたった満州族による征服王朝たる清朝が滅んだ。ここにアジア初の共和国、中華民国が成立する。そう、日本は天皇制の帝国、だから国王も皇帝もいない共和制を最初に成就した東洋の国家は中国ということになる。

と、前政権を倒しただけでめでたし、めでたしとならないのが広くあまねく人類史の語るところである。清朝側と革命派の間に立って自ら大総統となった袁世凱は、早くも孫文らの国民党を圧迫して帝政を画策。時あたかも第一次世界大戦が勃発、欧州列強がアジアに目を向ける余力がないのを見てとった日本は袁政府に二十一カ条要求（一九一五年）を突きつけ、民衆の反日感情に火がつく。袁世凱病死、各地で軍閥が割拠し、中国は四分五裂の無政府状態（アナーキー）に陥る。

そんな革命の理想とはほど遠かった時期である。北京大学の陳独秀と胡適（こせき）が雑誌『新青年』を創刊（一九一五年）して、文学革命を唱えたのは。そして、体制側の確固としたイデオロギーとなっていた儒教道徳に叛旗を翻し、民衆のための口語体文学（白話文学）を提唱、それを実践した最初の成果が「狂人日記」であった。時に一九一八年、魯迅三十六歳の処女小説である。

物語はこうである。中学で仲のよかった友人の弟が被害妄想狂を患った折に日記を残した。その日記は「今夜は、とてもいい月の光だ」と、おっとりと筆を起こすが、友人の弟はすぐにさまざまな不安にとりつかれはじめる。犬が自分をジロジロ見ている、道で会う人々も、子供たちまでもが私を殺そうとしているかのような目を向ける。

村の小作人がやって来て、村人たちが飢饉の折に大悪人を殺して、その内臓を油でいためて食べたという話をしていた。狂人は自分も食われるのではないかと恐れて、歴史の本をひもといてみる。すると、どのページにも「仁義道徳」と記され、さらに書物いっぱいに「人食」の二文字が書かれているではないか。

狂人は自分の兄が自分を殺して肉を食べようとしていると思い込む。彼は人食い人間を、まず兄を改心させようとする。彼は兄に「人間を食うことは正当かね？」と聞くと、「飢饉年でもなければ、どうして人間が食えよう」という答えが返ってきた。

狂人が思い出すのは、まだ四、五歳のころ、兄が言ったことばである。「父母が病気になったら、子供たるものは自分の一片(ひときれ)の肉を切りさいて、それを煮てあげて喰(た)べさせてこそ、立派な人間といえる」と。母もいけないとはいわなかった。四千年の人食いの歴史をもっている国。兄が家督をついでから、五歳の妹が死んだ。兄は飯のお菜にまぜて、私たちにも妹の肉を食べさせたのではないか。私は知らないうちに人肉を食ったのではなかろうか。私も本当の人間には顔向けができない。

そして、世に知られた結びは、「人を食ったことのない子供は、あるいはいるだろう？　子供を救え……」[5]。

これだけの、角川文庫の増田渉訳でたった十七ページの短篇小説である。刺激的な小篇だが、いきなり予備知識なしで読んで意味がわかるはずがない。つまらない。大学院の留学生は、「最後の文言は有名。暗記させられた」と。中国は今もよく生徒に暗記をさせる。

魯迅は単独で反儒教の声をあげたわけではない。異民族の清朝が孔子の教えを中国人支配の体制思想として利用し、さらに袁世凱もそれを憲法に盛り込もうとしたことに反発するキャンペーンに乗った。すなわち、親孝行をし、家父長を重んじ、その先には天子に忠義を——と、君主にきわめて都合のいい孔教は、同時に人民主権の共和政の発想とは水と油のイデオロギーである。

そうした儒教に基づく倫理(モラル)や心性(マンタリテ)の形成史を知れば、「狂人日記」はまさに劇薬、文学革命の急先鋒だったことが実感される。親のためなら子供は自分の肉をも食わせろ、それが中国の仁義道徳の教えだってか、冗談じゃない。そして、それをただ外野から批判するのではなく、自分もまたその伝統に縛られているひとりだと語るところが、魯迅の気合。加えて、子供だけはまだそんな因習に染まっていないかもしれない、新世代は救わなければならない、と。(6)

だが、「狂人日記」と後述する「阿Q正伝」を収めた第一作品集『吶喊』（一九二三年）に心に沁みる「自序」が付されている。曰く、何かの主張をして、それが賛成されれば前進しようと思い、反対されれば奮闘がうながされる、しかし反応がない場合は——その果てしない荒野に身をおいたような心情を、私は寂寞と名づけた、と。そう、過激な寓話をものして喝采は浴びたが、そんな一粒の劇薬で半植民地化された中国の大衆が一気に覚醒するはずもなく。

同じ序文に紹介されているもうひとつの挿話は——『新青年』への原稿執筆を誘われた魯迅が、窓のない鉄の部屋、まもなくみんな窒息して死んでしまうだろう、昏睡状態のまま死ぬのだから悲しみは感じないはずだ、でも彼らに大声をかけて起こしたら、どうせ助かりっこない臨終の苦しみを彼らに与えることになる、と語った。すると相手は「しかし、数人が起きたとすれば、その鉄の部屋をこわす希望が、絶対にないとは言えんじゃないか」。魯迅はそこではたと気がついた、今はともかく、将来にかすかでも希望があるならば——そう思って書いたのが「狂人日記」だったというのである。(7)

わが国でも、儒教は江戸時代の体制思想だった朱子学を経て、明治維新後も民衆に天皇への忠誠を刷り込むために目いっぱい利用された。その影響力は今日に至るまで続く。例えば、権力者に逆らわない若者気質。非政治的な小市民を自称する僕が、今の学生たちと付き合っていて、「君たち、そのノンポリぶりは危ないよ！」と時々教室でつぶやいてしまう。つまり日本の学校は相変わらず登校し、下校する世界のまま。封建時代のお城からの類推で、お上（かみ）のいるところに登って行って、偉い先生から世の中の大切なことを伝授される場所という固定観念をなかなか払拭できない。[8]

だから、インターナショナルだのグローバルだのと叫んで、英語だけディベートをやれったって、この儒教的マンタリテに縛られた社会で、誰が軽々に本音をしゃべれるか、えっ⁉　僕がどれほどゼミで若者たちに重い口を開かせるために苦労しているか。[9]　そして、どれだけ〝のれんに腕押し〟の教室で、無反応なムルソーたち相手に講義（レクチャー）をしているか。[10]　あゝ、寂寞！

『異邦人』を語った際にも述べたが、二十一世紀の日本の学生たちは、親にも教師にも上司にも、およそ強き者に反逆しなくなった。ゼミ生曰く、「そんなに反抗しなくても、自分の生きる道はいくらでもありますから」と。なるほど、スマホ[11]があれば、自分ひとりで遊べる、自分の世界に引きこもれる。でもね、就職して、利益追求団体に身を置いたらわかるよ、上意下達社会が機能するのは、〝上の者〟が常に正しいという大前提に立っての話だ、しかし今の時代、上の者が間違いを犯さないなんて、あり得ない話だ。[12]　永田町だけが奇々怪々なのではない、どこの会社だって、訳のわからない雲の上とのバトルってのはあるぜ。誰に向かっても対等に「その話はおかしい」、「それはノーだ」と言える涼やかな社会ないしは組織ってのは、見果てぬ夢（インポッシブル・ドリーム）だよなあ。[13]　でも泣き寝入りしたくなかったら……若いうちから戦い方のエチュードくらいしておかなくちゃ。ヘッヘッヘッ、中年になって「あの時、先生が話していたのは、こういうことか」って思ったら、僕が「ほ～らな！」とニコニコ笑っている顔を思い浮かべてください、と。[14]

閑話休題。「狂人日記」のもうひとつの衝撃は、それが口語体で書かれたことだという。それまでの文学は文語体で執筆するのが当たり前、そして読者は古典的素養を身につけた教養人だけだった。しかし胡適は、「白話（古典口語文）」は下層民のことばだと受け取る旧来の言語意識を反転させ、白話文学を民衆の読む、国民国家を論じるにふさわしい新しい内容と文体を持った文学として育てたいと考え、魯迅がそれに応じた[15]。

要するに言文一致運動である。明治日本でいえば二葉亭四迷だ。この変わり者、実際に自分の周りにいたらうっとうしくて迷惑千万な男だろうが、評伝で読むと実に楽しい。明治の新時代に心落ち着かず、軍人になれず、ロシア語の教師になっても満足できず、大陸を放浪し、はてはロシアに渡って、帰国途上の船の中で客死する。憂国の士だが、まじめすぎて自意識過剰、躁鬱気質で、ひとつの道に集中できず。作家としては『浮雲』（一八八七―八九年、明治二十―二十二年）で近代日本語の口語文体を開拓したわけだが、どうやら自分のなした大仕事への自覚はなかったようだ[16]。

その『浮雲』の主人公、内海文三は作者と同様、自意識が強すぎて世渡りが下手。ドストエフスキーとともにゴンチャロフを下敷きにしているというから[17]、ロシア文学が好んで取り上げる「余計者」を描こうとしたのがわかる。つまりは、文明開化の新国家に求められる人間像を綴ろうとしたのではなく、官吏の仕事を首になったプライドばかり高いダメ人間の内面のウジウジした思索と心情を追う。

二葉亭の三歳年下で、同じ東京朝日新聞のお抱え作家、同僚だったのが夏目漱石である。彼はご存じのとおり、近代人のグダグダ——格好よくいえば「近代的自我」——を探究する文学の完成者である。「人生いかに生くべきか」、そんな個人の内心の苦悶は、口語体でないと書けない。鷗外の歴史小説には擬古文が似合う——でも、今日の我々には読みづらい——が、漱石の不出来な同時代人たちが内面を吐露する小説は、やっぱり言文一致体でないと。その漱石の新聞小説『虞美人草』を、魯迅は日本に留学していたころ、毎朝真っ先に読んでいたという。[18]

民衆の言語に関して話を広げれば、何度か述べたように、ヨーロッパにおいては長くラテン語が読めることが権威の象徴であり、知識を独占できるがゆえに権力の源でもあった。中世のカトリックの僧侶もルネサンスの知識人も、書物はラテン語で書くのが当然だった。それゆえに、ダンテが俗語、すなわち民衆が日常使うトスカーナ方言で『神曲』を執筆し、カトリック教会に異議申し立てをしたルターが一般の信者たちのために聖書をドイツ語に翻訳したことが、ルネサンスと宗教改革への門戸を開いた史実として、二十一世紀の世界史の教科書でも大きく扱われている。

そうしたヨーロッパ近世の市民社会実現への道程を振り返ってみれば、産業革命以後の遅れをとった東洋で民衆を目覚めさせるために、いかに言語の問題が重要であったかが実感される。さらに、魯迅が帰国した一九〇九年における日本の小学校就学率が九十八％だったのに対して、中国の就学率は一九一九年の統計で十一％という数字がある。[19] 識字率の向上がどれほど急務であったか。

主権在民の共和国を実現させるために文学が担った使命は、何よりも大衆を啓蒙し、自覚させ、自立させること。そのためには、大衆を喜ばせるのではなく、むしろ彼らのネガティブな、悶々たる、心の奥底に潜む本音と本性を、彼らの日常語で痛烈に描出する作品を書く必要があった。

『吶喊』出版の三年後の作に「藤野先生」（一九二六年）という、魯迅が仙台の医学専門学校で世話になった藤野厳九郎の思い出を綴った短篇がある。魯迅の恩師への感謝の念にあふれた、日本人にとっては喜ばしい一篇である。が、この先生、決して一流の学者にあらず、八字髭をはやしメガネをかけ洋服の着方はぞんざい、冬には古い外套を着てブルブル震えていたという。しかし、中国からはるばるやって来た魯迅にはたいへん親切で、彼の講義ノートを預かって添削までしてくれた。

この小篇の中でとくに有名なのは、いわゆる「幻灯事件」である。授業の残り時間に時々、時局ものの幻灯が映された。折から日露戦争中とあって、日本がロシアに戦勝する場面ばかり。ある日、ロシアのスパイをやったという中国人が銃殺されるシーンを見せられた。たくさんの中国人が取り巻いて、処刑を見物している。教室では日本人の学生たちが拍手喝采している。異国の地でそれを目の当たりにしたショック、魯迅はその年かぎりで医学校を退学し、東京に移った、と。『吶喊』の序文でも幻灯事件が取り上げられ、魯迅はその一件がきっかけで、中国人の肉体ではなく、「彼らの精神を改造」すべきと考え、文芸の志を立てたという。二つの回想談には文学的な尾ヒレもついているようだが、いずれにしろ魯迅は同胞の処刑を傍観する中国民衆の奴隷根性を見せつけられた記憶を、自らが文学革命へと向かった動機として述懐している。[20]

また、「藤野先生」の結びも、名高い一節である。先生が添削してくれた講義ノートは引っ越しの折に紛失してしまったが、先生の写真は今でも自宅の壁に掛けてある。魯迅は夜中に疲れたり眠気に誘われたりすると、その写真を見て勇気を得、「再びあの「正人君子」のやからが痛く憎悪する文章を書きつづけるのである」と。

魯迅は偽善を嫌った。君主は体制と秩序の維持のために大衆に道徳を押しつけ、一方その道徳を刷り込まれた民衆は、「清く、正しく、美しく」をモットーに生きようとする。それでは大衆はいつまでたっても奴隷のままだ。『すばらしい新世界』の飼いならされた子羊たちが心安らかに暮らす未来社会は理想郷ではないだろう。

どんなに希望がなくても、戦おう。持久戦だ、ゲリラ戦だ。強大な敵を前にして「フェアプレイは時期尚早」[21]だ、と。ヘッヘッヘッ、一九六〇年代の日本の反体制派は、かつて日帝（日本帝国主義）に蹂躙された中国でしぶとく戦った魯迅に、贖罪感を胸に抱きながら、ひどく励まされたのであろう。時あたかもヴェトナムのジャングルでは、米帝（アメリカ帝国主義）の侵略に、北ヴェトナムの兵士たちがゲリラ戦で民族解放闘争を展開していた時代である[22]。

と、そうだなあ、七〇年代のシラケ世代としては、そこいらへんのセンチメンタルな正義感が垣間見えてしまうと、ちょっと違うと思うんだけど。魯迅はもう少し大陸的で、乾いた、民衆のことも突き放して捉えていた、自らの好感度を上げようとしない作家だったのではないだろうか。

でも、正人君子を憎悪させたい。それはわかる。善人を、優等生を、頭でっかちの体制派を、さらには教条的な左翼を、自分がまじめで純粋で誠実だと思い込んでいる輩を怒らせる文章を書きたい。いいじゃないか。

魯迅の代表作「阿Q正伝」（一九二一―二二年）である。『吶喊』所収。魯迅の作品にしては長いけれど、それでも角川文庫版で六十四ページ。中篇とは呼べないだろう。

主人公は、苗字がわからず、名前もどういう漢字を当ててるか知らないので阿Qと呼ぶと、魯迅はおどける。家はなく、村の土地神の祠に住んでいる。マルクス主義のなつかしき用語を使えば、ルンペンプロレタリアートである。

正伝。これも冒頭で魯迅が茶化して、列伝、自伝、内伝、外伝、別伝、家伝、小伝……どれも当てはまらないので正伝にした、と。以前に中国史を専攻する同僚に聞いたら、かの国では正史をはなから〝正しい歴史〟とは考えない、あんなものは各王朝が自分たちの都合のいいように編纂した単なる物語だとのお答え。魯迅の語る正伝もその程度の戯けた話だよと、グチャグチャ混ぜっ返しながら作品の基調を示しているわけだ。

むろん貧乏な村のそのまた最下層に位置する阿Qは、村人たちからつまはじきにされている。ハゲ頭がコンプレックス。だが、自尊心は強い。「精神的勝利法」をもっている。村人にいじめられても、すべて自分に好都合な解釈をしてしまう。おまえらに殴られる俺は虫けらだ、だけど虫けらだと言える俺は「自分を軽蔑し、自分を卑下することのできる第一人者だ」と。そうだ、第一人者だ、一番だ！

村の大旦那の息子は毛唐学校に入り、さらに日本へ行って、半年後に帰ってきた。辮髪(23)がなくなっていた。彼を「ニセ毛唐」、「売国奴」と呼んでいた阿Qは、路上で彼にステッキでしこたま殴られる。その屈辱の直後に、若い尼僧を見かけ、彼女の剃りたての頭をこすって、からかった。居酒屋にいた村人たちが大笑いしたので、いい気分になる。尼が遠くから「後つぎなしの阿Q！」と泣きべそをかく声が聞こえた。阿Qは男女間の戒めには厳格であったが、その声が耳に残っていたのであろう、後日、日銭を稼いでいた家の下女に突然「一緒に寝てくれ」とひざまずいて頼んで大騒ぎとなった。

阿Qはますます苦境に立たされる。居酒屋がツケで飲ませてくれなくなる。祠からも追い出されそうになる。誰も彼に日雇い仕事を頼みに来なくなる。阿Qは村を出て、城内へ行くことにする。阿Qは正義感をもっていると、作者は記す。ニセ毛唐や若い尼のような異端者を排撃する。偽善が嫌いなのだ。だが、阿Q自身の振舞いは無茶苦茶、周りから白い目で見られても仕方ない。プライドが高くて、ある意味純粋でスレていない、しかし行ないは最低、これでは人と対等なコミュニケーションはとれない。『浮雲』の文三にも似ている。

いや、いつの時代もどこの国でも、責任ある仕事ができない人間は、けっこう純粋なものだ。人と交わらないかぎりにおいての正義漢。外野からの大声の野次はご立派、でも自分がグラウンドには金輪際立たない、立てない。そういう人ほど正論を高らかに叫ぶ。僕はよく学生に話す、「君は純粋だね」と言われたら、僕は誉めていない、「君はスレてるね」は最高の誉めことば。

数カ月後、阿Qが村に戻ってきた。真新しい服を着て、現銭(げんなま)をちらつかせ、女たちに安い値段で衣服を売り飛ばす。どうしたんだ、阿Q!?　挙人旦那――人材登用試験に合格して出世している金持ち――の邸(やしき)で働いていたというのだが、さらによく阿Qの自慢話を聞けば、実は泥棒の片棒をかつぎ、盗品を手に逃げてきたらしい。

城内の挙人旦那が革命党を恐れて、阿Qの住む村に避難してくる。阿Qは革命を謀叛だと思っていたが、お偉い旦那を怖がらせているのを見て感心し、「謀叛だ！」と叫ぶと、村人たちが驚き恐れる。愉快、愉快。

ほどなく村の人心は平穏を取り戻す。革命党は城下へ入ったけれど、大した変化は起こらなかった。県知事は役名が改まっただけで元の人、兵隊を指揮するのも前と同じ隊長さんだ。ただ革命を語って辮髪を切って回ったり、盗賊まがいの悪さをする連中がいるとか。

その見せしめにされてしまったのが、あわれ、阿Qであった。隊長は、自分が革命党になってから二十日もたたないうちに強盗掠奪事件が十数件発生し、まだ一人も犯人があがっていない、面子丸つぶれだ、と。そこで阿Qが捕縛され、さしたる取り調べもないまま、文書に、彼は字が書けないから署名の代わりにマルを書かされて、一丁上がり。市中引き回しのうえ、銃殺される。だが、見物人たちはずっと死刑囚に付き合ったのに彼は引かれ者の芝居唄ひとつ歌えずつまらない、処刑も銃殺では斬首ほど面白みがないと不満であった。阿Qも話にならないが、周りの人々も一様にひどい。[24]「藤野先生」中の「幻灯事件」を想起させる終幕である。

滑稽でブラックでグロテスクな寓話である。辛亥革命もこのあたりでは大山鳴動して阿Q一匹の茶番劇に終わった。魯迅曰く、「私の作品は暗すぎるのです。私はいつも「暗黒と虚無」だけが「実在」だという気がして、そのくせそれらに向って、絶望的に戦っているものですから、そこで過激な口調が多くなるのです[25]」。これは本音であろう。みじめな革命の末路をラディカルな語り口で戯画化しているが、その底には深い絶望と寂寞がある。

毛沢東は魯迅を絶賛し、戦前から革命文学として、また戦後は中華人民共和国の「国民文学」として目いっぱい政治利用した。そりゃそうだ、「革命なおいまだ成らず」（孫文の有名な遺言）、単なる清朝打倒ではなく、国民の意識改革こそが真の革命だ――ドンピシャの永久革命宣言である。(26)けれども、もし魯迅が長生きして文化大革命――魯迅の綴った革命談よりはるかに壮大で残酷な茶番劇――を目の当たりにしていたら、間違いなく毛沢東に嚙みついて、紅衛兵に引きずり回されていただろう。

今、遅れてきた世代の僕が冷めた目で魯迅を読んだ正直な感想は、ヨーロッパ文学史の中に置けば、せいぜい一・五流くらいの作家だろう、と。本書ですでに取り上げたマクシム・ゴーリキー、スターリン体制下のソ連で生き残り、プロレタリア作家の文豪と称揚されたうさん臭さを言う人はいるが、僕は彼の『どん底』を、非共産化された時代になっても高く評価できる、無知蒙昧な貧民たちの内面のグダグダを活写した名作だと考えている。

一方魯迅文学は、劇薬ながらやはり短篇のもの足りなさ、またテーマや思想にさほど目新しいものはなく、大量のラブレターたる『両地書』（一九三三年）まで読んではみたが、僕には魯迅が大作家だとは思えない。

ただし、発見の喜びがあったのは、諷刺喜劇の伝統に乏しいアジアで、なんだ辛辣な黒い喜劇（ブラック・コメディ）がこんな名高い作家によって書かれていたんだ、と。お見それしました。

イギリスないしはヨーロッパの喜劇は、日本流のおかしくて、やがて哀しき〝人情喜劇〟とははっきり異なる。それは『すばらしい新世界』の節でも述べたように、おかしくて、やがて腹が立ってくる、ドライでブラックな諷刺喜劇。両者は根本的なところで異質である。重要なこと、深刻なことを、皮肉っぽく、冷笑的(シニカル)に語る。これが日本人にはわかりづらい。皮肉や冷笑は皮相で浅薄。まじめな主張は、笑いをまじえず真摯(しんし)な態度で語るを善しとする儒教道徳圏に生きている日本人やアジアの人々にとって、誠実と皮肉、まじめと諷刺の混在は、なかなか実感を込めて理解できない(27)。

だが、魯迅はヨーロッパの諷刺文学をみごとに換骨奪胎(かんこつだったい)している。「狂人日記」は、タイトルからしてわかるとおり、ゴーゴリの短篇小説「狂人日記」(一八三五年)を意識している。それは皮肉の利いた下級役人のダークな妄想話。また、魯迅が東京にいたころに耽読したのは『ツァラトゥストラかく語りき』(一八八三―九二年)だったという。覚醒しない大衆を罵倒し、超人思想を唱えるブラックなニーチェに魯迅は憧憬(どうけい)を抱いたようだ(28)。

どす黒いコメディは、人情喜劇とは違い、人をなごませたり、涙させたりしない。その代わりに、人々を痛烈に笑わせ、しだいに憤らせ、ついには悲劇以上に人間の愚かさについて深く考えさせる力を有する。阿Qたちの愚行を他人事と思って読みはじめ、馬鹿な奴らめと笑い、しかし読了すると〝お任せ民主主義〟の蔓延(まんえん)する二十一世紀の日本も、百年前の中国と変わらないじゃないかと、ムカムカしてくる。

我々は魯迅の描いた〝シーシュポスの岩運び〟のアレゴリーを、正座して、正人君子の話を聞くがごとく拝読するのではなく、もっとヨーロッパの乾いた諷刺文学のように、クスクスと苦笑しながら、ケタケタと哄笑(こうしょう)しながら読むべきなのかもしれない(29)。

12　城山三郎『落日燃ゆ』

人を評価するのは難しい。ましてそれが公人となれば。だから、読んで面白い公人の伝記は世にあまたあれど、それを正当に評価するのは、思いのほか厄介である。

城山三郎の大ベストセラー『落日燃ゆ』（一九七四年）は、終戦後の東京裁判でA級戦犯として有罪判決を受け、処刑された七人の中で唯一の文官、広田弘毅（こうき）の伝記小説である。広田は決して出世意欲旺盛ではない外交官だったが、巡り巡って総理大臣となり、日中戦争が始まり、そして戦後、結果責任を取らされた。東京裁判では一言も弁解せずに死んでいった。

一九七〇年代半ば、広田弘毅はすでに〝過去の人〟となっていたが、城山が取り上げたことにより、悲運の政治家として一躍脚光を浴びるようになった。そこで本節のお題は、実在の、それも公人のモデルがいる小説とは、また実際の人物と小説中の登場人物との異同やいかに、という問題になる。

『落日燃ゆ』の「はじめに」は、昭和二十三年十二月二十三日に絞首刑に処せられた広田弘毅の遺骨が他の六人——それは東条英機をはじめ、全員が陸軍の軍人だった者たち——の骨灰と一緒に密かに拾い集められ、七年後に厚生省がそれを遺族たちに引き渡そうとしたのを、広田の遺族だけは断った逸話から始まる。

広田は外相時代、「日本は英雄を要しない。われわれは、天皇の手足となってお手伝いすればよいのだ」[1]と部下に言っていたという。彼は背広のよく似合う男だった。片田舎の小学校長とでもいった朴訥(ぼくとつ)な風貌で、軍服もモーニングも大礼服もタキシードも似合わなかった。広田は同時代に生きた数千万の日本国民と同様、運命に巻き込まれまいとして不本意に巻き添えにされた平凡な背広の男、死後はせめて、と遺族は思ったのであろう、と。

すべからく小説の序は、その作品の〝基調〟を示すのが第一の役割である。

本篇。広田は一八七八（明治十一）年、九州の福岡に石屋の長男として生まれる。庶民の出である。名は丈太郎、後に好きな論語の一節「士は弘毅ならざるべからず」から改名する。広い度量と強い意志、ヘヘエ、孔子様の教えだ。彼は字がうまく、成績優秀、父親は周囲に説得されて息子を中学校に進ませた。

広田は勉強だけでなく、町の柔道場にも熱心に通った。もともとは自由民権運動のための政治結社だった玄洋社の経営する道場。彼が二十八歳で結婚する七歳年下の幼なじみ、月成静子も玄洋社の志士の娘。その玄洋社が極右思想団体の黒竜会(ブラック・ドラゴン)と縁続きだったことが、東京裁判の折、広田に不利にはたらくが、それはまだ先のことである。

中学四年の時に日清戦争勃発。一高から東大に進学、小村寿太郎の腹心といわれた外務省の山座円次郎[2]に「日本の外交の中心は、支那とロシヤだ」と教えられ、大学二年の夏休みに、日露戦争直前の満州へ現地事情を探る旅をする。

外交官試験、最初の受験は英語の点数不足で不合格だったが、二度目は首席で合格した。同期は吉田茂ら計十名。広田は北京在勤となり、「世界でいちばん美しいといわれる北京の秋空の下に立」ち、中国との善隣関係に思いを馳せる。ちなみに魯迅はそのころ、日本に留学し、東京で世界文学を読みあさっていた。

次はロンドンに足かけ五年。特命全権大使として大物の加藤高明[3]がいた。東京の本省に戻ると、「小村寿太郎[4]・加藤高明の時代が終ると、幣原喜重郎[5]・山座円次郎の時代が来る。さらにその次には、佐分利貞男・広田弘毅の時代が来るだろう」と噂された。佐分利は広田と東大で同期、外務省では一年先輩で、小村寿太郎の娘と結婚する。知的で貴族的、「万事、広田とは対照的」であったと、城山は記す。

元号が明治から大正に変わり一九一四（大正三）年、広田はふたたび北京勤務となる。「日本外交の中心といわれる中国、そこで敬愛する山座公使の片腕となって活躍する――外交官としては男冥利に尽きると思った。」時あたかも、辛亥革命（一九一一年）によって清朝が倒れ、袁世凱が大総統になり、孫文の国民党が第二革命を起こす。しかし、ほどなく袁世凱が国民党と手を切り、中国は前節で述べたように分裂状態となる。山座急死、死因は心臓麻痺とされたが、袁世凱による毒殺という噂も流れた、と。

第一次大戦（一九一四―一八年）に乗じて、日本が袁世凱に二十一カ条要求を突きつけたことも前述した。広田はこれを最後通牒という形で出すことに強硬に反対し、加藤外相を説得できないとなると、時の法相尾崎行雄[6]を訪ね、加藤説得を頼んだ逸話を城山は紹介している。「広田はこのとき、外交官も政治的な力や背景を持たねばならぬと、痛感した。」

広田の同期の吉田茂も、二十一カ条問題に反対した。二人は「語学好きのいわゆる能吏タイプでなく、どこか国士風なところが似通っているのか、ふしぎによく気が合」った。吉田は土佐の自由民権運動の志士の庶子（しょし）、横浜の貿易商の養子となり、内大臣牧野伸顕（のぶあき）[7]の娘と結婚する。彼は大の政治好き、「自ら計らわぬ」広田とは違っていた、と。

その吉田と、さらに広田とも合わなかったのが、十一期先輩の幣原喜重郎だった。努力家で几帳面、「すべて既成の秩序を尊重する典型的な外務官僚」で、英語は堪能、「国士風で、英語のあまりうまくない広田や吉田は、幣原の気に入るタイプではなかった」。彼は岩崎弥太郎の末娘と結婚し、三菱の閨閥（けいばつ）の一員となっていた。

そう、名高い外交官は、たいてい外務省の大物上司ないしは政治家、または財閥の娘を娶（めと）り、自らの後ろ楯としている。同郷の幼友だちと恋愛結婚した広田が浮いてみえる[8]。

第一次大戦が終結し、パリで講和会議が開かれる。「またとない国際外交の檜舞台」である。首席全権は西園寺公望（さいおんじきんもち）[9]、副全権が牧野伸顕。幣原に嫌われた吉田茂は、彼の頭越しに牧野に頼み、岳父の秘書官としてちゃっかり随員に割り込んだ話がおかしい。広田は出番なし。

パリでは、西園寺らは「発言も少なくて、「無言の仲間（サイレント・パートナー）」と呼ばれ」――現在の国際会議でもあまり変わっていない!?——、松岡洋右（まつおかようすけ）[10]を苛立（いらだ）たせた。松岡は生家が破産し、十三歳で渡米して九年間アメリカの片田舎で苦学した負けん気の強い男、当然のように幣原次官とも衝突した、と。長期間のパリ滞在中、すでに「英米本位の平和主義を排す」なる論文を書いていた近衛文麿（このえふみまろ）[11]が吉田茂と知り合い、近衛と松岡が共鳴し合った、とも。

この小説、序盤は広田弘毅の人物伝としてよりも、近代日本史の復習ができ、また外交官たちの人物往来を知る書物として楽しめる。寝っ転がって読んで、勉強になる本は貴重である。

一九一九（大正八）年、広田は数え四十二歳でワシントン勤務となる。まもなく四十八歳の幣原喜重郎が駐米大使として着任する。幣原は佐分利を露骨なほど重用し、同じ一等書記官の広田には目をかけず、しかしその後も優等生幣原は広田と「不即不離の立場」を保ったという記述も、苦笑いを誘う。

また、松岡洋右は「東大閥が主流を占める外務省に愛想をつかしてやめ、南満州鉄道に入っ」た。これも苦笑もの。閨閥や学閥、二十一世紀にも変わりませんなあ[12]。

いよいよ昭和となり、一九二七（昭和二）年、広田は幣原外相によってオランダ公使に任命される。形の上では栄転だが、行き先はヨーロッパの落日の小国オランダ、左遷に近かった。広田は一句詠んで、「風車、風の吹くまで昼寝かな」。飄々（ひょうひょう）としている。

社交は苦手な妻静子を日本に残し、五十歳でオランダに単身赴任した広田の朝は自己流の体操で始まる。子供たちから「パパの柔道踊り」といわれた代物だ。その間、故郷の母タケが転倒して肩の骨を折り、息子の帰国がかなわぬと知ると、一切の食事を断って、餓死同然で他界した。大した母親である。また、エリートコースを歩んでいると思われたライバルの佐分利貞男は箱根のホテルで謎の死を遂げる。さらに広田の帰国直前、高校（旧制）入試に失敗した次男忠雄が自殺。その翌日に補欠入学の通知が届いたとか。

あ〜あ、子供に自殺された親はきついよ。この作品、死の影があちこちに漂っている。

一九三〇（昭和五）年、広田は駐ソ大使となる。時は前年からの世界恐慌、そして翌年には満州事変が始まる不穏な時期である。広田はソ連利権を尊重する代わりに、厳正中立を守らせる交渉を重ねる。二年後、帰国した広田は心身をすり減らして痩せ細り、別人のように酒が強くなっていた、と。

広田は話し上手というより、相手の話をじっくり聞くタイプだった。「求められたときだけ、自分の意見を諄々（じゅんじゅん）と述べた。広田が自分から雄弁に話すときは、むしろ本音を吐いていなかった。」

ヘッヘッヘッ、我もかくあらんや!?

城山は記す。満州は日清・日露戦争に出兵して以来、一種の「聖地」と見られ、「生命線」と考えられていた。「十万の英霊、二十億の国帑（こくど）」が費やされた。日本国内は世界恐慌のあおりで不況のどん底、冷害に苦しむ東北の農村では、娘を売り、そして「事変で出征する兵士に、「死んで帰れ」と、肉親が声をかける。励ますのではない。戦死すれば、国から金が下りる」。親のために肉を食わせろとの「狂人日記」もかくや。

そんな中での松岡洋右の、かの有名な国際連盟総会における演説である。原稿なしで一時間二十分、流暢な英語で、「はじめて日本が声を上げて吼え立てた」。日本、国際連盟脱退。悲憤慷慨の色をかくさず大演説をぶった松岡の国内における人気は、にわかに高まった。

そのころ広田は、外務省退職を希望し、引き留められて「待命休職」扱いとなり、神奈川県の鵠沼に引きこもって、悠々閑居していた。

一九三二（昭和七）年五月十五日、犬養毅首相が海軍青年将校らに暗殺される。五・一五事件である。後任の首相は海軍の長老、斎藤実であった。外相の椅子に色気があったのは吉田茂と松岡洋右、だが呼び出されたのは広田だった。辞退するものの斎藤の要請は強く、「物来順応――重い役割に向って、広田は腰を上げた」。風車に風が吹いてきた。

陸相の荒木貞夫(13)はロシア通で鳴らし、初めて「皇軍」という呼び名を使うなど、皇道派の指導者として世間にもよく知られていた。一方の広田は無名、しかし鼻息荒い軍人の意見をひとつひとつ具体的な反論で潰していった。「広田には、永い「昼寝」の間に蓄えてきた見識と、客観的な観察がある。外交責任者としての役割に生き切ろうとの決意がある。」この小説、その時その時の人と人との関係性ややりとりが窺えて楽しい。

広田は平和外交、協和外交に徹し、「私の在任中に戦争は断じてないことを確信しているものである」と語って、地味な広田がと周囲を驚かせた。昭和十年、在華日本代表を、他国に先駆けて、公使から大使に昇格させた。広田が最も面目を施した時期は、おそらくこの外相期であろう。

だが、国内を見渡せば、「天皇の軍隊は統帥権独立の名の下に、いよいよ専横をきわめ」つつあった。広田外交を軟弱と非難する声もある。広田は遠い目つきで、「長州のつくった憲法が日本を滅ぼすことになる」と側近につぶやいた。明治憲法では、軍を指揮監督する権限は天皇にあり、政府は軍の行動に直接口を挟むことができない。広田は皇軍と真っ向から対決せず、地道な根回しで軍部に応じた。

一九三六（昭和十一）年二月二十六日未明、三十年ぶりの大雪の積もる中、国家改造を求める陸軍皇道派の青年将校たちが約千四百の将兵を率いて決起する。戒厳令が敷かれ、叛乱は四日ほどで鎮圧されたが、このクーデター未遂事件が各方面に及ぼした影響は大きかった。

そして、その二・二六事件の尻ぬぐいをさせられたのが、広田弘毅であった。内閣総辞職後の後継首班には近衛文麿の名が挙がった。これまで最後の切り札として温存されていた首相候補、天皇とただひとり足を組んで話せる名門貴族、長身美男で国民的人気もあり、加えて軍部の受けもよい近衛は、しかし健康上の理由をつけて辞退した。

困難な大役が広田に回ってくる。「内政で腕をふるった経験もない。自分は外交官として、一生を終るつもりでいる。それに、政治的なことは得意ではない」、正直な気持ちであろう。だが、二・二六事件の事後処理は軍人ではダメだ、「背広を着たやつ」がいいという近衛と吉田の説得に折れる。背広を着た、平凡な、庶民の出でいいから、覚悟のある男。

広田が宰相を引き受け、参内して天皇から組閣の大命を拝受する場面に重要なエピソードが挿入されている。歴代新首相に与えられる通常の注意に、天皇は「第四に、名門をくずすことのないように」と付け加えた。広田はふいに冷水を浴びせかけられた思いを抱く。庶民とはほど遠い存在である既存の「名門」と、軍部という新興特権階級のせめぎ合い、そこに城山もこの事件の遠因をみる。青年将校たちには「底辺の民草が忘れられているという怒り」がある、「彼等は、腐敗した政財界の打倒を叫び、国家改造を夢見ている」と。そうした中で、「広田ひとりが素裸になって立たされている感じであった」。

広田は相変わらずの陸軍からの横やりに悩まされながら、「自分は粛軍をやり、正邪のけじめをつける。この内閣はそれだけでいいんだ」との思いでそれを実行した。だが周知のように、陸軍内部では二・二六事件をきっかけに、皇道派とは別の派閥たる統制派が勢力を増していったのも事実である。

もうひとつ天皇をめぐって、文化勲章を制定する話が紹介されている。広田が家族との夕飯の席で息子から、軍人や役人だけでなく学者や芸術家にも勲章をあげたらいい、と言われて思いついた。広田から説明を受けた天皇は喜んで賛成し、「政治上のことでないから、自分の意見を述べてもよいだろう」と言い、桜は軍人がいろいろ使っているから、橘（たちばな）をあしらった勲章にしてはどうかと自分の考えを述べた、と。

大日本帝国はいったい誰が権力を握り、誰が指揮していたのか。いや、今日においても、そして国家だけでなくいかなる組織でも、およそ長たる者がひとりですべてを判断し決断することなどできるはずがない。長にはさまざまな人間たちが助言、また密かにさゝやきにやって来る。権力の周りには魑魅魍魎（ちみもうりょう）が跳梁跋扈（ちょうりょうばっこ）する。権力者が問われる大きな資質のひとつは、誰のどのような言に耳を傾けるかを判断できる能力である。これが難しい！

城山三郎は特攻隊の生き残りである。腐敗した軍隊内の不条理な人間関係を生涯忘れず、「組織の中の人間」を終生の文学テーマとして作品を書きつづけた。『落日燃ゆ』も、広田弘毅を中心に据えながら、さまざまなリーダーたちの組織内における交流と対立と苦悩を活写した群像劇として読める。そして昭和天皇もまた、複雑怪奇な組織の一構成員に過ぎなかった。

広田は大役を終え、鵠沼の別荘に戻る。風が止んだ。ところが次の軍人内閣が短命に終わり、ついに「現状打破を唱える国家革新思想の持主」近衛文麿公爵の登場となった。なんと広田がふたたび外相に指名される。元首相としては降格だが、近衛自身の切望と知って、「若くはなやかな「名門」宰相の盛り立て役」を引き受けた。物来順応。しかし、「この最後の入閣が、広田に死の罠を仕掛けること」になる。

一九三七（昭和十二）年七月七日、北京郊外の盧溝橋で夜間演習中の日本軍に中国軍が発砲したということから、日中両軍が衝突、紛争は一気に拡大して「日華事変」となった。近衛は中国側に侮られまいとして強気の姿勢を示す。「昼間のハムレット的宰相が、こうして夜には、凜然たる武断派的宰相の姿に変った」、それは「スタンド・プレイを好む名門中の名門の人の人柄にもよる」と城山は手厳しい。「近衛は自信に溢れた戦時宰相というより、側近や周囲の言葉に動かされる、迷い多い孤独な貴族であった。」

そしてあの南京での大虐殺。首都を放棄した蔣介石に対して「帝国政府は爾後国民政府を相手とせず」と声明を出した近衛公爵の陰で、広田が必死に事態を収拾しようと悪戦苦闘する姿を城山は綴る。しかし、公人として評価すれば、「野放しのあばれ馬」たる軍部の暴走を防げなかった広田は近衛と同様無力だったといわざるを得ない。連帯責任を問われても仕方ないであろう[14]。

わが国は以後、第二次大戦の終結まで、泥沼の日中戦争を経験し、そのきっかけを作った内閣の責任者のひとりとして、広田は東京裁判で厳しく断罪されることになる。

内閣の改造により広田は外相を辞任、この群像劇も背広の男は終戦まで脇役に退く。外相に松岡洋右が就任、「広田が無欲な「物来順応」なら、松岡は功名心に燃えていた」。最初の記者会見で「大東亜共栄圏の建設」を提唱、日独伊三国同盟を成立させる。

やがて真珠湾攻撃（一九四一年十二月八日）により日米開戦。連合艦隊司令長官山本五十六から広田に葉書が届き、「花ならば、いまが見ごろ」と。山本は広田と親しく、よく「陸軍に抵抗してくれた仲間」だった。葉書には「真珠湾（パール・ハーバー）までは何とかやるが、それ以後は知らない」、「武人として命令に従い、死を覚悟して出て行く」という気持ちが出ている。「だが、日本はどうなる。なぜ、その前に、海軍をあげて、戦争に反対してくれなかったのか。御前会議で、海軍がどうしてもだめだといい張れば、開戦は見送られたのではなかったのか。」

「国家意志決定のメカニズムの中に在った人々に対する不満が残った。」山本はご存じのように、敗色が濃くなった昭和十八年、南太平洋ブーゲンビル島上空で米軍戦闘機に撃墜される。ほぼ自殺に近い戦死であった。

敗戦の年の四月、吉田茂が終戦工作をしようとしたとして、憲兵隊に逮捕された。広田の妻静子は心配したが、広田は微笑し、「吉田はいいお免状をもらったんだよ」と語った。事実、首相や陸相と懇意だった吉田は牢屋では丁重に扱われ、そのお免状は終戦後に絶大な効果を発揮することになる。

僕は学生時代に初めて『落日燃ゆ』を読んだ時、広田弘毅、あるいは城山三郎の筆になる広田の人間性にひどく共感した。だが、後に再読した際には、広田だけでなく、彼の周りの人物たちもフェアに描かれていることに感心した。広田を一応の軸として、幣原喜重郎、吉田茂、近衛文麿など、近代日本が破局に至る時代の指導者たちの人間模様が面白く読める。さらに三度目は、沸々と憤りを覚えながら、ため息をつきながら読んだ。日本の軍部は一度コテンコテンにぶっ叩かれないとわからないほど腐敗堕落していた、と。

意志決定のプロセスが判然とせず、軍部――「ソラリスの海」や「マラバー洞窟」のようにコミュニケーションがとれない――が暴走した時、それを止めようとすればひょっとしたら止められたかもしれない立場にあった人間は、被害者か加害者か[15]。それは古(いにしえ)の大日本帝国だけの話ではなく、今日の永田町だけでもない、現代の多くの組織においてもまある問いである。前節でも述べたように、お上(かみ)に「ノー」と言うべき時にそれを口にすべきか否か。沈黙したまま組織が坂を転げ落ちた時、体を張って反対しなかった人間に連帯責任はありやなしや[16]。

ただ一点、戦前と異なるところは、我々が強力な武器を持っていないことであろう。原爆でもピストルでも、余分なものを手にすると、人間はついついそれを使いたくなる。とにもかくにも戦後七十年以上、曲がりなりにも平和を保てたのは、近代日本の負の歴史を反面教師とし、極力武器を持たず、戦争に巻き込まれないようにしたからである。歴史を学ぶとは、そこから人間の愚行を知ることだと僕は考えている。ゆめゆめ人間を信じてはいけない。

さて、それにしても、なぜ日米開戦を食い止められなかったのか。ささやかな昭和史の勉強で僕がいちばん説得されたその理由は、『落日燃ゆ』にある一節をふたたび引用すれば、「十万の英霊、二十億の国帑」である。満州事変以降、多くの犠牲者を出し、大金を注ぎ込み、後に引けなくなった。進むも地獄、退くも地獄、ならばと最後はやけくその出たとこ勝負でアメリカにまで戦争を仕掛けて、予想どおり水漬く屍、草生す屍となった。[17] その意味では、日本にとっての第二次世界大戦は、真珠湾を攻撃する前から、満州に侵攻した時点から始まっていた。いや、明治維新以来のアジアへの進出と、日清戦争・日露戦争にたまたま勝っちゃったことが大きかったというべきか。[18]

何事も、引き際は難しいですな。

で、『落日燃ゆ』に戻って、お話は終戦後である。かつての指導者たちに戦犯容疑で逮捕指令が出る。自害する者も多い中で、東条英機はピストル自殺を試みて失敗し、生きて東京裁判の被告となる。また、天皇にまで戦犯指名がおよぶかどうか、誰にも見当がつかなかった。

そうした中でひとり水を得た魚のようだったのが、「憲兵隊に拘留という「お免状」をもらって」武断派のイメージを払拭した吉田茂だった。「吉田はマッカーサーに会うとき、戦争中も保管しておいた最高級の葉巻をくわえて出かけ、マッカーサーを煙に巻いた。」彼は外交官時代に軟弱外交と攻撃した幣原喜重郎を担ぎ出し、「根っからの幣原の後継者、親米英の平和外交の使徒という印象」を作った。「二人はコンビを組んで、軍部の倒れたあとの時代の主役となった。「幣原は七十四歳、手がふるえるほど老け込んでいたが、首相になるとすっかり元気になった。」

対照的に広田は巣鴨拘置所の獄につながれる。広田に煮え湯を飲ませた軍人たちと呉越同舟である。予審では玄洋社のことをうるさく聞かれる。また、検事側には、「統帥権独立の名の下に、軍部が独走し、政治や外交がそれに引きずられて行くという構造」がわからない。「彼等の国では、いつも政治が優先し、軍は文官によって指揮統御されているからである。」

極東国際軍事裁判（東京裁判）が始まる。広田がそこでほとんど沈黙に徹したことは広く知られている。しゃべれば自己弁護が入る。他の誰かの非をあげることになり、検察側もそれを待ち受けている。誰かが責任を取らなければならない。近衛は服毒自殺している。「どうも自分は大物と思わなくちゃならないらしい」、「かんじんの連中は、みんな自殺したりしてしまったからね。無責任だよ、みんな」と、面会にきた家族に広田は苦笑してつぶやいた。それから他人事でも話すように、「この裁判で文官のだれかが殺されねばならぬとしたら、ぼくがその役をになわねばなるまいね」と言い足したという。

被告たちに心外だったのは「共同謀議（コンスピラシイ）」の罪であった。被告人たちが一致協力し謀議（ぼうぎ）して侵略戦争の準備を始めたというのだ。けれども、戦前二十年間に十七内閣が交代し、大臣も目まぐるしく変わった。ナチス・ドイツを裁いたニュルンベルク裁判の論理を日本にも適用することには土台無理があった。

娑婆（しゃば）では公職追放の嵐が吹きまくり、食糧危機が深刻で、政府は東京裁判にほとんど目を向けなかった。幣原は新憲法の草案作りに乗り気で、「軍備の放棄も明文化」されることになった。そして、政権はついに政治好きだった吉田に回ってくる。「同期の広田におくれをとること十年。はじめて自ら計らわなかったところへ、ころがりこんできた椅子である」と明るく記す城山の筆は、「死に至る政治裁判」の記述と緩急をつけるためであり、同時にわが世の春を迎えて調子に乗る吉田茂への皮肉もこめる。

鵠沼の広田の留守宅では、静子が家族と夕飯を終え楽しく語らったその夜、自害する。貧しい玄洋社幹部の娘は、夫より先に殉死した。すごい家族である。母親タケは絶食して命を断ち、次男も自殺、妻は「夫の生への未練を少しでも軽くしておくため」に旅立っていった。広田が裁判で「自ら計らわぬ」態度を貫き、自己弁護を拒み、沈黙を守った心境も、むべなるかなである。

城山は東京、横浜をはじめ各地で裁かれ処刑されていくB級・C級戦犯の話をチラリチラリと挿入している。戦地や収容所における捕虜虐待などの罪に問われた将兵。被告の数はおよそ五千七百人、死刑に処せられた者は千人弱といわれる[19]。

城山三郎の初期の作品に『大義の末』（一九五九年）がある。城山の分身、戦争末期に予科練に志願して生き残った主人公および彼の周囲の人間たちの戦後を描く。忠君愛国を信じ、ないしは信じ込まされ、しかし大人たちの欺瞞（ぎまん）を目の当たりにすることになる皇国少年たちへの鎮魂歌である。作家には「これを書かずば、自分の人生を先に進められない」という、読者に向かって書くのではない、何よりもまず自らの体内の毒を浄化するためにものする作品がしばしばある。『大義の末』は城山文学の憤りの原点、そしてその目線はとても低い。

『落日燃ゆ』では当初、少年時代の自分を駆り立てた指導者が何を考えていたのかを書こうとした。「それで戦争指導者としてだれを選ぶかということで、軍人はこりごりでしたから、A級戦犯でたった一人の文官である広田弘毅を戦争を命令した人とし、命令された自分と並べて書こうと思って調べだした」と城山はいう。だが「調べ始めたら、広田は「戦争を命令した人」ではなく、「戦争を防ごうとした人」だとわかって、城山は広田だけに焦点を当てて書きたいと思うようになった」[20]。A級戦犯を裁く東京裁判の章に、B級・C級戦犯が「旧日本軍占領地の各地でも、競い合うように処刑」されていった話を短く潜ませた城山の気持ちが察せられる。

東京裁判結審。判決の日の朝、広田と三男正雄の語り合う会話が絶品である。息子が父に死刑になった時の心得を述べ、父親が心配無用と笑顔で答える[21]。そして、判決は絞首刑。東京裁判は多くの書物が論じているとおり、官軍による粗雑な政治裁判、ないしは政治ショーであることは否めない[22]。

小説の終幕は、吉田茂が国会を解散、総選挙は新憲法公布下の最初の総選挙である。「「日本を滅ぼした長州の憲法」の終焉を告げる総選挙でもあった」と。城山は統帥権の独立とその悪用について小説中で何度か記し、それを近代日本が自滅に至った大きな原因のひとつとみなしている。

最後に、人物伝について。ひとりの人物を取り上げて「歴史」を語れるか。それは無理な注文であろう。ある時代を動かす要素としては、政界や軍部や世論、さらに経済界の動きも大きいはずだ。『落日燃ゆ』は経済小説のパイオニアといわれる城山三郎にしては、不思議なほど政治家や軍人の背後にあった財界の動きが描かれていない。

また、他の人物、例えば吉田茂や幣原喜重郎などの伝記であれば、地味な広田は脇役のそのまた脇役に退けられるであろう。

となれば、この作品の魅力はやはり「組織の中の人間」という城山終生の主題、とくに組織がおかしな方向に暴走しはじめた時[23]に、それを押しとどめなければならない立場にある人間はいかなる行動をとるべきかという葛藤にあるといえよう。

そう、僕が好きな人間は、人の話をよく聞き、出世欲薄く、しかし内心には自らに対する向上心と社会改革への意欲を燃やし、俺が俺がという我（が）の強さはなく、常に出しゃばらずに淡々と自分に与えられた仕事をこなす実務派で、同僚同士の足の引っ張り合いの仲裁も黙々とやる、人を立て、周囲にさりげなく気を使うから、もちろん人望もある。そういう人が僕は好きで――自分はそうはなれないけれど――しかしだいたい僕が尊敬する人間は、組織の長になるとボコボコにされる。すなわちはったりをかませない、アホな連中に一喝できない、大馬鹿者たちを恐れさせることができない、ガンを飛ばす猛者と対峙して仁王立ちできない、世に〝困ったさん〟は尽きず、そうした有象無象を押さえるのが長たる者の重要な仕事のひとつなんだけど、それをやるには毒がなさすぎる。とどのつまりはババを引いて逃げ遅れ、責任を取らされる。

広田もそんなタイプの人物だったのだろう。そして憲法が変わり、統帥権云々がなくなっても、日本の組織内の人間模様は、フウ～ッ、一向に変わりませんな。

この小説、実際の広田とはここが違う、あそこも違うとあれこれ論（あげつら）われたが、仮名手本忠臣蔵の赤穂浪士や司馬遼太郎が躍動させた坂本龍馬やシェイクスピアの歴史劇に登場する王様たちに比べれば、ずっとずっと実像に近いはず。

よく読めば、城山は抑えた筆でできるだけ各人物をフェアに叙述しているが、でも広田がこれだけ共感できる人物に仕上がっては……それにちょっと売れすぎちゃったかな。そりゃ、いろいろ言われても仕方のないところであろう。

13　つかこうへい『熱海殺人事件』

英文学の碩学にして〝焼け跡民主主義〟の旗手のひとりでもあった中野好夫が、終戦直後に「なぜ日本に諷刺文学が出ないのか」と訴えた随筆がある。曰く、「敗戦日本の新しい文学は、正しい諷刺文学を最も要望するものと信ずる。日本の立上りは、まず自己の偽らない姿に対する仮借ない嘲笑からはじめられなければならない。傷口をやわらかい心でいたわることではない。残忍なようだが、傷口をもう一度タワシで擦る苛烈極まる自虐精神、一度一切の既成価値を嘲けり去る諷刺文学をもってはじまるべきではなかろうか」。今の日本は諷刺の好材料に事欠かない。「お腹の皮をつり上げてでも射ったのでなければ、到底ああは見事に道化役者になりきることはできなかろうと思える元首相、陸軍大将の自殺未遂」――むろん東条英機の自殺失敗をこき下ろしている――と支配者を哄笑するだけでなく、「国が生きるか死ぬかという最中に、すでに心構えは出来ている、今はただ大号令を待つのみと叫びながら、そのまま完全にエンコしてしまった大国民の話。戦闘帽がそのまま名前だけ替えれば、今は平和帽というのだそうだ」と、一般庶民にも手厳しい(1)。

敗戦で打ちひしがれている国民を慰めるのではない、毒舌で鳴らした論客が諷刺文学に事寄せて、もっと自虐的になれ、自分たちを徹底的に諷刺し、自らを嘲笑する強靭な精神を持たないと、新しい社会なんて訪れないよと、激烈に叱咤（しった）している文章である。

だが、近代日本が自爆した後、自身に対する猛省を突きつける諷刺文学の傑作がわが国に出現することはついぞなかった。イギリスの『すばらしい新世界』や『インドへの道』、また魯迅の「狂人日記」や「阿Q正伝」、いやエーコやレムやブレヒトにも当たり前のようにあった、時代と社会、そして自らを一歩離れたところから痛烈に笑い、グロテスクに揶揄（やゆ）するスタンスが、日本文学には乏しい。

と、そんな中で、あるじゃないか、僕が大学生のころに意味もわからず爆笑していた演劇が――つかこうへいの『熱海殺人事件』（一九七三年初演）が中野好夫の希求した諷刺文学に近い作品かもしれない。

国鉄（現JR）新宿駅の東口からすぐのところにある紀伊國屋ホールで一九七〇年代後半に見た『熱海殺人事件』は、たしかチャイコフスキーの「白鳥の湖」がけたたましく鳴り響いて始まったと記憶している。昭和のテレビ番組によくあった刑事もの、そのデカ部屋といった気分。「くわえ煙草伝兵衛」こと警視庁捜査一課の木村伝兵衛部長刑事が電話をしている。だが、その内容は……「ハナたらして、股開いて、口あけさせといて、一体何だと思ってるんだ。[2]」殺人現場の遺体写真に文句をつけているらしい。修正しろ、「できなきゃ、ファッションモデル使って、スタジオでも借りて撮り直しゃいいだろう!!」はて？

そこへ富山から転任してきた熱血刑事の熊田留吉が入ってくる。富山県警きってのきれ者で、新聞にも「期待される刑事像」として紹介されたとか。でも、伝兵衛は熊田より事件のことで頭がいっぱいのようだ。死亡推定時刻が午後の四時半なんて中途半端だ、日の入りまでの一時間をどうつじつま合わせるんだ、無神経すぎる。来年で六十歳、停年を迎える私に、静岡県警も変な事件を押しつけてくれたものだ、と。

開幕早々から、ひとつひとつのセリフに場内は大笑いしている。笑いのめされているという感じだ。しかし、何がどうおかしいのか。テレビの熱血刑事もののパロディなのだろうが。

次に伝兵衛は第一発見者の消防団員にケチをつける。地元の消防団じゃあ、格好がつかない。なんとかならないのか、「例えば昔、放火魔だった消防士とか」。名前も山田太郎、平凡すぎる。[3]

熊田の方は優等生である。「容疑者、大山金太郎を取り調べる前に、発見者への必要以上の考察は無謀だと思われます。」まず発見者を疑え、だが消防士山田太郎には、「行きずりの山口アイ子を殺す動機がありません」。正論というかふつうの考え方である。けれども伝兵衛は、「今時、人ひとり殺すのに、まともな動機なんざいると思っとるのかね」と。あゝ、支離滅裂。婦人警官のハナ子まで、「松林の沈黙。浜辺の午後、むき出しの女、前かがみに歩くうつろな男、タタきゃ適当にゲロ吐いてくれるだろう」と。完全にドラマの見過ぎだ。

大山金太郎が登場する。紀伊國屋ホールでは、サングラスをかけて客席に座っていた加藤健一[4]が、スポットライトを浴び、マイク片手に「マイウェイ」を歌いながら颯爽(さっそう)と舞台に上がっていった。

これって、芸能ショー!?　しかし彼がステージに上がってサングラスを取ると、そこにいたのは丸メガネのチンケな田舎者！　ヘヘエ、いい落差を作ってくれる。観客爆笑。そして歌い終わった容疑者は、案外ことば少な。

むしろ伝兵衛が、昔は熱海も海がきれいだった、「日に五、六匹はこんなに大きなマグロを釣ってたもんですよ。あたしも負けじとアジなんか、手づかみでつかまえていましたよ」。嘘つけ、でも目に浮かびそうな美しいいい嘘だ。また、所持品に水着がなかった。大山は「彼女が泳げないものですから」。伝兵衛はこれが気に入らない。決まらないなあ。そもそも「熱海なんて温泉場は、かたぎの人が涼みに行く所じゃない。中小企業の社長が、バーのホステスつれて一泊旅行する所だ」。

男は「……僕じゃない」と犯行を否認する。と、伝兵衛は、「真に迫るものがありますね。実にいい。「僕じゃない」その一呼吸置いたところが、また実にリアルだ」。セリフの内容より言い方に感激する。この作品、大山金太郎が犯人かどうか、終幕までずっとわからないままである。渋谷のジァン・ジァンでは中村伸郎が『授業』をヒットさせていた時代、新宿のつか芝居もナンセンス劇、不条理演劇の風!?

大山は「海を見たいと言ったんです」。すると熊田は「フン、職工ふぜいが、シナつくるんじゃねえよ」と返し、「山口アイ子は製紙工場の女工ですよ。女工ふぜいに勝手に海見られたひにゃあ、あたしら立つ瀬がありませんよ」と畳みかける。「職工ふぜい」、「女工ふぜい」、優等生が差別語を使いはじめる。ちょっと乗ってきた。

男もつられて、「アイ子は／海を見たいと言ったのさ／涙こらえて言ったのさ／肩をふるわせ泣いたのさ／ひとりで見るのが恐いから／一緒に見ようって泣いたのさ」。伝兵衛は「なけなしの韻を踏んで」いる「この内なる叫び」に心を揺さぶられる。熊田君、貧しい者は海を見てはいけないのかね、「その優越感こそ、資本主義社会の根づよい悪癖なんだ」。音楽をかけ、山口アイ子がどんな風に声をふるわせて「海を見よう」と言ったか話せ、と。「雑誌のグラビアどおりがおしゃれだと、塗りたくりゃそれが化粧だとしか思っていない山だしの娘が、どんな顔をして、「海が見たい」って泣いたんだ。」

紀伊國屋ホールに『熱海殺人事件』を一緒に見に行った女友だちは終演後、「面白かったわ。でも、この芝居って何なの⁉」と。「いや、僕もよくわからないんだ」、「なんだ、狩野君もわかってないんだ」――それでカチンと来て、喧嘩になったのを覚えている。あゝ、青春。あれから四十年余り、山だしの彼女は今、僕の同居人になっている。

大山は隣村の出身だったアイ子を誘った。伝兵衛は「こぎれいな原宿のスナック」にだろ。「いえ、喫茶店なんです」、「あら？」「てめえ、警察をなめんじゃねえ。偽証罪で、三十年ばかり水増しして、くらいこもうってのか」。警官たちは嘘か本当かは問題にしていない。でも、大山は「僕も彼女もお酒飲めないんです」と。「君ねえ、国家権力ってのはものすごいんですよ。喫茶店の十や二十は一晩でスナックに変えるくらいの特技はもちあわせていてね。」喫茶店の名前は？　新宿のアングラ――僕らが見た時はマイアミだったかな――初めて行った店。熊田は容疑者の「計画性の無さ」をなじる。

伝兵衛は「どうして、新聞に現場写真ひとつのせるのに気がひける、あんなブス殺したんだよ」、男は「僕にはよくつくしてくれる娘だったんです」、「いくら警察だからってアイちゃんをブスだという権利はないんだ」。だが熊田は、「俺は、一市民の正統な美的水準をもって、この写真の女性をば、ブスだと断言したの」。大山が反論して、「ひどすぎるよ、アイちゃんだって町歩いててショーウインドウの前なんか来るとうつむくくらいの礼儀は知ってたんだ」。伝兵衛は、だけど女を殺すことはないだろ、「殺すなら整形手術でもさせといて殺してくれりゃあよかったんだよ。民主主義はおまえにその誠意を求めたかったんだよ」。

ブスを殺しても恥ずかしくないのか、たとえ殺すにしても美人でないと新聞の扱いが違うよ——痛烈な諷刺文学ではないか。つかが大ブレイクした一九七〇年代も、そして今日の日本はなおさら、俗悪な差別語を排除しようと躍起になっているが、しかしそんなことば狩りだけではたして人間の本音、本性に対峙できるものであろうか。ブスを連呼するつか芝居は、「自主規制」を善しとする、すぐに「臭いものに蓋」をしようとする日本社会にあって、なんとも解放感にあふれていた。

熊田が追及する。トルコ(5)に通える給料もらってない工員が手頃なブスを海に誘って欲求を満たそうとした、ところがブスにここぞとばかり結婚を迫られて首を絞めた、そうだろう？「違う、僕じゃない、絶対に僕じゃないんだ。」新宿のどこで待ち合わせたんだ、「山手線ホームの外回りの一番渋谷よりの売店の前です」、「ハチ公前も候補に上がったんだろう」、「ええ、そこも考えましたが」、「この百姓」。警官たちは大山の平凡なお答えに我慢がならない。

さらに首を絞めたのは腰ひもだとか、「傍(そば)にあったもんですから」。時代錯誤だ、せめて心中でもしてくれりゃあ、「並みの人間だったら、腰ひもなんかじゃ、まず照れ臭くって人なんか殺せやしないよ」。「仕方なかったんです」、「聞き飽きてるよ、そんな泣き言は」。テンションの高い権力者たちに対して、貧しきプロレタリアートの容疑者は落ち着いている。僕は投げやりではない、誠意を持って話している、「すいません。お力になれなくて」。

おまえのセリフまわしには「内的な重さ、屈辱の生活史からの裏打ちが欠けている」、このままでは「いいか新聞なんか、「痴情の果てに工員、女工を殺す」隅っこで三行どまりだよ」。借りてきた猫みたいにオドオドするな、「さっきから俺たちの方が、台詞多いだろう」。なるほどこれは、犯罪の真相を究明しようとする物語ではない、国家権力が容疑者に迫って、凡たる事件をドラマティックに仕立て直そうとしている話である。

と、この奇想天外な芝居、劇場で笑いの渦に巻き込まれていると何が何だかわからないのだが、あらためて戯曲を読んでみると、戦後の時代と社会、そして日本人のマンタリテを悪意をもって嘲笑しているのが実感される。

職工ふぜい、女工ふぜい。地方の中卒者が「金の卵」ともてはやされ、集団就職で東京へ大阪へと向かったのは、戦後の焼け跡時代から高度経済成長へと移行した時期である。日本の高校進学率が五十%を超えたのは一九五四年、それから二十年間で一気に九十%を突破した。世論調査で、自分の属する階層が「中流」と答える国民が九十%を超えるのは一九八〇年。ここに「一億総中流」といわれ、世界でも希有な「中流指向社会」が現出する。(6)

その貧困の撲滅と教育による階級上昇が急ピッチで進められた時代に、つかはあえて貧しき者、弱き者に罵声を浴びせた。また、一九六〇年代は高度経済成長期であると同時に、政治の季節、全共闘の時代、「学生と労働者の団結」が叫ばれ、しかし一九七〇年の安保闘争では十年前とは異なり、両者の連帯は幻想に終わった。既存の権威を片っ端からぶっ壊そうとした全共闘運動——演劇界では第3章の『授業』を取り上げた節で述べたように、一九六〇年代後半、その政治運動に「新劇」を敵対視するアングラ演劇が共鳴していく。

　反体制的で、重たくて、難解で、ドロドロとした、観客に主体的参加を求め、ミーハーを拒絶し、そして政治的挫折を噛みしめる物語を好んだ小劇場演劇（アングラ）を、しかしつかは早くも一九七〇年代にパロディ化し戯画化して、ふだん芝居なんか見ない若者たちまで劇場に呼び寄せた。なにせ国家権力と労働者階級が一緒になって小市民（プチブル）の喜ぶドラマティックな悪のヒーローをでっち上げようとするナンセンスなブラック・コメディ。つか芝居は演劇を超えて、七〇年代の一大若者カルチャーとなったが、同時に新劇、アングラを問わず当時の演劇人たちを怒らせて、すこぶる評判が悪かった。むべなるかなである。

　つかこうへいは、敗戦の三年後、一九四八年に九州の福岡県に生まれた。一浪して慶応義塾大学文学部に入学、学内の劇団に参加、また別役実の『象』や『マッチ売りの少女』を読んで感銘を受けた。雀荘やスナックに入り浸って無頼を気どり、大学四年のころには卒業の意思をなくしている。自作の戯曲『戦争で死ねなかったお父さんのために』を「早稲田小劇場」の主宰者、鈴木忠志[7]のところに持ち込み、それが雑誌『新劇』（一九七二年四月号）に掲載される。同じころ、早稲田大学の無数にある学生劇団のひとつ「暫（しばらく）」にデカい面して乗り込み、すぐにリーダー格となり、そこで平田満、三浦洋一、井上加奈子ら、後の「劇団つかこうへい事務所」（一九七四―八二年）の役者として長く付き合うことになる学生たちと出会う。そして、『熱海殺人事件』を文学座アトリエで初演したのが弱冠二十五歳、翌一九七四年に岸田國士戯曲賞を受賞する。八〇年代はじめまで続く「つかこうへいの時代」の幕開きである。(8)

この早熟な劇作家にして演出家、まぎれもない〝劇場型人間〟である。受けたくて仕方がない、人を面白がらせようとする。いつも自分を演じている。よくいえばサービス精神旺盛。「漫画みたいなヤツで、そのまま芝居に出てくるようなヤツ」（鈴木忠志）(9)。また、〝口先人間〟でベラベラしゃべるから、自分でも何が本音かわからなくなっている。彼の言うことは、ことばどおりには受け取れない。上昇志向は人一倍強い。権力には反発するが、自らも権力志向は十二分にもっている。正義漢でもある。偽善を嫌う。偽悪家。自分では「どうせ俺なんか……」と卑下しながら、他人から馬鹿にされたくない気持ちは過剰なほど強い。平凡を嫌悪し、つまらない人間を唾棄（だき）する。弱い者が弱い者面することに我慢がならない。人の上に立ちたがる。常に人の輪の真ん中にいないと気がすまない。己を大きく見せようとする。だが、実は小心で、孤立を恐れている。人から誉められたい。他人のことはクソミソに批判するが、自分がちょっとでも批判されるとブチ切れる。

面倒臭い、付き合いづらい人間である。傲岸不遜（ごうがんふそん）、傍若無人。僕のように、広田弘毅に心からの同情を覚える〝調整型〟の人間からすると、いちばん一緒に仕事をしたくないタイプである。同じ職場にこんな奴がいたら、迷惑千万、ふざけんじゃねえ。ところが、およそ有能な芸術家には――

研究者にも——よくいる輩（やから）だから、世の中は厄介である。

トーマス・マンが「芸術家は真の市民たり得るか」を彼の終生の文学テーマとした気持ちが痛感される。

こういう連中は、つまり対等な人間関係が築けないのである。人を上か下かで見る。上の人間には案外取り入る、へつらう。だが、相手が自分より下だと思うと、すぐに見下す。「たぶん立場が同等の連中と能書きをたれ合うのは、最も性が合わなかったのだと思う。無条件でリーダーとして認めてくれ、そうした振る舞いが許される場所に居ることを何より好んだ」、しかし「他人を無条件で惹（ひ）き込み、自分の世界に巻き込んでいく力こそが、つかこうへいの最も優れた才能である」（長谷川康夫）[10]。つかはことばの魔術師であり、教祖的な演出家であった。

ふたたび鈴木忠志の評——つかには杉村春子は使えない、「杉村春子が（つかが）どの程度の演劇的な知識、教養があるんだろうってことは見るからね」[11]。自分より格上の俳優と対等の信頼関係を構築しながら舞台を創作することは、つかにはできない。彼は子飼いの役者としか芝居を作れなかった。

つかを考える際に、もうひとつ大きな要素は、在日という彼の出自である。日本の戦後社会をアウトサイダーの冷めた目で諷刺した。また、弱き者たちに容赦なく罵声を浴びせられたのは、自身も差別される側の人間だという立ち位置を確保できたからだ。彼が韓国籍だと聞くと、腑（ふ）に落ちる点が多々出てくるのである。もっとも腑に落ちすぎると、それはそれでマイナスである。在日だから諷刺喜劇を書けたわけではない、日本人にだってつかタイプの人間は、僕の周りだけでもいくらだっている。けれども、やはり彼の心の奥底に在日だからという意識・無意識は深く刻まれていたはずである。

つかは自分が在日だと、鈴木忠志ら演劇界の先輩たちには早くから語っていたし、劇団員も知っていたが、一般に公表されたのは一九八〇年代になってからである。[12] あの口先人間は、韓国籍をひとつのカードとして温存し、タイミングを計りながら利用していた節がある。在日だとマニフェストし、映画『蒲田行進曲』（一九八二年）[13]が大ヒットし、そして『娘に語る祖国』（光文社、一九九〇年）を書くに至って、つかは実は心優しいマイノリティなのだと受け取られ、彼本来の悪意のこもったブラック・コメディの書き手とは認識されなくなっていった。

だが、それはまだ先のこと。お話は『熱海殺人事件』である。大山は伝兵衛と熊田に説得され、音楽をかけてもらい、ハナ子を相手に熱海の一場を再現しようとする。珍しく長ゼリフもしゃべる。しかし、その劇中劇もすぐに伝兵衛からストップをかけられる。大山に「すわろうか」と言われて、ハナ子がスンナリ座ってしまった、その神経が信じられない、と。調書読んだのか、害者はミニスカートはいていたんだぞ、間がもたないから男は座ろうかと言ったんだ、なのになぜドスッと座れちゃうんだ。段取りで座るんじゃねえよ……ヘッヘッヘッ、稽古場の演出家と俳優たちの日常的なやりとりをそのまま芝居にしている。

大山が「アイちゃん」と迫り、婦人警官は「いやよ、あたしいやよ、お嫁にいけなくなっちゃう」。また伝兵衛のダメ出しが入る。「ばか、どうもだめなんだよな」、意気込み過ぎちゃいけない、

「あっ、カニだ」ぐらいにはずせよ、「カケヒキってのがまるでないじゃないか」。この木村伝兵衛のもの言い、つかが一時期通いつめた早稲小の稽古場の鈴木忠志にそっくりだというから、笑えるではないか。

劇中劇再開。熊田が盛り上げようとして、「熱い砂、松林のざわめき。青い海、透けるような空、……今朝ママンが死んだ。太陽がまぶしい!!」、大山は「かあちゃん」。ストップ！「どこがママンなんだ、かあちゃんじゃないの、日本の風土に巣立つはずがない」、「熱海がアルジェの夏に匹敵するかね」。

おっと、カミュのご登場か。六〇年代の青年たちの必読書『異邦人』、なぜ殺人を犯したのか自分でもわからない主人公ムルソーは、その動機をアルジェリアの貧者の富たる太陽のせいにした。われらが熱海は、そんな太陽輝くアルジェに対抗できるか⁉　つかは木村、熊田、ハナ子、大山、さらに山田太郎と、人名はしごく月並みにして、世間一般誰にでも当てはまる物語をめざし、しかし地名には平凡なようでいて微妙な雰囲気を醸す「熱海」を使用したことが、ここで生きてくるわけだ。(14)

劇中劇が続く。「なんかさあ、死にたいよ」、「どうして?」、「もう、いやんなった」、「死のうか」、「別にいいよ」、「あ、ヨットだ」。よくなってきた。でも何か足りない。熊田は、「すこし、ハナちゃんがきれいごとで片づけよう」としている、「もうちょっと、ハナちゃんだらしなくなってごらん」。偶然に背中のファスナーが半分下りていたとか……

二十代前半の若者が作った台本である。時に楽屋落ちの感がないでもない。戯曲を読んだだけで十分笑えるのだが、その奥に深いものがどこまであるか。

大山はハナ子に抱きつくが、彼女に蹴飛ばされる。熊田が、「熱海は貫一がお宮蹴っとばして、男の純情貫いた由緒正しい所なんだぞ。力ずくでもさあ、何かあるだろう。どうして、そう軟弱なんだよ」と。弱者のままでいいのか、りっぱな殺人犯に成長しなくちゃ、ってか。

手が腿に触れたとたんに、ある遠い記憶が呼び戻されるってのはどうだ、「親父が出かせぎに行った留守に、おふくろが男を連れ込むのを目撃した、幼い日の暗い記憶のたぐい」はないのか？でも大山はあっさりと「別に、そんなことはありませんでしたから」。伝兵衛は激怒し、「ここまで煮つめてて、あったとか、なかったとか、そんなささいな問題じゃないだろう」。事実やらはささいなことらしい。

婦人警官が逃げる、大山が追う、ブラウスが破れる。演歌調のミュージックがかかる。男が腰ひもで女の首を絞めようとするが、ステップを踏み違えて転ぶ。「このバカ、集中力がたりないんだよ」。犯罪者として役不足だ、おまえの容疑は晴れた、シロだ、帰れ。「帰れたって、このまま健全に職場復帰できると思ってるんですか。送別会開いて、せん別までくれた同僚に会わせる顔がありませんよ。」

大山が熊田に灰皿を投げる。「あ、てめえこそ、器物破損じゃねえか」、「警察権力がいかに、健全な市民を堕落させているか、声を大にして僕は世間に糾弾するぞ」、「ギャラとれるタマか。油にまみれて働け。死ぬまで下積みやれ」。ヘヘエ、政治の季節のなつかしきことば遣いだ。まじめに反体制運動をやり、誠実に挫折した全共闘世代の連中をタワシで擦って嘲っている。国家権力を愚弄し、しかし返す刀でへたり込む労働者階級(プロレタリアート)も嘲笑する。そこには弱き者たちにすぐに同情し、美化しようとする日本人のウェットな精神風土への挑戦的態度も窺(うかが)える。

「かんじんな時に力出せないやつなんて、本物じゃないよ」、「初日うけたからって、次の日もまたうけるだろうと思ってやりすぎちゃって、ダメになるってことがよくあるんだ。経験にすがっちゃいかんよ。真ッ白な気持ちでとり組めばいいじゃないか」。そう、つかの芝居は最初から完成された脚本(ホン)があるわけではない。〝口立て〟といって、つかが稽古場で役者たちの稽古を見ながら口頭でセリフを渡し、上演台本を作っていく。「台詞をいったん、役者の肉体を通した「音」として確認しながら、戯曲を立ち上げていく」（長谷川康夫[15]）。そして、初日が開いてからも、前日に受けなかったところは、翌日セリフを変える。

ブレヒトによる『ガリレイの生涯』の改変どころではない。毎日セリフが変更になり、劇場入りした役者たちは極度に緊張し、日々の舞台のテンションが保たれる。これがつか芝居の真骨頂である[16]。

大山のリクエストで照明を変え、ＢＧＭも演歌からフォークソングにして、劇中劇を再開する。「送ろうか」、「いいわよ、めんどうでしょ」、「……何がめんどうなんね、アイちゃん、なんがめんどうなんね、たかが通りまでばい、たかがバスが来るまでばい」。大山がここから故郷の九州弁でしゃべりだす。「喰うしか能がなかちゅうて追い出した親父の横っ面、札たばでひっぱたいちゃりたいと思うためにだけ、金の欲しかとですたい」。おゝ、彼のセリフに〝内的な重さ、屈辱の生活史〟がにじみ出てきた。だけど「アイちゃんといれば、そぎゃん見栄はらんでもよかような気のしたとです」。

戯曲のト書きには、大山は絶叫しながら伝兵衛にすがろうとするが、部長刑事はごみをはらうように大山を平手打ちする、ハナ子はけだるそうに髪をかきあげ、一仕事終えた後の一服を楽しもうとする、とある。

だが、紀伊國屋ホールの舞台では、戯曲では舌足らずだった、大山がアイ子を殺した動機が切々と語られ、最後に伝兵衛が菊の花束で彼を叩く、名高きクライマックス・シーンとなる（と、そうだったように記憶している[17]）。

このナンセンス劇、共感できる登場人物はひとりもいない。ブレヒト流にいえば、「異化」されている。誰もが毒を吐き、問題行動を繰り返す。敗戦から一念発起して経済大国への道をひた走った戦後日本、やがて人々は平凡でも安定した生活を求めるようになり、国家が唱える「期待される人間像[18]」を規範として生きようとする。しかし、一歩距離を置いて冷めた目でみれば、面子やら体面やら体裁やらをやたら気にするプチブルだらけの管理社会。ブス、田舎者、職工……封印された差別意識も、どっこい、相変わらずしっかりと心にへばりついている。なっ、世の中、きれいごとばかりじゃねえだろう。

喧嘩腰の笑いである。お上品で偽善的なニッポン社会に唾を吐く。つかこうへい事務所の役者たちは本音をさらす演技が求められた。つかの子飼いの俳優たちがうまいとは思わない。だが、演技力ではなく、テンションの高い本音の激白、それが観客たちに受けた。口汚くて、偽悪的で、デフォルメされていて、逆説的（パラドクシカル）で、時に観客の神経を逆なでする毒々しいセリフの数々、しかしそれらは自分たちの生きている現実を角度を変えて痛烈に描いているだけ。リアリズムではない、けれども実にリアルな演劇。つかは別役実の芝居をいかに越えるかという志からスタートした。ベクトルの矢印は不条理演劇と同じ方向性を示している。すなわち、馬鹿馬鹿（アブサード）しくて、しかし現実的（リアル）。

　ハナ子が大山に手錠をかける。伝兵衛が新聞記者たちを前にした時の心がけを男に語る。裁判では、一呼吸おいてから「海がみたい」と軽くブチカマしてやれ。「これだけシラジラしい台詞、おく面もなくやれる力が今のおまえに、必要なんだよ。」それから、十三階段でつまずかないように、この運動靴を持っていけ。ヘッヘッヘッ、毎度気にしてるのは格好ばかり。

　容疑者を世間に顔向けできる殺人犯に成長させた伝兵衛は、ひとり警視総監に電話をしている。と思ったら、でたらめな番号に回して誰ともわからぬ相手に、長々としゃべっているだけ。「熱海殺人事件はそのギマン性を切実な小市民的性格を逆手にとり熾烈（しれつ）に告発しているのであります」、「警視総監殿、日本は今大きく病んでおります」、「この悲劇の如何ともしがたい健康すぎる生き延びよう」、「姑息な市民の生き延びよう」……

　もっとも、紀伊國屋ホールでは、伝兵衛が熊田にタバコの火をつけさせ、「うん、いい火加減だ！」、幕。

　つかこうへいは鈴木忠志や別役実らのアングラ演劇に触発されて芝居を作りはじめ、しかし新劇を否定したアングラ演劇をさらに背後から痛撃して、一九七〇年代演劇の旗手となった。僕のように七〇年代に青春時代を送った者にとって、つかは頭で理解する前に、まず同じ空気感を共有できる同時代人だった。彼はほとんどただひとりで前世代の演劇をひっくり返し、そして八〇年代以降の若者演劇への道を切り開いた。世に「つか以前」、「つか以後」と言われるゆえんである。[19]

　つかの芝居は、前述したように、日本の戦後社会と日本人の心性(マンタリテ)を問うた。だが、そうした真摯なテーマを胸に抱きながら、その表現形式としてはグロテスクで辛辣な黒い喜劇(ブラック・コメディ)を選んだ。つかの演劇の欠点をいえば、面白すぎる。タメがない、笑わせつづけようとする。そのエンタメ路線は紀伊國屋ホールで大ブレイクし、健康すぎる無垢な若者たちを相手にして、さらに加速度がついてしまった。深刻な意味のあることをこき下ろすナンセンス劇が、しだいに最初から意味のないナンセンス芝居へと堕していった。[20]

　しかし、それはつかだけでなく、観客の問題も絡んでくる。つかの猛毒を読み取る伝統が日本には乏しい。菅孝行曰く、「受け止めるべき観客の自己批評力の不在」。[21]そう、何度か言及したヨーロッパ流のブラック・コメディの、「おかしくて、やがて腹がたってくる、自分たちの時代に、社会に、そして何より自分たちの心根に」という受け止め方、見終わった時には笑った後の爽快さはなく、ズシリと重たいものが胸のうちにわだかまる、そんな〝自分を笑われる作品〟の鑑賞の仕方を知らない。中野好夫の言う、自己の真の姿を仮借なく嘲笑される諷刺文学、そのどす黒い笑いに自己欺瞞(ぎまん)を脱する快感を味わえる精神構造がない。

　魯迅が言文一致体で問うたアンチ正人君子・民衆自立の思想は、真に理解されたか。城山三郎が抑制の利いた筆で綴った広田弘毅を美化して悲劇の宰相に祭り上げたのは、作家ではなく読者の方ではなかったか。そして、つかもまた邪気のない観客たちにからめ取られてしまったのかもしれない。

さても、近代は、さらに現代は――大衆の時代である。

第5章 個人

14　アントン・チェーホフ『かもめ』

喜劇とは何ぞや？――これが論じてみると、存外難しい。ただ笑いをとれば喜劇、というのはもちろん単純すぎる。

落語の名人、八代目林家正蔵が晩年に飄々と語っている、「（少年のころ寄席で）おもしろいなと喜んできいた人は、自分が商売人（落語家）になったら残らずいけないほうの人でしたね。で、あんまりうけないで、すうっとおりたりなにかしてた人の中にすばらしいのがいたんですね。芸ってやっかいなものですね[1]」。

つかの芝居は面白すぎるのが欠点だと前節で述べた。そりゃ、二十代前半の若書きの芝居を古典芸能の師匠の芸と同列に比較するのは酷であろう。だが、つかの台本は『熱海殺人事件』ひとつ取ってみても、次々と加筆して話が膨れ上がり、しかし内容自体は深まることがなかった。むしろ当初の日本社会に対する激烈な異議申し立てが勢いを失い、ただの毒舌芝居として安心して笑えるスタンダード作品となっていった。

また、タメのない、速射砲のような、ずっとフォルテの笑い。なるほどつかの演劇から牙を抜くと、若手芸人たちが賑わしくはしゃぎまわる今日日（きょうび）のテレビの〝お笑い〟番組と変わらない。刺激が強くて退屈せず、何も考えずに暇を潰せる〝受身の娯楽〟がてんこ盛りのバラエティ。

フウ〜ッ、ゆりかごから墓場までエンタメまみれの二十一世紀日本！

そこでチェーホフの〝静劇〟を俎上（そじょう）に載せたくなった。喜劇と銘打ちながら、ほとんど笑えない劇。暗くて、無聊（ぶりょう）で、刺激がなく、古臭〜い芝居。劇場へ行けば、チェーホフ劇の観客の高齢化は一目瞭然である。かくいう僕もチェーホフが面白いと思えるようになったのは、三十代も半ばになってからだ。ところが、一度わかってくると、これが実に味わい深いからお立ち合い。ヘヘエ、喜劇って厄介なものなのだ。

で、本章の論題は「個人」とした。近代を彷徨（ほうこう）する人々を見つめているうちに、個々人の内心を取り上げた作品を吟味したくなったからである。まずはチェーホフ的人間観察から、演目は彼の四大戯曲のひとつ『かもめ』（一八九五年執筆）を選んだ。

四幕戯曲の第一幕。舞台はソーリン家の領地内の庭園、奥には湖がある。日が沈んで暗くなった時刻だ。これから野外劇を上演する、その仮設舞台の準備が進んでいる[2]。

黒服の娘マーシャと、彼女を想（おも）う教員のメドヴェージェンコが登場する。マーシャは「わが人生の喪服なの」、私は不幸せな女よ、と。メドヴェージェンコも、給料の安さを愚痴る。前振りは、意気の上がらないアンニュイな会話。今宵はトレープレフ君が書き下ろした脚本にニーナ嬢が出演する芝居をやる。メドヴェージェンコは、「ふたりは恋仲なんだから、今日はふたりの魂が融合する、と。でも、「僕とあなたの魂には、共通の接点がない」と片思いを嘆く。

トレープレフが伯父のソーリンと現れ、自らの芝居を語る。湖と地平線を借景に使う野外劇、幕開きは月の出をめがけてやる。ソーリンの妹にしてトレープレフの母親、アルカージナは有名な女優である。今日は機嫌が悪いという。息子が自分でなくニーナを起用するのが癪なんだ。「あの人は生きたい、恋がしたい、派手な着物が着たい」、なのに二十五歳の息子がいては、「とたんに四十三になっちまう」。僕の新形式の演劇も気に入らない。彼女は年下の小説家トリゴーリンと付き合っている。頭のいい、さばさばした人気作家だが、「トルストイやゾラが出たあと、トリゴーリンを読む気にゃどうもね」と、自分ものの書きをめざすトレープレフは皮肉をまじえる。どうやら母と息子の間にも、いろいろありそうだ。

ニーナが飛び込んでくる。裕福な地主の娘は、女優にでもなりはしまいかと心配している親の目を盗んでやって来た。でも、「あたしは、ここの湖に惹きつけられるの、かもめみたいにね」と。トレープレフと二人になる。男が女にキスすると、ニーナは「これ、なんの木?」、「にれの木」、男が「僕は君が好きだ」と言うと、ニーナが「シーッ」。仮設舞台を作っていた下男の足音がする。

ニーナはトリゴーリンの前で芝居をするのが怖いと言う。「恥ずかしいの。……有名な作家ですもの」。対して「あなたの戯曲、なんだか演りにくいわ。生きた人間がいないんだもの」、動きが少なくて、読むだけ、「戯曲というものは、やっぱり恋愛がなくちゃいけないと、あたしは思うわ……」。

そう、開幕早々にメドヴェージェンコが「ふたりは恋仲」と言うから、ついついそう思い込んでしまうのだが、この二人きりの小さな場面にじっと目を凝らし、耳を澄ませば、トレープレフはニーナにぞっこん、けれどもニーナの方はただ舞台に立ちたいだけで、彼の台本も演じにくいと口にしている。[3]

入れ替わりに、ソーリン家の支配人シャムラーエフの妻ポリーナと五十五歳の医師ドールンが入ってきて、顔見世をする。こういうストーリーのゆるい芝居は、あらすじよりまず登場人物をつかむ方が、作品の世界に入り込める。チェーホフは二人ずつの短いシーンを連ねて、さりげなく人物たちの人となりと各々の人間関係を見せていく。

そしてアルカージナを先頭に賑わしい面々が入ってきて、野外劇が始まる。それがなんとまあ、二十万年後の地球を描いた象徴劇。劇場なし、書割り(かきわり)もなし、湖を背景に湖上の影を夢想させ、全身白衣のニーナが長ゼリフをしゃべる。若者らしい、思い入れ先行の実験劇だ。

こうした下手くそな劇中劇をどう演じるかは、俳優の腕の見せどころである。達者な役者が下手な演技をするのと、下手な役者が実力どおり下手くそに演じるのは、全然違う。いかにもシロウト臭いニーナの演技を、クスクス笑いながら、でも「この若い女優、なかなかいいじゃないか」と、劇場の観客が魅せられる演技をするのが、真の演技力である。

ニーナの白衣――白は十九世紀末の象徴派が大好きだった色だそうで、[4]どうやらこの肩に力の入りすぎた前衛劇、イプセンやメーテルリンクの象徴劇を下手くそに真似た芝居のようなのだが。当然、商業演劇のスター女優アルカージナは、端(はな)から気に入らず、「なんだかデカダンじみてるね」

などと茶々を入れ、たまりかねたトレープレフが大声で「幕をおろせ！」と。あ〜あ。母親に認めてもらいたい青年と、息子、それから若い女優のたまごに大人げない対抗心を燃やす四十三歳の母親の確執。

さらに、三文芝居に付き合わされた観客たちのバラバラの反応（リアクション）も見ものだ。ニーナを緊張させていた中年作家トリゴーリンも、彼女を注視していたよう。後で、芝居はさっぱりわからなかったが、「あなたの演技は、じつに真剣でしたね」なんてお世辞も言っている。甥っ子のトレープレフをかわいがるソーリンは妹アルカージナを、「若い者の自尊心は、大事にしてやらなけりゃ」とたしなめる。まじめに芝居を見ていたのは、田舎医者のドールンである。トレープレフの前衛劇をきちんと評価して誉め、失意の劇作家を感激させる。だが、「作品には明瞭な、ある決った思想がなければならんということだ。なんのために書くのか、それをちゃんと知っていなければならん」と。これ、実は若い時から家族を養うためにユーモア小説を書きなぐったチェーホフが、後年になって周囲から批判された問題、そしてそれが『かもめ』の大きなライトモチーフになっている。

また、白い衣裳のニーナと対照的な黒衣のマーシャは、カッとなって退場したトレープレフを心配して探しに行く。もっとも、トレープレフは彼女を嫌っている。第一幕のラストは、マーシャがドールンの胸に頭を押しあて、[5]小声で、「わたし、トレープレフを愛しています」。ドールンは「どこもかしこも恋ばかしだ。……おお、まどわしの湖よ」と。

『かもめ』は恋だらけ、ただしすべてが一方通行の片思い。誰の心と心も結びついていない。これがチェーホフ劇定番の人間模様である。

第二幕は、薄闇の前幕から打って変わって、太陽の照る昼間、クロケット球戯のコートが舞台である。野外劇の騒動から何日かたっているようだ。湖面に太陽が反射して輝いている。

アルカージナが黒服の陰気なマーシャに、あなたの倍近くの年なのに、私の方が若く見えるわ、私は十五歳の小娘の役だって演じられるのよと、陽気に話している。なにげない雑談――チェーホフの芝居は、ほとんどよもやま話の連続――だが、ほどなくニーナの若さに対する嫉妬心が、常に自分が真ん中にいなくては気のすまない中年女優にそう語らせているのがわかる。さらにトリゴーリンを奪われはしないかという不安も……

マーシャはトレープレフを本気で愛している。ニーナがつまらないと肩をすくめる彼の戯曲も、「あの人が自分で何か朗読なさると、眼が燃えるようにきらきらして、顔が蒼ざめてくるんですわ。憂いをふくんだ、きれいな声で、身のこなしは詩人そっくり」と。だが、おかしいのは、車椅子に座っていたソーリンのいびきが聞こえてくること。誰かが熱すると、横にいる人間は冷めていたり、気もそぞろだったり、寝てしまったり。人の思いはめったに伝わらない、いつも一方通行で空回りばかりと宣（のたま）うチェーホフ的な情景である。

ソーリンの愚痴話。二十八年間も役人をやったが、「まだ生活をしたことがない、何一つ味わったことがない」。女房をもらえず、文士にもなれず。ドールンから、六十歳にもなって自分の人生を悔やむなんてみっともないと諭（さと）される。それなりの成功を収めたはずの地主様も、己の人生に満足していない、見果てぬ夢を追っている。

また、ポリーナは夫のシャムラーエフにうんざりし、ドールンと長年密かな関係にあったらしい。彼女がドールンに、私を連れて行ってちょうだい、「おたがいもう若くはないわ。せめて一生のおしまいだけでも、かくれたり、嘘をついたりせずにいたい……」と言い寄る小さなやりとり――チェーホフ劇は、すべて小さな会話ばかりだが――がある。むろん、インテリの医者からは「僕は五十五ですよ、今さら生活を変えようたってもう遅い」と、軽くいなされる。二人がこうした会話を交わすのは初めてではなさそうだが、さて我々は一読ないしは一度舞台を見ただけで、この男女関係に気づけるかどうか。[6]

チェーホフの喜劇には、突出した主人公はいない。代わりに各人物たちの愚痴話やら恋話（コイバナ）やらの向こうに、それぞれの心の嵐もしくは滑稽なドタバタの真情が窺（うかが）える。

田舎の生活に退屈したアルカージナが急に町へ出かけると言って、シャムラーエフと口論になる。これも毎度の騒ぎのよう。彼女は、こんな生活はもう嫌、モスクワへ帰る、と。

ニーナにとっては、アルカージナとトリゴーリンはあこがれの存在である。なのに有名な女優がつまらないことで泣くのが不思議。また、「名高い小説家で、世間の人気者で、わいわい新聞に書き立てられたり、写真が売りだされたり、外国で翻訳まで出ている人が、一日じゅう釣りばかりして、ダボハゼが二匹釣れたってにこにこしてるなんて、これも変てこだわ」と。僕が『かもめ』でいちばん好きな一節である。作家はいつも眉間（みけん）にしわを寄せて、深刻な顔をして、人生の苦悩について思索していると思っている。だけど、トリゴーリンはゆるゆると釣りなんかしている、どうして⁉

そこに猟銃を持ったトレープレフが、かもめの死骸を手にやって来る。撃ち殺したかもめをニーナの足元に置き、野外劇の失敗以来、彼女が自分に冷たくなったとなじる。かもめ——空を自由に飛ぶ真白き鳥、清純さと恋と、さらには詩の象徴ってところか。[7] それを撃ち落としてしまった。また、「まるで目がさめてみると、この湖がいきなり干あがっていたか、地面へ吸いこまれてしまっていたみたいだ」とも。かもめと湖、チェーホフはこの二つを観客にチラリチラリと見せながら、かなわぬ恋と芸術の裏側についてつぶやく。

おっ、向こうからトリゴーリンが入ってきた。トレープレフは、「そうら、ほんものの天才がやって来た。歩きっぷりまでハムレットだ、やっぱり本を持ってね。……（嘲弄口調で）「言葉、ことば、ことば」か」と捨てゼリフを吐いて、退場していく。

ニーナはトリゴーリンに、「有名って、どんな気がするものかしら？」と素朴な質問をする。だが作家は、「どうって？　まあ別になんともないでしょうね。そんなこと、ついぞ考えたこともありませんよ」と。あなたは名声だの幸福だの明るい面白い生活だのと言うが、私はいつも書かなければいけないという強迫観念に駆られている。絶えずネタを探している。「ほらあすこに、グランド・ピアノみたいな恰好の雲が見える。すると、こいつは一つ小説のどこかで使ってやらなくちゃ、と考える。[8]」遊んでいる時も、常に新しい題材が頭から離れない。そして、やっと出来上がった作品も、読者には、うまい、よく書けていると言われるが、でもツルゲーネフにはかなわないよ、なんて。

さらに、「わたしは祖国を、民衆を愛する。わたしは、もし自分が作家であるならば、民衆や、その苦悩や、その将来について語り、科学や、人間の権利や、その他いろんなことについても語る義務がある、と感じるわけです」。ヘッヘッヘッ、十九世紀のロシアの作家だ。後進国ロシアでは、作家たる者、貧困と無知にあえぐ膨大な数の人民（ナロード）を救済する使命を担っている、ってか。だがトリゴーリンは、自分にできるのは、せいぜい自然描写くらいなもの、自分は「骨の髄までニセ物だ」と嘆く。けれども、トリゴーリンを羨望（せんぼう）するニーナは、「もしわたしが、あなたみたいな作家だったら、自分の全生命を民衆に捧げてしまうわ」と。夢見る乙女には有名作家の苦しみはわからない。

そこにはすでに名声を得ている流行作家と、なんとか世に出たい初心（うぶ）な娘とのギャップがある。チェーホフは若いころから人気を博したユーモア作家だった。しかし、自分がトルストイやツルゲーネフのようなロシアの苦悩を体現する大作家ではないことは自覚していた。この場面のトリゴーリンの長い作家論には、チェーホフ自身の心情の照り返しがある。

トリゴーリンはかもめの遺骸を見つけて、おっ、新しい題材が見つかったと、メモを取る。[9]「鷗（かもめ）のように湖が好きで、鷗のように幸福で自由だ。ところが、ふとやって来た男が、その娘を見て、退屈まぎれに、娘を破滅させてしまう――ほら、この鷗のようにね。」ニーナは押し黙ってしまう。[10]

第三幕。ソーリン家の食堂、前幕から一週間後の昼間である。旅の支度がされている。この幕もスタートはマーシャだ。食事をとるトリゴーリンと話す。トレープレフが自殺を図ったらしい。マーシャはトレープレフを忘れるために、メドヴェージェンコと結婚すると言って、酒をグイとあおる。あれま、昼間から。トリゴーリンは、あいつ、ピストル自殺をやりかけたと思うと、今度は私に決闘を申し込んだり。何考えてんだか。

ニーナが入ってきて、モスクワに帰るトリゴーリンに、小さなロケットをプレゼントする。ロケットにはなにやら本のタイトルとページ数、行数が書いてある。はて？

アルカージナとソーリンが話す。トレープレフの自殺未遂の原因は、嫉妬心だけじゃないだろう、自尊心の問題もある。少し金をやって、外国へでも気晴らしに行かせてはどうか。しかしアルカージナは、「お金がありません」。この女、自分の衣裳には大枚はたいても、息子や兄のソーリンにやる金、さらに召使たちへのチップさえケチる。人気女優、内実はしみったれなのが見てとれる。

おっと、ソーリンがめまいを起こして倒れ、奥から頭に包帯をしたトレープレフが駆けてくる。かすり傷ですんだとはいえ自殺を試みた後、おそらくはなんとなく気まずかったであろう息子とその母親は、ここで思いがけず二人だけで語り合うことになる。トレープレフは包帯を取り換えてくれと言って母親に甘え、しかし話題がトリゴーリンから芸術論に移るころには、二人とも溜まっていた感情を吐き出して大喧嘩になる。「デカダン……！」、「さっさと古巣の劇場(こや)へ行って、気の抜けたやくざ芝居にでも出るがいいや！」、「けちんぼ！」、「宿なし！」。静劇には珍しいフォルテの一場。

トレープレフが泣きだす。「僕は何もかも、すっかり失(な)くしてしまった。あの人は僕を愛していない、僕はもう書く気がしない」。わが子の本音を聞いて、アルカージナは機嫌を直す。私がトリゴーリンを連れてモスクワに帰れば、彼をニーナから遠ざけられ、ニーナも息子とよりを戻すだろう。しめしめ、一石二鳥だ。

そこにトリゴーリンが登場する。ロケットに指示があった本を見つけてページをめくると、その行には「もしいつか、わたしの命がお入り用になったら、いらして、お取りになってね」。ガ〜ン！有名作家はニーナの奥ゆかしい愛の告白にやられてしまう。[11]

そんなトリゴーリンにアルカージナは呆れるやら、やっかむやら。「たかが田舎娘の愛がね？」けれども、「若々しい、うっとりさせる、詩的な愛……そんな愛を、僕はまだ味わったことがない……その愛が、ついにやってきて、手招きしているんだ」とうなされたように語る愛人を、アルカージナは「ほんとにわたし、そんなに老けて、みっともなくなってしまったの？」と、芝居がかったセリフと演技で言いくるめる。

大女優にかかっては、人生経験豊かなはずの中年男もイチコロ。「おれには自分の意志というものがない……さ、つかまえて、どこへなり連れて行ってくれ」。アルカージナはけろりとして、「これで、わたしのものだ」と独り言つ。

旅立ちの準備ができた。一同退場。と、トリゴーリンがひとりステッキを忘れたと言って戻ってくると、ニーナがいる。「トリゴーリンさん、わたしきっぱり決心しました……一切をすてて、新しい生活を始めます……モスクワへ発ちます。あちらでお目にかかりましょう。」おいおい、無垢な娘は怖いねえ。二人は長いキスをして、幕が下りる。

ヘヘエ、『かもめ』には五プード（約八十kg）の恋があるとは、よく引用されるチェーホフ自身のことばである。[12]しかも、すべて片思い。トレープレフはニーナを愛しているが、ニーナはトリゴーリンの名声にあこがれる、トリゴーリンはこの後ニーナと一時同棲するが、やがてアルカージナと元のさやに。アルカージナを崇拝しているのは、ソーリン家の領地を管理している芝居好きなシャムラーエフ、彼は妻ポリーナとは冷めた関係みたいで、そのポリーナは医師ドールンと深い仲にあるらしい。シャムラーエフとドールン、どちらの娘か微妙なのがマーシャ、彼女はトレープレフを熱愛するが、つれなくされ、教員のメドヴェージェンコと結婚する。だが四幕では……

これがもしハリウッド映画なら、ラストでもつれた糸がパアッと解けて、五プードの重量感あふれるハッピーエンディングになるのだろうが、チェーホフ劇はさにあらず。最後まで交流不全（ディスコミュニケーション）。人の心は通じない、人生は空回りの連続だよ、現実ってそんなもんだろ、と。

・

チェーホフは冷めている。医者だ。即物的に人間を見る。食うために短篇小説を書き散らし、でも自分が民衆を救う手立ては医療しかないと考えていた。いみじくも「医学が正妻、文学は情婦」と宣った。(13)トルストイを尊敬し、彼と親しく付き合っていたが、彼の文学のような、ロシアの人民を先導する、かの国の将来に灯（あか）りをともす理想や使命感を自分が持っていないことは熟知していた。彼は患者を診察するように、目の前の人間を、そしてありのままの人生を観察し、一さじのユーモアをまぶして綴るしかなかった。

ヴィリジル・タナズの書いた魅力的な伝記『チェーホフ』(14)は、チェーホフが農奴の孫だという話から筆を起こしている。どん底の階級から這（は）い上がった。トルストイをはじめとする十九世紀ロシアの文豪たちの多くとは異なり、貴族や地主などの家柄とはほど遠かった。正業は医学。チェーホフはロシアの田舎の悲惨さを目の当たりにしながら、診療代を取らずに、貧民たちをずいぶんと治療した。

けれども聖人君子にあらず。ほとんど病気といえるくらいの女好き、相手はシロウトでもクロウトでも。チェーホフ、カフカ、カミュに共通するのは、結核持ちなのに女たらし、四十代で若死にしたことか。タナズ曰く、「チェーホフにとって肉体関係とは粘膜と分泌と化学反応に関わる医学的な問題であった。売春宿にも出入りし病院で働くチェーホフが女たちに魅了される場所は、劇場だけだった[15]」。現実主義者チェーホフ、ロマンティシズムとは無縁。彼は女性も人生もロシアの行く末も、クールな目で凝視していた。

スタニスラフスキーとは最初は波長が合わなかったらしい。両者がモスクワ芸術座の金看板を背負い、人間心理を表現するための「スタニスラフスキー・システム[16]」なる俳優訓練法が編み出されるまでにはちょいと時間がかかった。いや、モスクワ芸術座自体が当時はまだ帝室劇団に対抗すべくスタニスラフスキーが私財を投じ、ネミローヴィチ・ダンチェンコらと共に創設した新劇団。そのベンチャー劇団が一八九八年の『かもめ』の上演成功で一気に名をあげ、その歴史的公演を記念して、かもめを同座のシンボル・マークとしたのは、世に知られた話である。

だが、そうした成功物語にも当然裏はあるわけで、チェーホフは本音ではトリゴーリンを演じたスタニスラフスキーの役柄の解釈が気に入っていなかったらしい。「チェーホフはスタニスラフスキーのことを演出家として凡庸で、役者としても大根だと思った」（ヴィリジル・タナズ[17]）。そして、決してうまくいっているとはいえなかった二つの偉大なる個性が決裂しなかったのは、モスクワ芸術座の客席からの万雷の拍手がためだったという。面白いではないか、ほとんど何も起こらない、ある意味退屈な〝静劇〟、その地味で渋くてしみったれた実験劇、ベンチャー芝居を最初に評価したのが批評家ではなく、一般の観客だったというのは。[18]

第四幕。第三幕から二年が経過した嵐の夜。ソーリン家の客間は、今はトレープレフの仕事部屋になっている。一幕で野外劇が演じられた仮設舞台がむき出しのまま骸骨のように立って、旗が風でバタバタと音をたてているという。赤ん坊が心配だから家へ帰ろうと言うメドヴェージェンコに、マーシャが「あんたも、退屈な人になったものね」とうんざりした顔をする。トレープレフへの思いを振り切るために好きでもない男と結婚し、子供もできたが、どうやらあまり幸福ではなさそうである。

二年の間に作家となったトレープレフが入ってくる。相変わらずマーシャのことは無視する。ポリーナがたまらず、「うちのマーシャに、もう少し優しくしてやってくださいね」と頼む。女は優しい目で見てくれるだけでいいんですよ、と。トレープレフは黙って退場する。ほどなく奥の部屋から、彼の弾くワルツの音が聞こえてくる。四幕も寂しい場になりそうだ。

ソーリンが登場する。車椅子に乗った老人はドールンに、自分の人生は失敗だったと、以前と変わらず愚痴る。トレープレフがふたたび入ってきて、老人たちと話す。話題はニーナのことに――彼女は家出してトリゴーリンと一緒になり、子供を産み、だがその子に死なれた。トリゴーリンはニーナに飽きて、アルカージナの元へ戻る。ニーナは女優にはなったが、演技はひどいものだとか。トレープレフに届いた彼女からの手紙は病的に神経が張りつめた文章で、「かもめ」とサインがしてあった。ニーナは今、この近くまで帰ってきていて、町の宿屋に泊まっているとも。

　二年間の劇的な出来事は、すべて幕間に埋め込んだ。ギリシャ悲劇にも似て、舞台ではそれが報告されるだけである。

　雰囲気がちょっと深刻になったところで、アルカージナらの一行が賑わしく登場する。ソーリンがそろそろ危ないというので、モスクワから呼び寄せられたのだ。トリゴーリンもいる。トレープレフは母を取られ、ニーナを奪われ、そのニーナを捨てた、さらに同じ作家同士の競争心もあろうこの男とどう接するか？　一瞬の緊張。が、トレープレフの方からトリゴーリンに握手を求める。トリゴーリンはトレープレフに、ペテルブルクでもモスクワでも君はすごい人気だとお愛想を言って、トレープレフの新作の載った雑誌を渡す。だが、自分の小説は読んでいるくせに、トレープレフのページはまったく開いた形跡がない。

　トレープレフは別室へ逃げ、アルカージナらは退屈しのぎにロトーを始める。ゲームをしながらの雑談に、トリゴーリンがトレープレフの小説を「未だに、ほんとの調子が出ないんですな。何かこう変てこで、あいまいで、時によるとウワ言みたいなところさえある。人物がさっぱり生きてない」と。新聞でもひどく叩かれているらしい。まだあの野外劇と同じ象徴主義にこだわっているようだ。しかし、ドールンはトレープレフの肩をもって、彼には何かがある、「イメージでもって思索する」。もっとも、「あの人には、はっきりきまった問題がない。印象を生みはするが、それ以上に出ない」と。行間にチェーホフの芸術観がにじむ。

　シャムラーエフがかもめの剝製を持って出てくる。トレープレフが撃ち落とした鳥をトリゴーリンが剝製にしてくれと頼んだんだとか。しかし、売れっ子作家はそれを覚えていない。あゝ、残酷！　中年男は二幕の幕切れで、かもめの死骸を見て、小説の題材に使えると、メモを取った。ニーナはそのメモのとおり、男に退屈まぎれに破滅させられてしまう。一方、男はかもめを保存しようと剝製にさせたのさえ記憶にない。

まどわしの湖とその上を自由に飛ぶかもめ――それはこの芝居では、失われたものの象徴である。そして、ひとつひとつのやりとり、人物たちの一挙手一投足、さらに役者の語る「言葉、ことば、ことば」のどこにも無駄がない。すべてに意味がある。その密度の濃さ！

同じ噺（はなし）をしても、真打前の若手と林家正蔵の落語では、明らかに異なる。同様に、チェーホフ劇を演じる役者には芸と呼べるレベルの演技力が必要とされる。そう、けれんみのあるシェイクスピア劇はまだ、俳優が多少下手でもなんとかごまかせる部分があるのだが、チェーホフ劇はさにあらず。チェーホフ曰く、軽喜劇（ヴォードヴィル）だ。軽く、軽く、ただの恋愛劇だ。けれども、セリフの裏側に張りめぐらされた意味、人物たちの本音の心情、その長い陰影、いわゆる「サブテキスト」をいかに表現するか。そこから「スタニスラフスキー・システム」が、そして近代劇が誕生した。

ゲームをやっていた面々が夜食をとりに食堂へ移る。舞台にはトレープレフひとり、長い独白を始める。俺は新形式を唱えてきたが、問題は形式じゃない、「形式なんか念頭におかずに人間が書く、それなんだ。魂のなかから自由に流れ出すからこそ書く」。おっ、開眼か？

と、そこにニーナが飛び込んでくる。いよいよクライマックス・シーンである。外は嵐。ここは暖かいわね。「主よ、ねがわくは、すべての寄辺（よるべ）なき漂泊（さすらい）びとを助けたまえ」、ツルゲーネフの一節だ。私、もう二年も泣かなかった。でも、あの私たちの劇場を見に行って、泣いてしまった。あなたは作家になった。私は――女優。「お互いに、渦巻（うずまき）のなかへ巻きこまれてしまったのね。」これから地方へ巡業の旅に出るの。「わたしは――かもめ。……いいえ、そうじゃない。私は――女優。」ひどい演技をやっているなと自分でも感じている。一冬の地方回りの契約。だけど、わかったの、「わたしたちの仕事で大事なものは、名声とか栄光とか、わたしが空想していたものではなくって、じつは忍耐力だということが」。

ニーナは、彼女の夢を嘲笑してばかりいた、彼女を捨てたトリゴーリンがこの家に来ていることに気づく。でも恨んでない、「わたし、あの人が好き。前よりももっと愛しているくらい」。それは人気作家へのあこがれではない、ひとりの女がひとりの男に対して抱く愛情。だが、いまだニーナを愛するトレープレフにとって、それは痛烈に響く告白である。

ニーナは青春の夢との決別を果たした。人生は日々の凡たる生活の中にしかない。そこに生きる糧を見いだすためには、「忍耐」が必要である。ニーナにふいと語らせたその忍耐は、『かもめ』に続く三本の静劇の大きなモチーフとなる。僕は『ワーニャ伯父さん』のラストでソーニャがワーニャに言い聞かせる長ゼリフが好きだ。伯父さん、長い人生をじっと生きていきましょう、もうしばらくの辛抱よ、と。

『かもめ』はニーナが嵐の中を忍耐の旅へと去っていき、トレープレフは観客から見えぬ奥の部屋でピストルの引き金を引く。

これは悲劇か喜劇か。少なくともチェーホフは重たくは描きたくなかったのであろう。人生はヴォードヴィルでありたし。だが、彼の軽喜劇はその背後に伸びた影が、実に実に長い。その含蓄がフォルテの芝居にはない、チェーホフ劇のピアニシモの強さの源泉である。

15　ヘンリク・イプセン『ヘッダ・ガブラー』

「サブテキスト」の話が出た。人間の語ることばと内面の感情には常にズレがある、人間はなかなか本音でものを語らないことをご存じか。

大学の朝の授業、すでに講義が始まっている教室に飛び込んできた学生が頭を下げて一言、「山手線が人身事故です」。これはなにも教師に遅延情報を伝えようとしているのではない。「遅刻してすいません。でも、寝坊したわけではありません」とストレートには言いづらいので、そう弁解しただけ。昼前の授業中に「先生、腹減りませんか?」と言ったら、「早く授業をやめろ」。夕方のゼミでは、「先生が帰るまで、奥さん、食事しないで待っているんですか?」なんて聞かれたこともある。学生に家庭の心配までされてはまことに恐縮至極、涙がチョチョ切れる。だが、むろんわがゼミ生は「先生、話、長げえよ!」とむくれているだけ。

『かもめ』では、トレープレフがニーナにキスすると、女は「これ、なんの木?」とかわした。しかし、男は女の真意がわからず、「にれの木」とまっすぐに答えていた。ここに二人の愛情のすれ違いを感じられれば、チェーホフ劇は面白くなる。

また、日本人は「愛しているよ」をあまり口にしない。[1]それを口に出す時はむしろ別の意味になる。つまり、真剣に言えば「結婚しよう」、うんざりした顔で絞り出せば「浮気して悪かった」、深刻な顔でささやけば「でも結婚はできない」、さらに手を出して笑顔で「金を貸してくれ」、指さして「テレビのリモコンを取ってくれ」という意味にだって使える。

そう、人間の発することばはすべて表面の記号であって、我々は本心をそのままことばにすることは少ないものである。その内面の本音の部分を芝居の稽古場ではよく「サブテキスト」と呼んで重要視している。すなわち、台本を読むとは、サブテキストを読み取ること、また役者の演技はサブテキストをいかにセリフに乗せるかがひとつの勝負どころとなる。それが芝居作りの醍醐味！

僕も多少、役者の真似事をしたことはあるが、役者同士のセリフがどうもかみ合わない時に、しばしば演出家から「そこのサブテキストはどうなっているんだい？」と聞かれた。なるほど、戯曲はストーリー的にはつながっていなそうで、しかしサブテキストを考えれば実に巧みに話が流れているのがわかる。それはとくに裏の意味、含蓄、サブテキストがザックザクのチェーホフ劇にいえること、人間の「心理と行動の因果関係」にこだわった近代劇に特徴的に当てはまることである。

そこで本節では、チェーホフとならぶ近代劇の雄、ノルウェーのイプセンを取り上げてみようと思う。


ヘンリク・イプセン。誰でも知っているのは『人形の家』（一八七九年）であろう。ラストでヒロインのノーラが家を出ていくやつだ。でも、今読むとなんかインパクトがない。だって、今日日の嫁さんは、気に入らなかったらすぐに家を飛び出していくから。むしろ『ヘッダ・ガブラー』（一八九〇年）の方がますます現代に通じていて、面白い。こっちにしよう。悪女の話だし。

全四幕とも、趣味のいい調度品のならんだテスマン家が舞台。将軍服を着た老人の肖像画がかかっている。秋。第一幕は朝である。客間のあちこちにたくさんの花が飾られている。(2)

ユリアーネ・テスマンが帽子とパラソルを持って登場、老女中のベルテと話す。彼女のかわいがっている甥イェルゲン・テスマンが昨夜遅くに新婚旅行から帰ってきた。その新居を覗きに来たのだ。妻に迎えたのは「ガブラー将軍のお嬢さま」、ベルテは「若奥さまは、ものごとをひどく気にされる方」、私でお世話役が務まるかしらと不安がる。六十代半ばの叔母はイェルゲンをこれからはドクトルと呼べと言う。テスマンは最近外国で学位を取った中世文化史の研究者である。

と、脇役に二人の噂話をさせ、観客にテスマン夫妻とはどんな人物だろうと想像させてから、まず夫イェルゲンが起き出してくる。ト書きによれば、年は三十三歳、やや太っていて、丸顔のにこやかな顔つき、メガネをかけている。善人のようだ。

テスマンは叔母さんの来訪に大喜びする。話がはずむ。新婚旅行はなんと五カ月以上、チロルへも行った。一種の研究旅行だ、トランクには各地の図書館で写してきた史料がいっぱい。叔母さんは「ところでね、イェルゲン――あなた、なにか――なにかほかに、わたしに言うことはないの？」と水を向けるが、テスマンは、はて？　新居の二つの空き部屋について彼女が「すぐ必要になるわよ」と言っても、「そうだね、叔母さん！　ぼくの本がだんだん増えてくる」。ユッレ叔母さんが赤ん坊はできたかと聞いているサブテキストが、善良な研究者には全然通じない。

叔母さんは家具や敷物に、自分の年金で抵当を入れておいたという。両親に死なれたイェルゲンは、彼女にとって目の中に入れても痛くない甥っ子、一族の希望の星である。

そこへ、いよいよヘッダが登場する。二十九歳、高貴でエレガントな顔立ちと容姿、だが顔色は沈んで青白いと、ト書き。ヘッダは「あの女中ったらバルコニーのドアを開けっ放しにして」と文句を言う。カーテンを引いて、光を柔らかくしてくれ、と。どこか不機嫌。「あの女中、椅子の上に自分の古ぼけた帽子をおきっ放しにしてる」とも。でも、その帽子は叔母さんのもの。空気がギクシャクする。テスマンは旅行中にヘッダの体重が増えた話をする。叔母さんは敏感に反応するが、ヘッダはその話題を嫌がる。

しだいにヘッダの神経がピリピリしていく芝居、そのイライラ感をどのあたりからどの程度見せるか。最初から出しすぎると、終幕までもたない。はじめチョロチョロ、中パッパ。

叔母さんが帰り、入れ替わりにエルヴステード村長夫人がやって来る。穏やかな顔立ちで「髪は目のさめるような金髪」、ヘッダより二、三歳年下である。ヘッダが「あなたの昔のいい人、そうでしょう」、テスマンは笑いながら「まあ、長続きはしなかったけどね。それも、君を知る前の話だよ」。

テスマンの元カノらしきエルヴステード夫人が何をしに来たのか。実はエイレルト・レェーヴボルグがこの町に来ている、と。彼はテスマンと同じ専門分野のライバルだったが、その後身を持ち崩した、でも最近新しい本を出したと噂されている。そのレェーヴボルグはエルヴステード夫人の家の子供たちの家庭教師をしていた。夫人はなんかドギマギしている。

ヘッダは鈍感な夫をていよく追い払い、女二人になって、夫人からあれこれ聞きはじめる。ヘッダと同じ学校の一級下だった夫人は、ヘッダが怖かった、階段で出会うと、いつも髪を引っぱられた、「一度なんか、髪の毛を焼いてやるって」。だがヘッダの方は、夫人の名がテーアだということも覚えていない。いじめっ子といじめられっ子。ちなみに、北欧美人の条件は、昔も今も金髪なんだとか。[3] 薄茶色の髪のヘッダにとって、影が薄かったはずのテーアの目のさめるような金髪だけは、強い嫉妬の対象だったわけである。

テーアは幸福な結婚をしていなかった。村長の家で子供たちの世話をするうちに、奥さんが亡くなり、五年前に後妻となった。だから子供たちは自分が産んだ子ではない。二十歳以上も年が違い、忙しく働く夫とは何ひとつ共通点がない。彼女は家出して、レェーヴボルグを追いかけてきた。

「主人のところへは、わたしく、もう決して戻りません。」

ヘッダがさらに聞き出す。テーアは、家庭教師として毎日のように来ていたレェーヴボルグの仕事を手伝うようになった。彼は見違えるほど変わった。私のことも「本当の人間にしてくれた」。けれども、二人の間を「ある女の影が邪魔している」。誰だかわからないが、過去に関係していた女。彼はその女のことをどうしても忘れられない。「二人が別れるときに、女のほうがあの人をピストルで射とうとした」って言っていた。

話が面白くなってきたところで、お邪魔虫が入る。ブラック判事、四十五歳の紳士である。エルヴステード夫人は帰り、テスマン夫妻と判事の話題はレェーヴボルグの件に。彼はもうおしまいと思われたが、立ち直って新しい本を出した。そしてなんと、ほぼ確実だったテスマンの教授指名が、公開討論によって決められることになったとか。その相手がエイレルト・レェーヴボルグ！　テスマンの驚愕（きょうがく）。すぐに教授になれると思ったから買ったお屋敷。大勢のお客様をもてなすサロンにするって話も、執事も、乗馬も、当分おあずけ。あ〜あ、金のかかる嫁さんをもらった男は大変だ。しかしヘッダは、「慰めになるものをわたし、ひとつだけはもっている」。冷たい目つきで、「ガブラー将軍のピストル」。えっ、ピストル⁉

一幕はまだ断片的な話ばかり。ばらまかれた謎が二幕以降、赤い糸でつながっていく。

第二幕。午後、ほとんどの花が部屋から取り除かれている。ヘッダがガラスドアのところに立ち、ピストルに弾丸をこめている。対になっているもう片方のピストルは机の上のケースにあるというから、決闘用のペアの銃だ。時代がかっていて、ステキ。(4) ブラック判事がパーティ用の服装でやって来ると、ヘッダが彼に銃口を向ける。パアーン！　冗談にしても穏やかでない。と、この一発で、レェーヴボルグの過去の「女の影」はヘッダだったと、はっきりする。

ヘッダはブラックに、退屈だと愚痴る。テスマンは旅行先でも史料あさりばかり、話をしても文化史のことだけ。社交好きの彼女には耐えられない。ではなぜ彼と結婚したのか。そうね、彼は研究者としては一流、出世すると思った。

テスマンがたくさんの本を腕に抱えて帰ってくる。レェーヴボルグの新刊も買った。すばらしい本だ、と。すぐに奥へ退場。

　一呼吸入った後、ふたたびヘッダがブラックと話す。叔母さんの帽子は、わざと女中のものだと思ったふりをした。ふう〜ん、底意地の悪い女だ。だが、彼女をイラつかせている原因は何なのか。また、去年の夏、パーティの帰りはテスマンに送らせていた。彼は雑談のネタがなくて、もじもじしている。その時、この家の前を通った。ヘッダがなにげなく「こんな館に住みたい」と言い、それをテスマンが本気で受け取り……やがて婚約、結婚。「この家にちっとも興味は持っていなかった」。あらまあ。どの部屋もラベンダーとすっぱいバラの匂い、「どこか死んだものの匂い。パーティの翌日の花」とヘッダ。

　ブラックは、「あなたの人生にも、なにかすべき仕事はあるんじゃないですか」と。ヘッダは「テスマンを政界に送り込めたら」。どうして？「退屈だから。」ヘッダには名声を求めるところがある。ステータス・コンシャス。

　この間、ブラックは隙あらばとヘッダを誘っている。紳士などではない、俗悪な、危ない男である。

　エイレルト・レェーヴボルグが訪ねてくる。テスマンと同い年、やや憔悴（しょうすい）している。君の本を買ったよと言うテスマンに、レェーヴボルグは、その本は一般受けするように書いただけ。けれども、続篇は「おれの全身全霊を打ちこんだものだ」、未来を論じている。また、テスマンと教授指名を競うつもりはない、「おれが君に勝ちたいのは、世間の評判だけだ」。

　ほっとしたテスマンは、判事と奥の部屋へ一杯飲みに行く。ヘッダとレェーヴボルグの二人になる。男は女を見つめ、低い声でゆっくりと「ヘッダ——ガブラー！」旧姓で呼ぶ。ヘッダ・テスマンではない。ガブラー将軍の娘。将軍は貴族と同じほどの地位である。[5] そして舞台では、ずっとガブラー将軍の肖像画が事のなりゆきを凝視している。

レェーヴボルグがヘッダに、「どうしてそんな風に自分を投げ棄てることができたんだ！」と。よりによって、なんであんな男と、ってわけだ。愛情からではなさそう、でも「不貞な心もないわよ」。「おれとの間にも愛情はなかったのか？」、「わたしたちは親しい同志！　心から誠実な同志」。レェーヴボルグはヘッダに問われるままに、何でも打ち明けたという。彼が外でやっていた狂ったようなばか騒ぎのこと、世の若い女性には隠されていること。

イプセンはあいまいな書き方をしている。読むほどに、セリフを聞くほどに真相がわからなくなる。我々の想像力がかき立てられるのは、たしか。この芝居、ヒロインから存外、性の匂いがしない。

ヘッダは「エイレルト・レェーヴボルグ、どうして大胆な同志を力ずくで従わせようとしたの！」、彼は拳を握って、「どうしてぼくを射たなかったんだ」と。ヘッダは「わたしとても怖いの、スキャンダルが」。

ヘッダはエルヴステード夫人からもレェーヴボルグからも、人の秘密はあれこれ聞き出すが、自分の内心は告白しない。他人の心は丸裸にさせるくせに、自分は鎧兜を着て生きている。将軍の娘は、誇り高い。スキャンダルを恐れる。世間体を人一倍気にする。

エルヴステード夫人が入ってくる。三人の会話になる。レェーヴボルグが夫人について、「この人とおれは――本当の同志なんですから。二人は互いに心から信頼している。だから大胆に話し合える――」、夫人も「この人、わたくしがインスピレーションを与えたって言ってくれるの」。なるほど二人は胸襟（きょうきん）を開ける仲になっている。何でも話せる。心をスッポンポンにできる。それはただの男と女の、そう、肉体関係の話ではない。人間同士の深い信頼関係についての問題である。

ヘッダは、元カレと学校の後輩の話を微笑を浮かべながら聞いている。だが、彼女の内心やいかに？　ヘッダはレェーヴボルグに酒を勧めて、挑発する。

ブラック判事が登場して、自宅でのパーティにレェーヴボルグを誘う。彼はテスマンと一緒に行くことにする。新しい原稿もテスマンに見てもらいたいし。十時には戻るから、と。

ヘッダにはなにやら下心がありそうだ。「わたしは一生に一度だけ、人間の運命を左右する力を持ちたいの」、「十時になると――エイレルト・レェーヴボルグが戻ってくる、葡萄の葉で頭を飾って」。謎めいたセリフで二幕が終わる。劇場なら、ここで休憩が入る。

ヘッダ・ガブラーは世界中の女優があこがれる役である。内面に欲求不満を抱える、実際に傍（そば）にいたらひどく厄介な女である。そうなのだ、女優たる者、人柄のいいお嬢様役なんてやりたくない。むしろ高慢な、性格の悪い、根性のねじ曲がった、他人の人生を踏みにじろうとする、傍若無人の、破壊的な、しかし美貌の悪女の方がやりがいがある。〝運命の女（ファム・ファタール）〟[6]！

長ゼリフのほとんどない作品である。人物たちの対話（ダイアローグ）の中に、各人の内面心理が浮かび上がってくる。チェーホフ劇と同様に、サブテキストが重要な芝居であることばの裏側に潜む、彼女のフラストレーションの根源は何か？

芥川龍之介の「藪の中」の節でも述べたように、二十世紀は「心理学の世紀」、「フロイトの世紀」と呼ばれる。そのフロイトの『夢判断』（一九〇〇年）発表の十年前の戯曲。人間の潜在意識への扉がまさに開かれようとしていた。

ヘッダは、自分の本音が、潜在意識がわかっていない。観客はヘッダの行動と、そして〝表のセリフ〟を聞きながら、彼女の無意識の世界を想像して楽しむ芝居をイプセンは書いた。

さて、後半、第三幕。翌朝の七時過ぎになっても、男たちは案の定、まだ帰ってこない。眠れぬ夜を過ごしたエルヴステード夫人がヘッダの部屋へ休みに行き、入れ替わりにテスマンが戻ってくる。テスマン曰く、レェーヴボルグが朗読してくれた原稿は妬ましいほどのものだった、だが彼には自制心がない、パーティが始まると「バッカス祭り顔負けの——乱痴気騒ぎだったよ」。そして、酔っ払った彼は夜道に、大事な大事な、二度と書けない、写しもとっていない原稿を落としていった。テスマンがそれを拾って、ほら、これだ。ヘッダはそれを読ませてくれと言う。

ユッレ叔母さんから手紙が来た。彼女の妹のリーナが危篤だという。すぐに行かなくちゃ。でもヘッダは、「わたし、病人や死人を見るのは嫌いなの。醜いものは、どんなものも近づきたくないの」。テスマンがひとり飛び出していく。

ブラック判事が訪れる。彼によれば、パーティの後、レェーヴボルグら客の何人かは、ミス・ダイアナのサロンへ繰り出した。レェーヴボルグがかつて「親密なパトロン」だった赤毛の女、男狩りの名うての狩人のところへ。当時は、女性には厳格な貞節を求めていながら、男たちは家の外に性の排泄場所を有していた。前述したように、ヘッダはそんな場所の話も興味津々、レェーヴボルグから聞いていたわけだ。

で、その怪しげなサロンでは、歓迎転じて、取っ組み合いの大喧嘩が始まった。レェーヴボルグが何かを盗まれたと言い出して。警察が来て、彼は警官にも殴りかかり、連行されていった。「じゃ、あの人、葡萄の葉で頭を飾ってなかったのね」――判事にはヘッダのことばの意味がわからない。

ブラックが去っていくと、今度は興奮したレェーヴボルグが入ってくる。エルヴステード夫人も起きてきた。彼は、原稿を引き裂いてしまった、夫人とは「別々の道を行かねばならない」、「仕事をする気がもうない」と。「おれとテーアの本」、おれはその命をかけた本を引き裂いた、「これは赤ん坊殺しだ」。彼の再生に懸けていたエルヴステード夫人は愕然（がくぜん）として出ていく。

ヘッダと二人きりになったレェーヴボルグは続ける。原稿は破ったのではない、実はなくしてしまったのだ。「テーアの全身全霊が、あの中に込められて」いたのに。もう未来はない。それを聞いたヘッダは、ピストルをケースから取り出す。以前に彼女がレェーヴボルグに向けた銃を彼に渡し、「美しくね、エイレルト・レェーヴボルグ。約束してちょうだい！」おゝ怖（こわ）。

ヘッダは美を渇望する。病人や死人や、醜いものは嫌う。『かもめ』のニーナの行きついた、耐えて生きるという人生観とは無縁だ。私がかつて愛した男は、ギリシャ神話から出てきたように葡萄の葉を頭に飾っていなくては。美しく自らの命を絶ってね、ってわけだ。

レェーヴボルグを行かせると、ヘッダは彼の原稿を包みから取り出し、ストーブの火の中に放り込む。「さあ、あなたの子供を焼いてやる、テーア！」、「あなたとエイレルトの子供」。あな、恐ろしや！　舞台で本火（ほんび）を使うと、とても印象的な幕切れのシーンになる。

この芝居、リアリズム演劇にみえて、象徴的な小道具が巧みに配されている。幸福のシンボルのはずの花をヘッダは嫌がる。将軍の肖像画は娘を見守り、いやにらみつづけている。生を象徴する冠を男はつけていなかった。そして、子供のように生み出された原稿が焼かれ、さらにピストルは……

小道具にもちゃんと裏の意味が、サブテキストがある。


さて、ヘンリク・イプセンは一八二八年の生まれ。七歳の時、裕福な商人だった父親が破産同然となり、その後薬局の見習いに入って自活し、劇作家をめざした。苦労の末、『人形の家』（一八七九年）を転機に人気作家となる。定職につかず、パロトンもいず、ほとんど劇作だけで名声と富を築いた。(7)これはすごい！　現代でも戯曲のみで生計を立てるのは、どこの国でも至難の業だ。小説でだって食べていけないのに。

イプセンは「生きるとは、己の内部の魔物（トロル）と闘うこと、書くとは、己自身に審判をくだすこと」と宣（のたま）っている。(8)ヘヘエ、トリゴーリンとはちょっとイメージが違う。

『ヘッダ・ガブラー』は出版時、人々を当惑させ、失望させたとか。(9)そりゃ、そうだろう。ヘッダのような迷惑な女性は、当時も今も、エンタメ芝居のヒロインにはなり得ない。だが、彼女が己の内部の魔物と闘う物語と知れば、疑問は一気に氷解する。しかも、ヘッダだけではない、イプセンの専売特許でもない、我々ひとりひとりの心の奥底にも魔物が棲んでいると思えば。

また、ヘッダを苦しめるのは「人生における目的の欠如」だというのも、イプセン自身の創作メモ中のことばとして、しばしば引用される有名な一句である。(10) 裕福で、食うに困らず、蝶よ花よと育てられ、なのに自分の人生に充実感を抱けない。ブラック判事はヘッダに「なにかすべき仕事はあるんじゃないですか」と。マックス・ヴェーバー言うところの「天職(11)」を持てない。エーリッヒ・フロムなら「自発的な愛と仕事」と語り、A・H・マズローは最も高次な欲求を「自己実現の欲求」だと論じた話も、『どん底』の節でご紹介した。

だが、ヘッダはそんな自分のこだわり、己が生きていく目的を見いだせない。そう、人間、〝自分〟がなければ、あとは〝見栄え〟だ。他人から一目置かれたい。ヘッダはすでに高嶺の花なのに、さらに自分を大きく見せようとする。ステータス・コンシャス。人間の運命を左右する力を持ちたい、とも。当然、他人に対しては嫉妬心強く、相手を見下し、きれいな金髪というだけで後輩をいじめる。美を求めるのも、美意識からではない、醜い、格好悪いと思われたくない。他人のスキャンダルには大いに興味を示し、しかし自分の醜聞にはひどく臆病になっている。

自意識過剰、自己顕示欲旺盛、上昇志向過多、不要な競争心にとらわれ、自分で自分を縛っている。欲求不満、情緒不安定、傍若無人、傲岸不遜（ごうがんふそん）。けれども、ヘッダには自身のストレスの原因がわからない。

ふたたびフロム曰く、「近代人は自分の欲することを知っているというまぼろしのもとに生きているが、実際には欲すると予想されるものを欲しているにすぎない」、また「ひとが本当になにを欲しているかを知るのは多くのひとの考えるほど容易なことではない」、「それは人間がだれでも解決しなければならないもっとも困難な問題の一つである」[12]。しかり、しかり。

ヘッダの病気は、あくせく働かなくてもいい貴族やブルジョワのみが患えた病ともいえようか。だからかつては、この手の文学作品では有閑マダムが主人公に据えられた。フロベールの『ボヴァリー夫人』（一八五七年）とかＤ・Ｈ・ロレンスの『チャタレイ夫人の恋人』（一九二八年）とか。おっと、どちらの作品のヒロインも男に走るのだが、ヘッダには性への欲求はあまり感じられない。

だが今日、少なくとも先進国では、人々は食うに困らなくなった。なのに、現代人は己の人生に充実感を味わっているといえるだろうか。ひょっとしたら日本人、一億二千万人の多くが、潜在意識の中にヘッダと同じフラストレーションを抱え込んでいるのではないか。

ヘッダの苦悩は、もはや上流階級のみの独占物ではなく、まさに現代人一般の病となっている。僕はそれを〝先進国病〟と呼んでいる。

最終、第四幕である。夕方、テスマン家の客間は薄暗い。リーナ叔母さんが他界し、皆喪に服している。ヘッダも黒い服装と、イプセンはト書きに指定した。演劇は衣裳の色にも意味が、サブテキストがつく[13]。

ヘッダがテスマンと話す。レェーヴボルグのことを心配する夫に、妻は彼の原稿を焼いてしまったと告げる。飛び上がらんばかりに驚くテスマンに、あなたのためにしたのよ、「わたし、だれかほかの人があなたの影を薄くしてしまうなんて、考えただけでも我慢出来なかったのよ」と。それを素直に自分への愛情のためと受け取るテスマン。また、ヘッダが妊娠したらしいことも、彼は気づかない。無邪気（イノセント）な学者さん。

　エルヴステード夫人、続いてブラックがやって来る。判事は、レェーヴボルグが病院に運びこまれた、死にかけていると話す。今日の午後、胸を射った。ヘッダは、「こめかみじゃなかったの？」、「ええ、ええ、胸だっていい」、「とうとうやり遂げた！」妻の発言に驚くテスマンに、「これが美しい行為だってこと」と。

　この物語、形而下だけで見たら、男女の三角関係が巧妙に描かれた昼メロ、そしてヘッダは嫉妬に狂ったモンスターに過ぎない。

　エルヴステード夫人は、「あの人、頭がどうかしていたんです」、昨夜原稿を引き裂いた時と同じ。エイレルトの名前を後々まで残せる本を出さずじまいなんて。横でブラック判事は、「ふん、変ですね」と怪しむ。と、エルヴステード夫人はポケットからレェーヴボルグが口述した時のメモを取り出し、もしかしたら原稿を再現できるかも。テスマンが乗り気になる。「もし二人で協力したら」、「これにぼくは全生涯をかけます！」、「自分の資料は当分おあずけだ」。二人はさっそく作業をすべく、奥の部屋へ移る。

　ヘッダの嫉妬心、怒りはいかばかりか。

　ヘッダは気を取り直し、ブラック判事に、レェーヴボルグの勇気ある行為は解放感さえ味わわせてくれると語る。するとブラックは、レェーヴボルグは自殺したのではない、と。彼はもう死んでいる。死んだのはミス・ダイアナの化粧室だ、弾丸は胸ではなく、下腹部に当たっていた、と畳みかける。ヘッダは、「わたしが手を触れるものはなにもかも、滑稽で低俗なものになってしまう」と、嫌悪の表情でブラックを見上げる。

〝外的な〟出来事は、すべて舞台の外で起こる。ギリシャ悲劇、そして『かもめ』と同様に、事件は報告されるだけ。イプセン劇は人間の心理が見どころの芝居である。

ブラックは、レェーヴボルグが持っていたピストルはここにあったものでしょう、と。私が黙っていれば、警察には誰の銃か探り出せないだろう。でも、ピストルの持ち主がわかれば、盗まれたのか、それともあなたが渡したのかが聴取される。そうなればスキャンダルになる。「スキャンダル――あなたが死ぬほど恐れているもの。あなたは当然、法廷に立つことになる。」ヘッダは、「あなたの言いなり、束縛！」、そんなことは、とても我慢できない。判事は〝審判者〟、なのに、ヘッヘッ、なかなかの悪党だ。

銃が暴発したのか、それともミス・ダイアナが彼を射ったのかは、明かされない。それよりも、ぶざまな死に方をしたことがヘッダには耐えられない。

また、ヘッダはなぜエイレルトと結婚しなかったのか。それは簡単だ。優秀で勇敢に見えた男は、しかし素行のよくない無頼漢だった。結婚しても周囲からの尊敬を得られる生活はできないであろう。その点、すぐに教授になりそうなテスマンなら。だが、新婚旅行中にすでに嫌気がさす。そして今度は、レェーヴボルグを立ち直らせたエルヴステード夫人が、亭主と一緒に失われた原稿を再現しようとしている。

ブラック判事は、「人はどうすることも出来ないことには従うものですよ」と言って、ヘッダを誘惑する。奥の部屋ではエルヴステード夫人が、「わたくし、ご主人にもインスピレーションを与えられたらと思います」、テスマンも「ヘッダ――ぼくはなにかそんな感じがし始めてるんだ」。あゝ、八方ふさがり。

ヘッダは突然、荒々しくピアノでダンス曲を弾く。彼女の情熱の激発。そして、パァーン！　ヘッダがこめかみを射ち抜いて、幕が下りる。

ヒロインは自分の美学を貫いて、美しく、勇敢に自らの命を絶った。それは同時にお腹の中の子供、テスマン家の後継者を世の中から葬ることでもあった。イプセンはもちろん、女性たちが家に縛られ、社会進出などあり得ない、有能な彼女たちの個性と自立が阻まれていた当時の男性上位社会を批判するためもあって書いている。

だが、それだけでは『ヘッダ・ガブラー』が今日の人々の心に響く作品になっている理由の説明にはならない。二十一世紀は、イプセンの時代よりはるかに法律が整備され、社会通念も変わり、女性たちが家から解放される状況は整った（整いつつある？）。しかし、だからこそこれで活躍できなければ、それは外の敵ではなく、己の内部の魔物がため。外圧のせいにできない、すべて自己責任――これは辛い！

我々は生活に困らぬ、華麗なるヘッダが自己解放されずに苦悶する姿を見ながら、ますます自分の心の中の嵐と、知りたくない自分の内心と対峙しなければならなくなっているわが身に気づかされる。はて、我々は人生に、何を欲しているのであろうか。(14)

16　テネシー・ウィリアムズ『欲望という名の電車』

もう一本、戯曲を続けたい。文学ないしは演劇は、雰囲気も大切である。同じ心の中に吹き荒れる嵐を描いても、チェーホフとイプセンではまったく気分が異なる。チェーホフはロシアの白樺林のように広々としていて、どこかおおらか、一方イプセンは北欧のフィヨルドのごとく閉塞感があって、神経が研ぎ澄まされている。そんな空気感の違いも作家の個性であり魅力である。テーマばかりが頭でっかちに前面に押し出されている作品は、説教臭くて面白くない。

で、お次はアメリカの南部と行きたい。テネシー・ウィリアムズ、演目は『欲望という名の電車』（一九四七年）である。彼の代表作というより、アメリカ演劇界の三大戯曲のひとつと呼ばれる。ユージーン・オニールが自らの血で書いた『夜への長い旅路』（一九四一年、初演五六年）、アーサー・ミラーが成功願望の果てを綴った『セールスマンの死』（一九四九年）と並ぶ傑作。三作ともベタのリアリズム演劇、そしてアメリカン・ドリームの反転画ともいえる。

そう、ハリウッド映画からはアメリカが見えてこない。かの国の商業映画は、巨額の予算を組み、その資金を回収すべく、最初から国境を越えて世界中に売るために、できるだけアメリカ固有の問題を薄める傾向がある。つまり、ハリウッドは国籍のない映画を作っているといえようか。

そこへいくと、三篇はいずれもアメリカの夢の陰画（ネガティブ・プリント）。暗い、ショボい、めめしい（漢字を当てると怒られるので、ひらがなで書く）。面白いじゃないか、第二次大戦でわが国をボコボコにしてくれた超大国の裏側、それを描いた作品が、いまだに三大戯曲なんて謳われているというのは。

文学って何だ、演劇って何だ、さらに映画とは？

そこで本節では、戯曲の分析だけでなく、エリア・カザン監督のなつかしき白黒映画『欲望という名の電車』（一九五一年）の解説を織り交ぜたい。リアリズム演劇全盛の時代の演出家によるクソがつくほどのリアリズム映画。でも、これが今見てもいいんだなあ。僕の頭の中ではテネシー・ウィリアムズ作品の決定版！

さても、アメリカ南部の香りが芬々（ふんぷん）と漂う、そしてハリウッド映画の前向き（ポジティブ）で幸福（ハッピー）なイメージを払拭してくれる作品の解題である。

全十一場の芝居。ニューオーリンズの「極楽」[1]という名の通りにある二階建ての建物が舞台である。貧しい地区、たいていの家々は白塗りだが、風雨にさらされて灰色がかっている。五月はじめの夕暮れ時。「ブルー・ピアノ」なるブルース曲を弾くピアノの音が聞こえてくる。

開幕は女家主のユーニスが近所の黒人女と夕涼みしながら話している場面から。ここはコスモポリタンの都市、町の古い地区では白人と黒人が比較的温かく気楽に交流していると、ト書きにある[2]。

そこにスタンリー・コワルスキーがミッチと一緒に帰ってくる。二人とも二十八歳から三十歳くらい。スタンリーは妻のステラに、血のしみた肉の包みを投げる。ステラは二十五歳くらい、品がよくて夫とは明らかに育ちが異なるとト書き。彼はこれからボーリングに行くと言う。そして、入れ替わりにステラの姉、この芝居のヒロインのブランチ・デュボアがやって来る。

映画版は冒頭に印象的な場面を挿入した。蒸気機関車がニューオーリンズの駅に到着する。汽車の煙の中から、ホームに降り立ったブランチが現れる。近くにいた若い水兵に聞く、「「欲望（ディザイア）」という名の電車に乗り、「墓地（セミテリーズ）」という電車に乗り換え、六つ目の角の「極楽」で降りろと言われたんだけど」[3]。それならあの電車だよ。と、「欲望922号」とプレートのついた路面電車が映る。モノクロ映画、黄昏時の陰影と、ヴィヴィアン・リー演じる神経過敏なブランチが物語の行く末を暗示してみごとなファーストシーンである。

で、ブランチとステラは再会を喜ぶ。しかし「極楽」に住む妹の借家がこんなにオンボロとは。ブランチはウィスキーをグイと一飲み。彼女は高校の教師をしている。学期の途中だが、疲れ果てて休暇を取った。妹の家は一階の二部屋だけ、メイドもいない。ここに泊まっていいんでしょ。夫のスタンリーはポーランド系、教養人じゃない。故郷の大農園「ベルリーヴ」――〝美しい夢〟の意――で付き合っていた人たちとは違う種族よ。

そのベルリーヴを手放してしまった。私を責めないで。あなたは家を出て、自分のことだけ考えていればよかったんだから。ひさしぶりの再会だ、話はあちこちに飛びながら、よくしゃべる。ブランチはだいぶ気持ちが高ぶっている。

スタンリーがボーリングから帰ってくる。ト書きには、雌鶏たちの中で豪華な羽根を広げる雄鶏のように誇り高い、と。上流生まれのステラは、そんなマッチョで生命力にあふれるポーランド野郎(ポーラック)にまいってしまったわけだ。

ステラがバスルームにいる間に、スタンリーがブランチと会う。「ステラの姉さん？」彼女が来るのは知らなかった。ミシシッピ州のローレルに住んでる。雄鶏は酒瓶を明かりに向けて、「暑いと、酒の減り方が早いなあ」。ブランチが飲んだのを知ってか知らずか。汗まみれのシャツを淑女の前でサッと脱ぐ。

「先生なんだって？」、「そうよ」、「何教えてるんだい？」、「英語」、「俺、英語は全然ダメだったなあ」。思ったとおりを正直に口に出す。「結婚したことがあるんだって？」ズケズケ聞く。「ええ、とても若かったころ」、「何があったんだい？」、「その子は――その少年は死んだわ」。ブランチは気分が悪くなる。

翌日、ステラがスタンリーと話す。姉さん、ベルリーヴを失ったのよ、お願い、優しくしてあげて。スタンリーはお屋敷を売った証書を見たいと言う。「売ったんじゃなくて、失ったのよ！」スタンリーは勝手にブランチのトランクを開けはじめる。ドレスに毛皮に宝石に……「これが教師の給料で買えるもんかよ？」、「海賊の宝箱だぜ」。

ブランチがご機嫌で風呂から出てくる。花柄のドレスを着る。肉体派の義弟に、背中のボタンをはめてくれ、と。誘っているような、科(しな)をつくっているような。開け放たれた荷物に気づいて、「まあ、私のトランク、爆発したようね」。すげえ衣裳だなあ、あら、みんなボーイフレンドからの贈り物よ、そろそろ手の内を見せろよ、そうね、人生にはあいまいなものが多すぎるわ、私は大胆な原色で描く画家さんが好き、人間も煮え切らない人は嫌い。「その点、妹が結婚した相手は男の中の男ね。」ほほう、誘惑してるのか？

　ブランチは香水をつけ、スタンリーにも吹きかける。スタンリーは怒って、「ステラの姉さんでなきゃ、変な気を起こすところだぜ」。ベルリーヴの書類を見せろ。これは何だ、それはダメ、昔のラブレター、「死んだ少年が書いた詩よ。私はその子の心を傷つけてしまった」。屋敷は抵当で取られた、代々の男たちが女遊びで食いつぶした……

　ブランチは妹が妊娠したことを知る。戻ってきたステラに、「ベルリーヴを失った今、私たちにはスタンリーみたいな人の血を混ぜる必要があるのかもしれないわね」。

　映画版、スタンリーに扮するのは一九四七年の初演の舞台に続いて、マーロン・ブランドである。彼の出世作であり、一世一代の代表作ともなった。ブランチの目線、主観カメラで捉えた彼の姿が強烈だ。ちょいと虚無的。汗だくの下着を脱いだ上半身に、ブランチがハッとしてうつむくワンカットがいい。え〜、どうしよう、惚れちゃいそうだわ、ってか。

　そのブランチ役、ヴィヴィアン・リーは最初から目が危ない。ブランチもヘッダ・ガブラー同様に感情の出し入れ、七変化（しちへんげ）が見どころの役柄である。彼女の表情と、内面の変化をアップのカメラが丹念に追う。だけど、大丈夫かいな、こんなに早くから多情多感で、後半に収拾がつかなくなるのではないか。また、役者のセリフはあまり感情を乗せすぎると、内容が聞こえなくなってしまう。だが、ヴィヴィアン・リーは陰気な話をベラベラとしゃべり、それでいて意味もサブテキストも全部伝わってくるので、飽きない。美人顔だけの女優では決してない。『風と共に去りぬ』（一九三九年）のスカーレット・オハラ役が陽なら、三十八歳で演じたブランチは陰、二役ともアカデミー主演女優賞を獲得した。

夜、男たち四人がポーカーに興じている。ト書きには、皆、色鮮やかなシャツを着ていて、肉体的にピークを迎えている彼ら自身も原色のように粗野で直情的で屈強だ、と。酒がかなり回っている。ステラはそんな男たちの醜態を見せたくないために姉を外に連れ出したが、帰宅するとまだやってる。もうすぐ午前二時半になろうとしているのに。

四人の中でいちばんましなのは、スタンリーの会社の同僚のミッチだ。独身の彼は、病気の母親が心配だから、そろそろ帰ると言う。でもスタンリーは、勝ち逃げする気かといきり立つ。トイレを待つ間にミッチがブランチと話す。ミッチの持っていたシガレットケースに詩が刻んである。死んだ昔の彼女にもらった。「あら、私の好きなブラウニング夫人の詩だわ」、えっ、詩がわかるんですか。波長が合う。ブランチ・デュボア、フランス系よ、〝白い森〟って意味[4]。「ただのオールドミスの教員よ」、いえいえ、あなたはオールドミスなんかじゃありません。二人はいい感じに。

ブランチはラジオの音楽をかける。すると、負けがこんで頭に血が上っていたスタンリーが激怒して、ラジオを窓から放り投げる。まだテレビが普及する前の時代、ラジオは貴重品だった。「酔っ払い、ケダモノ」と叫ぶ身重の妻に殴りかかる。男たちがスタンリーを押さえつける。ステラとブランチは二階の大家ユーニスの部屋へ避難する。

ほどなく冷水のシャワーを浴びせられてシラフに戻ったスタンリーは、しょげ返る。根はいい男だ、ひねくれてない。夫は二階の妻に向かって大声で、「ステラ〜ッ！」。ユーニスが、うるさい、警察を呼ぶわよ、と。けれども、ステラはスタンリーの雄叫(おたけ)びに応じて階段を降りてゆく。見つめ合う男女、ひざまずく夫。夫婦は暗い室内へ。ブランチには妹の気持ちが理解できない。

翌朝。映画ではステラがベッドの中でさっぱりとした、晴れ晴れとした顔をしている。ははあ、昨晩は愛する亭主と激しく抱き合ったなと一目でわかる、とってもいい表情をしている。扮するはキム・ハンター。ヴィヴィアン・リー以外の主な役は、エリア・カザン[5]演出のブロードウェイでの舞台のままだ。おっと、ヴィヴィアン・リーも夫（当時）ローレンス・オリヴィエ演出の舞台ですでにブランチを演じている[6]。

で、ブランチは二人でここから逃げ出そう、と。妹は、いいえ、あたしはそんなこと思ってないわ、「暗がりの中の男と女にはいろいろなことが起こるのよ」。姉は、「それは獣の欲望ってものよ、あのガタゴト走る路面電車の名前と同じ〝欲望〟！」。そこへスタンリーが帰ってくる。でも、ブランチはそれに気づかず、悪口を続ける。彼は下品よ、私たちと育ちが違う、人間以下、類人猿ね、石器時代の生き残りよ……

第二次大戦後の南部を舞台にした現代劇である。そこにはかつてプランテーションで財を築いた地主階級の末裔と、新興の労働者階級、大戦にも出征して合衆国のために戦った移民たちとの断層がある。蒸し蒸しとした芝居、ニューヨークともカリフォルニアとも空気が異なる。だが、それはミシシッピ川の河口域の気温と湿度のせいだけではない。

黙ってブランチの悪態を聞いていたスタンリーが、何食わぬ顔で入ってくる。ステラは夫に抱きつく。

後日。スタンリーがブランチにさりげなく尋ねる――ひょっとしてショーって男を知ってるかい？　ブランチの表情がかすかに曇る。ローレルのホテル・フラミンゴであんたに会ったような気がするって。そのホテルなら、私なんかとても近寄れない場所よ。じゃあ、間違いだろう。しかし、ブランチは気を失いそうになって、目を閉じる。

スタンリーがいなくなると、ブランチは妹に、なにか聞いてないか、ローレルではいろいろな噂をたてられたから、と。「弱い人間は強い人間の親切にすがらなければならないのよ、ステラ。それには人の気を惹くことも必要なの。」ヘヘエ、なにやらありそうだ。

ブランチはヒステリックになっていく。今晩はミッチとデートの約束、それで気が高ぶっているのかしら。彼にはまだお休みのキスしか許してない。女も三十歳を過ぎると、誰とでもすると思われてしまう。ミッチには私の年は言ってない、身持ちの固い女だと思わせて、私を欲しがらせてやる。「姉さんはミッチが欲しいの?」、「私が欲しいのは安らぎ!」

ステラが出てゆき、ブランチひとりになると、若者が新聞代の集金に来る。映画は、ピシッとした、端整な顔立ちの青年。ブランチが怪しげな目で、おっ！　アップで捉えたヴィヴィアン・リーは、年増だがフェロモンはたっぷり。ヤバッ。若者を引きとめ、タバコに火をつけさせ、唇に優しくキス、でも思い直して、「さっ、行きなさい」。

ヘッダ・ガブラーと違って、爛れた愛欲の臭いがする。欲望という名の電車！

夜中の二時ごろ。ブランチとミッチが湖畔の遊園地でのデートから帰ってきた。二人ともあまり楽しくなかったようだ。ブランチは古風な女を演じて、ミッチをじらしている。そう、彼女は自分を演じながら生きている女である。嘘で固めた人生の、その化けの皮が少しずつ剝がれていく物語。ヴィヴィアン・リーは思いっきりカマトトぶる。下手な芝居をする悪女に扮して、とても上手。もっとも、エリア・カザンは当初、彼女の演技が気に入らなかったとか。なるほど、映画もブロードウェイの配役のまま、ジェシカ・タンディのブランチで行きたかったのだろう。それに、カザンのめざしたベタのリアリズムの演技よりは、やや大振りだ。けれども、その芝居がかったところがまた、イギリスの舞台役者らしい妙技だと僕は思うのだが。

ミッチは本気でブランチとの結婚を考えていると告白する。身を固めたい、母親が余命いくばくもないんだ。そうですか、私も愛する人に死なれたことがあるの。

まだ少年だった夫。十六歳で私は初めて恋を知った。でも、だまされたのね、神経質で気が弱くて優しくて、男らしくない人だったわ。私に救いを求めてきた。だけど私は気づかなかった。駆け落ちして、結婚して。たまらなく愛していたのに、助けてやれなかった。ある日、誰もいないと思って入った部屋に、男が二人いて……

それから、私と夫は何事もなかったような顔をして、遊びに行き、酔っ払って、「ワルシャワ舞曲」[7]を踊った。ところが、私、踊っている時に言ってしまったの、「見たわよ、いやらしい」と。彼は飛び出して行って、そのままピストルを口にくわえて自殺した。

じっと話を聞いていたミッチがブランチの唇にキスし、彼女はうれし涙を流す。

場面は転換して、九月半ばの夕方近く。テーブルにはブランチの誕生日を祝う夕食の準備が整えられている。スタンリーが入ってきて、すげえ情報を手に入れたぜ、と。うちの工場の仕入れ係がローレルにしょっちゅう行っているんだけど、そいつがブランチはローレルでは大統領並みの有名人だって言うんだ。フラミンゴはお客のすることには一切干渉しない安ホテル、なのにブランチはあまりのご乱行で、そこを追い出されたというのだ。さらに学校でも、十七歳の生徒に手を出して、学期途中に追放になった。

スタンリーとステラがこの話をしている間、ブランチはずっと熱い風呂に浸かりながら甘ったるい歌を歌っている、「♪紙で作ったお月様、ボール紙の海を渡ってる、だけど嘘もまことになるものよ、私を信じてくれるなら[8]」。ブランチの心情を反映して、夫婦のしかめ面の会話とのギャップが笑える。

お姉さんには辛い過去がある、結婚した相手、詩を書く美少年が実はゲイだったのよ。へえ、でもブランチのことを俺の親友のミッチに話さないわけにはいかない。えっ、あんた、しゃべったの。

終戦後間もない時期の芝居としては、ひどくスキャンダラスな作品である。また、映画は観客層が広いから、演劇以上に検閲が厳しかった。同性愛をめぐる経緯は、映画版ではきれいにカットされている。検閲が世界的に一気に緩むのは一九六〇年代、まだかなり先の話である。
四、五十分後。陰気な誕生日の夕食が終わろうとしているが、招待したミッチはついに来なかった。スタンリーがとうとう爆発して、皿を床に投げる。彼は誕生日のプレゼントだと言って、ブランチにローレル行きのバスの切符を渡す。ステラは産気づき、病院へ連れて行ってくれと頼む。

テネシー・ウィリアムズ曰く、「私の作品はいつも自分に対する精神療法(サイコセラピー)みたいなものだ」[9]。また彼が、「ブランチは私だ」と語ったというのも、よく引用される有名な話である。それらは彼の略伝を読めば、誰でも容易に納得できるだろう。

母親はプロテスタントの牧師の娘、父親は靴のセールスマンで家を留守にしがちだったので、テネシー・ウィリアムズは母親の実家の牧師館で幼少期を送った。が、ジフテリアにかかって生死をさ迷って以来、内向的で孤独な性格になったという。姉ローズも弟以上に繊細だったようで、精神を病み、家族にとっては暴君だった父親に殺されると騒いで、入院させられ、ロボトミー手術を受けて廃人同然となった。テネシー・ウィリアムズにとっては、愛する姉を救えなかったことは一生の慚愧(ざんき)、それが半自伝的な追憶劇『ガラスの動物園』(一九四四年)の近親相姦的とも思えるほど深く結ばれた姉弟の物語を生んだ。淡い水彩画のようなタッチで描かれたその叙情劇によって、テネシー・ウィリアムズは一躍アメリカ演劇界に躍り出る。

三年後、彼の出世作を原色の鮮やかな油絵のタッチで描き換えたのが『欲望という名の電車』といえようか。

テネシー・ウィリアムズは同性愛者である。だが、それをまだカミングアウトできなかった時代[10]。彼は自らがゲイであることを隠しながら、しかし同性愛者の真情について綴らずにはいられなかった。また、脆弱(ぜいじゃく)な自分を嫌悪し、強き男にあこがれる。さらに、牧師館で育った彼にとって、自身の同性愛的行動は嫌悪せざるを得ない性癖であった。

　人間の心って、潜在意識って、複雑だなあ。でも、そのグチャグチャの内面心理がしばしば名作を生む。いったいきれいな心根から美しい作品が誕生するのではない。むしろ、ただの〝きれい〟を超える、汚いのに美しい、爛れているのに心を揺さぶられる、陰鬱なのに我々の魂に迫ってくる文学作品は、作家の〝後ろ向き(ネガティブ)の心情〟から蒸溜されることが少なくない。

『欲望という名の電車』では、ブランチが精神不安定になったのは、彼女がゲイの、詩人肌の美少年を図らずも死に追いやったことがきっかけだったと語られる。そのチラリと出てくるゲイの話が、この戯曲の大きなモチーフである。けれども、思わず笑ってしまうのは、僕がテネシー・ウィリアムズ映画の最高傑作だと考えているエリア・カザンの作品が、同性愛の問題をみごとに消し去っていること。

　もうひとつ、その名画が犠牲にしたのは、作者が屈強な男の象徴としてこだわった原色である。身心のひ弱さにコンプレックスを抱き、肉体派の男性に憧憬(どうけい)を抱いた彼は、ブランチに大胆な原色で描く画家が好きだと言わせ、ポーカーをやる男たちに色鮮やかな衣裳を着せるよう卜書きで指示した。だが、白黒映画では如何ともしがたい。う〜ん、残念！　これも笑える。[11]

　しかし、モノクロの画面からも、ブランチが弱き者を救えなかった罪悪感から堕ちてゆき、誰彼かまわず男を求めて彷徨(ほうこう)する姿に、作者の底知れぬ孤独感と彼の流浪の人生が色濃く反映されているのが、見てとれる。

同じ夜、しばらく時間がたった。ミッチがやって来る。ブランチは急いで酒瓶を隠し、顔を直す。だが、ミッチは冷たい。あんたにはもう会わないつもりだった、そういえばあんたを明るいところで見たことがなかった、フラミンゴってホテルに泊まっていたんだって？　ブランチは「いいえ、私が泊まっていたホテルは、タランチュラ・アームズよ」。ヘッヘッヘッ、男をくわえ込む毒蜘蛛ってわけだ。「そうよ、夫のアランが死んでから、見ず知らずの人たちにずいぶん身を任せたわ。それしか私の空っぽの心を満たしてくれるものはなかった」、私を守ってくれる人を求めて、とうとう十七歳の少年にまで……切ない話になってきた。

ミッチは「俺に嘘をついたんだな」、するとブランチは「違うわ、心を偽ったことは決してなかった」。正直な気持ちであろう。作り話がすっかり身に染みついている。嘘と本当の区別がついていない。「死の反対は欲望よ」とも。なるほど、抜け殻の人間が生きていくためには自らの欲望をかき立てる必要があった。

作家はしばしば、最も自分らしくない登場人物に自己の内心を投影する。テネシー・ウィリアムズが浮き草人生の中で次々と男漁りをしたその寂寥感を異性のブランチに埋め込んでいるのは間違いないだろう。ブランチはやはりテネシー・ウィリアムズだ[12]。

ミッチは不器用な手つきでブランチを抱こうとするが、ブランチに大声を出されて、すごすごと逃げていく。

二、三時間後。ブランチは薄汚れたガウンを着込み、頭には模造ダイヤのティアラをかぶって、ヒステリックなほど陽気に、酒を飲みながら荷造りしている。そこにスタンリーが病院から戻ってくる。赤ん坊は朝までは生まれそうもないから、一度帰ってきた。「つまり、今夜は私たち二人っきり？」とブランチ。そんなに着飾って、どうしたんだい、昔のボーイフレンドから電報が届いて、ヨットでカリブ海へ行こうって誘われたの。そうそう、ミッチが来たわよ、あなたの悪意ある作り話を聞いて、私を侮辱するために……

赤ん坊が生まれると言って上機嫌だったスタンリーも、ついに堪忍袋の緒が切れる。百万長者なんかいやしねえ、全部おまえさんの空想だよ、「嘘とうぬぼれといかさまさ」。白粉（おしろい）と香水をまき散らしやがって、俺の酒をガブガブ飲むし。

零落したお嬢様、虚飾に満ちた世迷い言の数々、落ちぶれているからこそのプライドの高さと自己顕示欲の強さ、それにアル中で、性依存症で。文学作品の主人公は、実人生で周りにいたら迷惑千万な〝困ったさん〟が多い。ヘッダ・ガブラーが自殺せずに生きながらえたら、ブランチになっていた!?　テネシー・ウィリアムズはさらにヤク中でもあった。

罵声が飛び交い、ブランチが酒瓶を割ってスタンリーに向けるが、すぐに取り押さえられる。グッタリとなった女の体を男は抱えあげて、ベッドへ運ぶ。嫁さんがいない夜だ。

この場面――もちろんベッドでの行為は見せない、映画は瓶を持ったヴィヴィアン・リーの手が鏡に当たり、ガラスがひび割れて、フェイドアウト――レイプといえばレイプだが、しかし和姦ととれなくもない。ブランチはこの家に来てからずっと義弟を誘っていた。さんざん悪態をつき、ステラにも一緒にここを出ようと言いながら、たくましい男に欲望を覚える潜在意識もまた強い。ブランチ、スタンリー、ステラは意識せぬ三角関係にあったわけである。

だけど、それにしても、醜悪な芝居。戯曲で読むと、ブランチもスタンリーも決して好感度は高くない。でも、そのどうしようもない男女に心を惹かせるのが、役者の仕事。人間のネガティブな面を見せるためには、俳優の真の演技力と魅力が必要である。世紀の美人女優ヴィヴィアン・リーとニヒルな肉体派マーロン・ブランド、しかし二人は外見（そとみ）の格好よさが売りの映画スターではない。同化と異化が両方できる。観客をグッと共感させたかと思うと、スッと冷めさせたりもする、見る者の心を右へ左へと大きく揺さぶり、芝居がはねた時には、「人間、こういうことってあるよなあ」、「ブランチは、そしてスタンリーも私だ」とつぶやかせるのが、一流の舞台役者である。

最終十一場は数週間後。子供が生まれた。だが、男たちは相変わらず頭から湯気を出しながらポーカーをやっている。ブランチは風呂に入り、ステラが姉の荷造りをしている。ブランチには田舎で静養すると言ってあるが、彼女はボーイフレンドのことごっちゃにしていた。「あたし、間違ったことしているのかしら」、「姉さんの話が本当なら、もうスタンリーと一緒には暮らせないわ」。

玄関のベルが鳴る。入院する病院の医者と看護婦がブランチを迎えに来た。だがブランチは医者を見ると、私が待っていた紳士ではないわと言って、逃げ出す。スタンリーが声を荒げるので、一層錯乱する。看護婦がブランチを押さえつける。「拘束服を着せましょうか？」、「まだ要らないだろう」。医者が優しく彼女を立たせ、腕をかす。するとブランチは、「どなた様かは存じませんが――私はいつも見ず知らずの方々のご親切にすがって生きてまいりました」と。これがこの芝居の有名な有名な決めゼリフ。テネシー・ウィリアムズは、自分も彼女と同じように生きてきて、めったに期待外れを感じたことはなかったと語っている[13]。

終幕も微妙で味わい深い。ステラはブランチの名を大声で呼ぶが、姉は振り向かずに去っていく。妹は赤ん坊を抱きかかえて、泣きじゃくる。ト書きには、姉がいなくなって、「どこか満たされた（ラグジュアリアス）感じさえある」と。スタンリーは「情欲に駆られたように、なだめるように」、もういいんだ、もういいんだと言いながら、妻のブラウスの胸に指を這（は）わせる。

そう、姉をレイプした男とは暮らせない、ブランチを救えなかった罪悪感、ステラは心底悲しい。でも、お邪魔虫はいなくなった、頼れる人は夫しかいない、子供も無事生まれた。夫婦、ひさしぶりの水入らず。キャッ。

けれども映画版は、吠えるように妻の名を叫ぶスタンリーを尻目に、ステラは赤ん坊を抱き、今度こそ戻らないわと言って、二階の大家ユーニスの部屋へと外階段を駆け上っていく。ずいぶんな改変？　いやいや、どうせすぐに愛する夫のもとへ戻るであろうが。

あゝ、欲望という名の電車は今日も走りつづけるのであった。フェイドアウト。

アンコールである。文学（戯曲）と演劇（舞台）、そして映画の話。

いったい文学は叙事詩や民間伝承の歌謡から始まったと、芥川龍之介「藪の中」の節で述べたのを覚えておいでか(14)。つまり、後発の小説のように読むものではなく、昔は語り部が朗じるのを聞くものだった。盲目の法師が琵琶を奏でながら『平家物語』を語り、中世ヨーロッパの吟遊詩人が恋愛詩などを民衆に歌い聞かせた類いである。よって僕は、詩の朗読も、落語も、現代の流行歌も、ガマの油売りもバナナの叩き売りも、およそことばを大切にする行為は、すべて文学に含めたい。

ボブ・ディランがノーベル文学賞を受賞する時代でもあるし。

また、小説は活字を追いながら想像をめぐらせて楽しむ娯楽である。一方、映画は〝視覚芸術〟、見せてナンボ。人間、目に見えるものは強烈で、それが映画の最大の長所だが、逆に見えてしまうと、そこから先へ観客の想像力が喚起されなくなる。小説好きがしばしば映画をつまらないというのは、そのためであろう。

で、演劇は両者の中間になろうか。芝居は小説より映画に近いと思われがちだが、さにあらず。視覚に訴える映画に比べれば、はるかに俳優のセリフを聞きながら想像の翼を羽ばたかせて遊ぶ媒体（メディア）である。演劇――少なくともストレートプレイ――は、映像作品とは圧倒的にセリフ量が異なる。人は目で見たものをことばで再度説明されると、くどく感じてしまう。それゆえ、ＳＦＸやＣＧや３Ｄといった最新の映像技術に頼る昨今の映画では、ますます台本がスカスカになり、文学から離れていく傾向がある。その点、古（いにしえ）の名画『欲望という名の電車』はずっと演劇に近い。俳優のセリフ術と肉体表現によって魅せてくれる。

と、まあ、僕は芸術のジャンル分けやら各メディアの境界線やらにあまりこだわりはないのだが。どんな作品でも、面白ければそれでいい。けれども、僕が面白さを感じるのは、やはり〝ことば〟なのだ。演劇は人間の発することばを、俳優の肉体を通して表現してくれる。ことばの裏側にある感情なり本音なりサブテキストなりを、我々に想像させてくれる。文学と演劇を分けて考える人もいるが、僕は一流の戯曲を名優が演じる舞台を見るたびに、「おゝ、これはまさに文学だ！」と感嘆の声をあげてしまうのである。[15]

17　石垣りん「表札」他

演劇の話が続いた。今度は詩について語りたい。文学、すなわち〝ことばの芸術〟の王様は、やっぱり詩だ。間違いない。僕はそう信じている。

僕は大学生のころ、たまたまシェイクスピアと出会った。最初からそんなに魅了されたわけではない。皆がシェイクスピア、シェイクスピアというから、どれどれと、ただのミーハー気分で、恐る恐る読んでみただけ。原文で講読する授業にも出たが、なんじゃ、こりゃ状態。国語でいえば、古文みたいなものだ。それでも三年ほど読みつづけ――なんで面白さもわからずに、そんなに付き合いつづけたんだろう？――、いつの間にか大学院に入っていて、ある先生から詩の韻律の分析方法を教わった。そして、『夏の夜の夢』だったかなあ、暑い夏休みに朝から晩まで、いや当時は昼夜が逆転していて晩から朝まで沙翁（シェイクスピア）劇の韻律をチェックしながら読んでいた。その時、真夜中だったと記憶している――我、発見せり（エウレカ）！　面白い、これなら一生付き合ってもいいかなと、心底から思った。

もうひとつ。なぜ外国ものだったのか。僕は狭い日本と、それから文学も私小説のようなチマチマとした日常話が好きになれなかった。ロマンティシズム（romanticism）を辞書で引くと、〝空想的な傾向〟、〝遠いものへの憧憬（どうけい）〟と出てくる。偏狭な島国を飛び出し、広大な世界に遊んでみたい。ヘヘエ、実に平凡な発想だ。そして遠い存在、それは空間的に遠い国・地域へのあこがれだけでなく、時間的に遠い過去の時代への憧憬だった。高校生のころは、文学よりは英語という言語、また歴史に興味があった。

その結果が、なんとなく四百年前のシェイクスピアと相性が合うようになったと、そう自己分析しているのだが。

で、本節のお題に選んだのは、石垣りん（一九二〇―二〇〇四年）。ヘッヘッヘッ、高校時代から好きな詩人ではあったが、彼女の詩を分析しようなんて考えたことはなかった。同じ詩作品といっても、シェイクスピアとは別もの、比べようがない。石垣りんは、ご存じの方も多かろう、自分の身のまわり、ベタの日本の日常に根ざした詩を書く人だ。どうしてそんなチマチマした、地べたを這（は）いつくばるような題材で、あんな凛（りん）とした詩が書けるのか？　自文化のはずなのに、僕にとってはまったくの異文化である。

ということで、これまで近くて遠い存在だった石垣りんの作品を一度きちんと読み直し、僕なりに詩とは何ぞやと自問自答してみたくなった。さて、どうなることやら。緊張するなあ。

石垣りんの詩集は生涯に四冊(1)のみ、そのうちの一冊、四十八歳の時に出版した第二詩集『表札など』（一九六八年）の巻頭には「シジミ」がおかれた。

夜中に目をさました。／ゆうべ買つたシジミたちが／台所のすみで／口をあけて生きていた。〳〵「夜が明けたら／ドレモコレモ／ミンナクツテヤル」〳〵鬼ババの笑いを／私は笑つた。／それから先は／うつすら口をあけて／寝るよりほかに私の夜はなかつた。

いい詩だ。夜中、トイレに起きたのかな、台所で水を一杯。すると明朝のお味噌汁用に買ってあったシジミが目に入る。寝ぼけ眼（まなこ）で見た、真夜中の、よくありそうな情景。でも、その後が怖い。もうすぐおまえたちをみんな食ってやる。人間が生きていくための残酷。しかし、自分も布団に戻れば、シジミと同様うっすら口を開けて寝るより能がない、と。ベタの日常を書いているようで、自分を、人間をどこか距離を置いて、突き放して観察する目が、この詩人にはある。

もう一篇、庶民の生活感が漂う詩、「銭湯で」。

東京では／公衆浴場が十九円に値上げしたので／番台で二十円払うと／一円おつりがくる。〳〵一円はいらない、／と言えるほど／女たちは暮らしにゆとりがなかつたので／たしかにつりを受け取るものの／一円のやり場に困つて／洗面道具のなかに落したりする。〳〵おかげで／たつぷりお湯につかり／石鹼のとばつちりなどかぶつて／ごきげんなアルミ貨。〳〵一円は将棋なら歩のような位で／お湯の中で／今にも浮き上がりそうな値打ちのなさ。〳〵お金に／値打ちのな

いことのしあわせ。／一円玉は／千円札ほど人に苦労もかけず／一万円札ほど罪深くもなく／
　はだかで健康な女たちと一緒に／お風呂などにはいっている。

なつかしい昭和の風景である。まだ多くの家に風呂がなかった時代、東京の下町に育った僕も、親父とよく銭湯に行った。背中に彫物をした鳶(とび)職の人たちがいた（ヤッちゃんもいたかもしれない）、テレビで顔を知る相撲取りも来ていた。「あっ、○○山だ」と指さして、親父にたしなめられたりした。

東京の銭湯が十九円に値上げされたのは、昭和三十七（一九六二）年である。東京オリンピックの二年前、高度経済成長期は、同時にすさまじいインフレも誘発した。値上げ、値上げ。母親は「一円を笑う者は一円に泣く」と言って、「お金は大事よ」と繰り返していた。十円玉を握りしめて、アイスクリームを買いに行った記憶がある。

そんな時代の一円玉。詩人は、人々が裸で付き合う景色の中で、洗面器のお湯に浮いたアルミ貨を軽やかに綴る。けれども、彼女が大家族を養うために四十一年間、銀行員を生業(なりわい)としたことを知ると、千円札でも一万円札でもない一円玉に対する思いを軽くは読めない。

「お金に値打ちのないことのしあわせ」――石垣の人生観に通底していそうである。

『表札など』からさらにもう一作、タイトルは「くらし」である。

食わずには生きてゆけない。／メシを／野菜を／肉を／空気を／光を／水を／親を／きようだいを／師を／金もこころも／食わずには生きてこれなかつた。／ふくれた腹をかかえ／口をぬぐえば／台所に散らばつている／にんじんのしつぽ／鳥の骨／父のはらわた／四十の日暮れ／私の目にはじめてあふれる獣の涙。

恐ろしい詩である。食べ物の話かと思っていると、親もきょうだいも師も、さらに金も心も食った、と。食べたではない、食った。シジミだけでなく、生存競争のためにあらゆるものを食った、それに涙する自分は獣だという認識がある。

石垣りんの書く詩を「生活詩」、そして彼女を「民衆詩人」と称することがあるが、そんなレッテルを貼っても、彼女の作品は捉えられない。我々も始終目にしている日常を素材に選びながら、それを突き抜ける世界を持っている。怖い、怖い。

石垣りんの頂点をなす詩集『表札など』の九年前、三十九歳で上梓した処女詩集『私の前にある鍋とお釜と燃える火と』には、彼女がまだ突き抜ける前の赤裸々な実人生が描かれている。

「屋根」は、「日本の家は屋根が低い／貧しい家ほど余計に低い、∥その屋根の低さが／私の背中にのしかかる。」と書き出す。「病父は屋根の上に住む／義母は屋根の上に住む／きようだいもまた屋根の上に住む。」その十坪ほどのトタン屋根の家、「負えという／この屋根の重みに／女、私の春が暮れる／遠く遠く日が沈む。」

石垣は大正九（一九二〇）年の生まれ。僕の両親とほぼ同世代だ。四歳で母親を亡くす。父は妻の妹と再婚するが、その義母も二年後に他界する。父は三人目の妻を迎える。詩人は小学校を卒業すると、日本興業銀行に事務見習いとして就職する。進学せずに職に就いたのは、「好きな勉強をするからには働いて、自分の自由になるお金をかせいだほうがいい」と決心したからだという。十四歳の決断、驚きである。詩を書いて投稿する。当初のペンネームが「夢路りん子」というのが、かわいい。

しかし、父親の離婚と再婚。つまり石垣は、四人の母親と暮らしたことになる。その間に妹二人が他界。戦時中の空襲で家屋が全焼する。敗戦の年は二十五歳である。家族六人は品川の路地裏の借家に住む。それが、「屋根」にある十坪ほどの家だ。一家の大黒柱は、病身の父ではなく、石垣りんになっていた。[3]

終戦後の一家の状況は「家」に記されている。

半身不随の父が／四度目の妻に甘えてくらす／このやりきれない家／職のない弟と知能のおくれた義弟が私と共に住む家。〳〵……〳〵そんな家にささえられて／六十をすぎた父と義母は／むつまじく暮している、／わがままをいいながら／文句をいい合いながら／私の渡す乏しい金額のなかから／自分たちの生涯の安定について計りあつている。〳〵この家／私をいらだたせ／私の顔をそむけさせる／この、愛というもののいやらしさ、／鼻をつまみながら／古い日本の家々にある／悪臭ふんぷんとした便所に行くのがいやになる〳〵それで困る。

石垣は、すでに詩を書くための自由を得ることが労働の目的ではなくなっていた。家父長制の時代に、体の自由を失った家父長が娘に頼りきって後妻と仲良く暮らしている。すさまじい家だ！　詩人のうんざりした気持ちを、しかしカラッと綴ってみせる。

いったい人間に被害者意識は生まれつきのものである。逆に加害者意識は教育と経験によってしか持ちえない[4]。だが、石垣は自分が家族の犠牲になっているとめそめそ嘆かない。自分の姿を一歩引いたところから見られる。そこに一さじのユーモアが生ずる。他方、シジミに対する加害者意識もブラックなユーモアを醸す。この人は成熟している。

「犬のいる露地のはずれ」も笑える詩だ。自分の家の露地の出はずれにいる、ずんぐり太った大きな老犬の話。人に愛嬌を示さず、ごろりと寝そべっている。私は犬に愛情を表現せず、犬も黙って私を見ている。だが、

> この露地につらなる軒の下に／日毎繰り返される凡俗の、半獣の、争いの／そのはずれに犬が一匹いて私の足をとめさせる／ここは墓地のように、屋根がない／屋根のある私の家にはもう何のいこいもなくて。

と、老犬を滑稽に描写した後の、一刺しが痛い。石垣は人間様を神のひとつ下、他の動物より上とみる西欧近代の人間観とは無縁だ。

そして、詩集のタイトルにもなった「私の前にある鍋とお釜と燃える火と」である。戦後、男女

同権を唱える女性解放運動の機運が高まった時期に、女が今までしてきた仕事はそんなにつまらないことなのかと問いかけた詩だという[5]。その後半。

炊事が奇しくも分けられた／女の役目であつたのは／不幸なこととは思われない、／そのために知識や、世間での地位が／たちおくれたとしても／おそくはない／私たちの前にあるものは／鍋とお釜と、燃える火と〃それらなつかしい器物の前で／お芋や、肉を料理するように／深い思いをこめて／政治や経済や文学も勉強しよう、

この詩は、男性が喜んでくれ、奥様方には怒られたとか。だが石垣は、右の詩行に続く結びの四行が言いたかったのだと語る[6]。

それはおごりや栄達のためでなく／全部が／人間のために供せられるように／全部が愛情の対象あつて励むように。

見栄や出世のためではなく、勉強しようと。賛成！　彼女の詩には、ウーマンリブとかフェミニズムとかいったイデオロギーの香りがしない。女性詩、でもない。あらゆる文学運動の外に位置している。

ふたたび『表札など』から三篇ほど。いずれも、ベタの現実をベタッとせずに綴っている。「貧しい町」は、町のお惣菜屋と自分の時間について。

一日働いて帰つてくる、／家の近くのお惣菜屋の店先きは／客もとだえて／売れ残りのてんぷらなどが／棚の上に　まばらに残つている。〃そのように／私の手もとにも／自分の時間、が少しばかり／残されている。／疲れた　元気のない時間、／熱のさめたてんぷらのような時間。〃お惣菜屋の家族は／今日も店の売れ残りで／夕食の膳をかこむ。／私もくたぶれた時間を食べて／自分の糧（かて）にする。〃それにしても／私の売り渡した／一日のうち最も良い部分、／生きのいい時間、／それらを買つて行つた昼間の客は／今頃どうしているだろう。／町はすつかり夜である。

一日の気力も体力もいちばん充実した時間に詩を書きたいだろうに。だが、職場でも家庭でも石垣は神経をすり減らして働き、売れ残りのお惣菜のようにくたぶれた時間にやっと詩作に向かう。チェーホフは、前述したように、「医学が正妻、文学は情婦」と言い放った。石垣にとっては、一流銀行の事務員の仕事は、〝正業〟ではなく〝生業〟であった。それでも、まんざら負け惜しみでなく、男の人は出世しなくちゃならないから大変、と繰り返し語っている。本音であろう。職場だけでなく、詩人としての地位にも無関心な女性である。ただ詩を作りたかった。詩を書くことが彼女のささやかな、しかし確固とした〝生きる糧〟であった。[7] そこがステータス・コンシャスなヘッダ・ガブラーとは異なる。

「貧しい町」の最後近く、私の生きのいい時間を買って行ったおまえ、今、何してる？――と皮肉を利かせて、冷めたてんぷらに七味をかける。

「公共」は、天下国家の話かと思うと、公衆トイレの話だ。

タダでゆける／ひとりになれる／ノゾミが果たされる、〃……〃職場と／家庭と／どちらもが／与えることと／奪うことをする、／そういうヤマとヤマの間にはさまつた／谷間のような／オアシスのような／広場のような／最上のような／最低のような／場所。〃つとめの帰り／喫茶店で一杯のコーヒーを飲み終えると／その足でごく自然にゆく／とある新築駅の／比較的清潔な手洗所／持ち物のすべてを棚に上げ／私はいのちのあたたかさをむき出しにする。〃三十年働いて／いつからかそこに安楽をみつけた。

人間にとって一人になれる、心の休まる場所と時間は大切だ。彼女は会社だけでなく、家でもそれを得られなかった。自分の部屋を欲しがり、やっと一人暮らしを始めるのは、父を看取ってから十三年後の昭和四十五年、詩人は五十歳になっていた。それまでは、下着を下ろして身心をむき出しにできるのは、駅の公衆トイレだけだった、と。笑える、そして泣ける。

それでも、石垣は詩を書いた。くたぶれた時間に。彼女の素材は実人生だったから、銀行勤めを定年まで続け、家族の面倒もずっと見ながら、それらを詩作の俎上（そじょう）に載せた。文学は第一次欲求ではない。無くても、命にかかわることはない。しかし、パンのみで生くるにあらず、だ。かつての労働運動でしばしば掲げられたスローガンのひとつは、「パンだけでなくバラを（We want bread, but roses, too.)」。石垣はバラを鑑賞するだけでは気がすまなかった。自分で栽培しないと人生の潤いを感じられなかった。

だけど、されど生業である。第三詩集『略歴』所収の「定年」は、彼女が五十五歳で会社を辞めた時の感慨である。

> ある日／会社がいった。／「あしたからこなくていいよ」／／人間は黙っていた。／人間には人間のことばしかなかったから。／／会社の耳には／会社のことばしか通じなかったから。／／人間はつぶやいた。／「そんなこといって！／もう四十年も働いて来たんですよ」／／人間の耳は／会社のことばをよく聞き分けてきたから。／会社が次にいうことばを知っていたから。／／「あきらめるしかないな」／人間はボソボソつぶやいた。／／たしかに／はいった時から／相手は会社、だった。／人間なんていやしなかった。

長年生計を立てさせてくれた組織に対する相反（アンビヴァレンス）する感情である。そんなに冷めているとは思わない。素直な、正直な詩だ。僕の心情ともドンピシャ一致する。あゝ、早く定年にならないかなあ。

戦争についての詩である。「崖」。

戦争の終り、／サイパン島の崖の上から／次々に身を投げた女たち。〃美徳やら義理やら体裁やら／何やら。／火だの男だのに追いつめられて。〃とばなければならないからとびこんだ。／ゆき場のないゆき場所。／（崖はいつも女をまつさかさまにする）〃それがねえ／まだ一人も海にとどかないのだ。／十五年もたつというのに／どうしたんだろう。／あの、／女。

石垣は国家の始めた戦争を正しいものだと信じて疑わない「軍国乙女」だったと語る。「とうぜんの義務と思ってあきらめ、耐え忍んだ戦争」、戦後になって職場の労働組合で活動して、いろいろなことを学んだけれど、でも「聖戦も、神国も、鵜呑みに信じていた自分を、愚かだった、とひとこと言えば、今はあの頃より賢い、という証明になるでしょうか。私の場合ならないのです」[8]。だから、終戦から二十年後、職場新聞に掲載された百五名の戦没者名簿に寄せた「弔詞」は、

ここに書かれたひとつの名前から、ひとりの人が立ちあがる。〃ああ　あなたでしたね。／あなたも死んだのでしたね。〃……〃戦争の記憶が遠ざかるとき、／戦争がまた／私たちに近づく。／そうでなければ良い。〃八月十五日。／眠っているのは私たち。／苦しみにさめているのは／あなたたち。／行かないで下さい　皆さん、どうかここに居て下さい。

と綴られた。「もう繰り返したくないと願いながら、繰り返さない、という自信もなく。愚か者が、

自分の愚かしさにおびえながら働き、心かたむけて詩も書きます」[9]と。僕の母親も、「戦争は嫌だねえ」が終生の口癖だった。

「挨拶」は、終戦から七年たって、アメリカが報道を許さなかった原爆の写真が初めて公表された、だがその写真があまりにも無惨なので、それに添える詩を書けと組合書記局から言われ、仕事中に一時間ほど休憩をもらって書いたという。

あ、／この焼けただれた顔は／一九四五年八月六日／その時広島にいた人／二五万の焼けただれのひとつ〃すでに此の世にないもの〃……〃地球が原爆を数百個所持して／生と死のきわどい淵を歩くとき／なぜそんなにも安らかに／あなたは美しいのか〃……／午前八時一五分は／毎朝やってくる〃一九四五年八月六日の朝／一瞬にして死んだ二五万人の人すべて／いま在る／あなたの如く　私の如く／やすらかに　美しく　油断していた。

組合の壁新聞に大書された作品である。握りこぶしの反戦詩ではない。イデオロギー臭もない。そう、気張っていない。それでいてことばに力がある。およそ文章は、かくありたし。ほんとうに一時間で書いたのか。いや、一時間だから、力まずに書けたのかも。

石垣は、自分には希望はないとたびたび述べている。願ったのは周りの者の幸せ、無事に皆が食べていけること、戦争中は火の中を夢中でくぐり抜け、平和になればもう戦争が起こらないようにと祈り、家族が傷つくことなく命をまっとうしてほしいと思った、「せめてこれ以上悪いことがありませんように、と小心に、びくびくしながら眠る」と。[10]
希望がないと言い、びくびくしていると語りながら、石垣はイプセンの言う「人生における目的」を持っていた。こういう人は、カミュや魯迅やチェーホフと同じく、救いのない世の中でも〝シーシュポスの岩運び〟ができる。
戦争や原爆の向かう先は死である。石垣が死を綴った詩を二篇。「木」は火葬場の木を取り上げた。

友だちを送りに／久しぶりであの火葬場に行った。〃いまから四十年前／私の四歳の妹も同じ鑵で焼かれた。〃その時も／庭にあの木が立っていた。／木には目がついていないのだろうか。／それとも目をつむっているだけなのだろうか。〃それなら目をさましたとき／びっくりするだろう。／とんだことをした／私は重大なことを見すごしてきたと。〃古い木だなあ、と思った／こんど行ってみて。〃いろんな人の死に／立ち会った木である。〃このでくのぼうめ／お前は私のようだ／死の意味を知らずに突っ立っている。〃木がつぶやいた／たぶん、ね／お前が運ばれてきたら目をあけるよ。

家族をはじめ多くの大切な人々を野辺送りした人である。その実人生に題材を求めて、しかし筆はしだいに寓意性を帯びるようになった。前述のことばをもう一度使えば、〝突き抜けて〟いる。それは、シュルレアリスムやダダイスムといった現代詩特有の難解さを伴わず、貧しい生活の描写に自らの主義主張を込めるプロレタリア文学とも異なる。不思議なほど平易だ。

結びは、イギリスないしはヨーロッパのブラック・ユーモアに通じる。自分を内面(サブジェクティブ)からでなく、外から、客体化(オブジェクティブ)して描ける。そこにドライな笑いが生じる。もっとも、石垣は自分の詩にユーモアがあると評されると、意外、心外、精一杯書いた私の詩のいったいどこにそんなものが、と不満そうではあるけれど[11]。

次の「鬼の食事」も火葬場の風景である。

　泣いていた者も目をあげた。／泣かないでいた者も目を据えた。／／ひらかれた扉の奥で／火は／矩(く)形にしなだれ落ちる／一瞬の花火だつた。／／行年四十三才／男子。／／お待たせいたしました、／と言つた。／／火の消えた暗闇の奥から／おんぼうが出てきて／火照(ほて)る白い骨をひろげた。／／たしかにみんな、／待つていたのだ。／／会葬者は物を食う手つきで／箸を取り上げた。／／礼装していなければ／恰好のつくことではなかつた。

これも辛辣にしてブラックだ。およそ修辞技法を使わない素朴な詩のようでいて、しかし本音を正直に語っていると読者に思わせるのが最高のレトリックだ。悲嘆をウェットに吐露されては、ちょいと辛い。石垣の詩は悲しい場面を乾いた筆で綴って、それでサブテキストは十分伝わってくる。チェーホフの軽喜劇(ヴォードヴィル)にも似て。

そう、チェーホフは生活と思想をつなごうとした。トレープレフの象徴主義は現実から遊離してしまった。それではダメだ。形而下の、ありのままの生活を掬い上げて、そこに形而上的な、ひとかけらの思想なり理想なりを伝えられないか。チェーホフの到達した思想、それは『かもめ』のニーナに託した「人生は忍耐の旅」なる素朴な人生哲学。

その何の変哲もない、ささやかな思想を、チェーホフも石垣も、実生活と密に結ぶことによって、深い味わいのある表現に蒸溜している。これ、真似ようとしてもなかなか真似できない妙技である。

石垣りんがどういう姿勢で詩を書きつづけたか。彼女は日々の生活に明け暮れながら、

その片手間というのではなく、そのこととわかち難く、詩や文章を書きつづってきました。で、私の詩を書く姿勢は、私の暮らし方の姿勢であり、文学への理想も、詩への目標も単独にはありえない、つづり方練習生にすぎません。

また、

私にとって詩は自身との語らい。ひとに対する語りかけ。読んでもらいたいばかりに一冊にまとめたのですけれど、みとめてもらえるというようなことは勘定外でした。(12)

と述べている。谷川俊太郎は茨木のり子と二人で、「過度の謙遜や遠慮はときに傲慢に通ずる」と石垣に苦情を言ったというが、「仮借なく辛辣な詩の中の自分を恥じながら」石垣は主張しつづけた。[13] 彼女ははたからみれば傲慢と思えるほど世俗的な欲をもたず、個人として自立、またどの流派にも当てはまらぬ自立した詩を創作した。

石垣りんの詩作の姿勢、そして彼女の生き方の理想を最もよく表しているのが、彼女の代表作「表札」である。

自分の住むところには
自分で表札を出すにかぎる。

自分の寝泊りする場所に
他人がかけてくれる表札は
いつもろくなことはない。

病院へ入院したら
病室の名札には石垣りん様と
様が付いた。

旅館に泊つても
部屋の外に名前は出ないが
やがて焼場の鑵(かま)にはいると
とじた扉の上に
石垣りん殿と札が下がるだろう
そのとき私がこばめるか？

様も
殿も
付いてはいけない、

自分の住む所には
自分の手で表札をかけるに限る。

精神の在り場所も
ハタから表札をかけられてはならない
石垣りん
それでよい。

僕も早く定年を迎えて、「先生」と呼ばれなくなりたい。「狩野良規、それでよい」なんて言ってみたい。

第6章　先進国病

18　ヘルマン・ヘッセ『車輪の下』

最終第6章は「先進国病」と銘打ったが、それを語るには、まず教育の話をしておかなければならない。教育、わが正業ないしは生業。十九歳で家庭教師のアルバイトを始めてから、塾、高校、予備校といろいろなところで英語を教えた。いや、まさか大学の教員になる、なれるとは思っていなかったけれど。

卒業生と飲むと、よく話している。「生業は大切。家庭を持ったら、子供の学費と家のローンが労働の貴重なモティベーションになる。それでいいじゃないか」、「使命感なんか要らない、自分のやりたい仕事でなくてもいい、職場で腹の立つことは山ほどある。それが生業」、「でも、何の業界で働いても、「プロだねえ」って言われる仕事ができたらいいよなあ」と。

僕にとって英語を教えることは天職ではない。使命感なし[1]、日本の国際化に貢献したいと考えたことなし、学生に国際人になれなんて訳のわからない説教をした覚えもなし。さらに、自分が人様より英語ができるとは金輪際思っていないが、しかし教室で苦労した記憶はほとんどない。どこの、どんな学校で教えても、やることはたったひとつだ。英語の基礎を叩きこむ、それだけ。それで月々のものを頂いている。有難い生業である。

だけどなあ、今の教員、教室の外の雑用があまりにも多すぎる。とくに最近はお上があれやれこれやれ、絵に描いた餅の「べき」論を振り回して、声高に叫んでくれる。おかげで現場の舞台裏はブラック・コメディ状態だ。先生は生徒・学生の方を向いていたら、商売にならない時代である。[2]

おっと、のっけから愚痴っぽくなってしまった。失礼！

で、選んだ作品はヘルマン・ヘッセの『車輪の下』（一九〇六年）である。よく読まれた。日本ではドイツの十倍も読まれているとか。[3] だが、笑ってしまったのは、インターネットの「感想サイト」。あるわ、あるわ。ははあ、夏休みあたりの課題図書になっているわけね。学校で読まされる、それは悲劇だ。面白い小説も、ひとたび教室で取り上げられると、とたんにつまらなくなる。

僕は一浪(ひとなみ)以上の受験生生活の最後、大学の入学試験を受け終えて結果を持つ間に読んだ。終わった、すべて終わったと体の力が全部抜けた時期に、友人に勧められて読んだ。教育という車輪の下であえいでいた身にとって、主人公ハンスの気持ちは惻々(そくそく)と伝わってきた。でも、そのインパクトを忘れたくないからかもしれないが、以後再読はしなかった。

そこで、教員稼業も終わりに近づいた今、もう一度本棚に四十年以上眠っていた高橋健二訳の『車輪の下』（新潮文庫、一九五一年）を取り出して、この小説がなぜ読まれているのか、ないしはなぜ教員は学生に読ませたいのか、さらに教育と先進国病について語ってみようと考えた。

全七章立ての小説の第一章は、ハンス少年の父親ヨーゼフ・ギーベンラート氏の紹介から始まる。仲買人で代理店も営む商人、商才は人並み、健康な体つき、教会に対する信心はうわべだけだが、町の人たちへの儀礼には従順、貧乏人をさげすみ、金持ちを成り上がり者とそしった。俗物で、読むものは新聞だけ、芸術鑑賞といえば町のシロウト芝居かサーカスくらい。妻にはだいぶ前に死なれた。

そんな俗人のギーベンラート氏の一人息子ハンスが、なんと天分のある子供であった。舞台は南ドイツの黒い森（シュヴァルツヴァルト）地方の小さな田舎町。人々はお役人のことを、陰では悪く言い、しかし自分の子供は学問をさせて、役人にしようとしている。まあ、現代の地方に住む日本人の、公務員に対する心情と遠からずであろうか。

そうした偏狭な土地で、たまたま頭のいい子が生まれ、家がさほどの金持ちでなければ、用意されていたのはただひとつの狭き道であった。州の試験を受けて神学校に入り、それからテュービンゲン大学に進んで、聖職者か教員になる(4)。

ハンスの受験勉強が始まった。名誉は努力なしには得られない。ラテン語、ギリシャ語、宗教、数学。どの科目も、校長や牧師や教師が特訓をしてくれた。ハンスは見慣れた風景、「橋畔の小さいゴシック式の礼拝堂も、川も、水門も、せきも、水車も目にとめなかった(5)」。去年、試験勉強のために好きな魚釣りを禁じられた時は、わんわん泣いた。友だちのアウグストは、すでに一年前に学校をやめて機械工の見習いになっている。受験の唯一の恩恵は、自分の部屋を与えられたことだった。そこで奪われた子供らしい遊び以上に値打ちのある時間を過ごし、より高い世界にあこがれを抱くのであった。

シュトゥットガルトでの試験に向かう日、早朝の駅に校長が見送りにきてくれた。前代未聞のことである。州都では伯母の家に泊まり、鉄道馬車に乗った。大都会である。伯母は、今年の州の試験の受験生は百十八人だという情報を聞きつけてきた。合格できるのは、たった三十六人である。故郷の学校では、彼が合格するかどうか、生徒たちが賭をしていた。ハンスは地元の皆が自分のことを考えていてくれると感じた。

初日の試験はラテン語。簡単だった。おっと、ラテン語に関してはすでに本書でも何度か触れたが、もう一度――第二次大戦が終わるまで、ヨーロッパの教養人の第一条件はラテン語ができることだった。古代ローマの言語、中世においては国境を越えて布教するカトリックの僧侶たちが使う、つまり「国際共通語」[6]であり、さらにルネサンス以降も教養人は自分たちの書物を当然のようにラテン語で綴った。文法がべらぼうに難しい言語――僕は初級だけ青息吐息でかろうじてやった――なので、知識人になるための頭のトレーニングの科目としても利用されたわけだ。名をなしたヨーロッパ人たちの自叙伝の中には、高校時代ラテン語で苦労したという話がしばしば登場する。現在は科学教育優先で、ラテン語熱もだいぶ冷めたが、しかし今日でもヨーロッパでラテン語ができると一目置かれる気風は残っている[7]。むろん、インテリの、選ばれた人々（エリート）の世界での話だが。

ハンスはゲッピンゲンから来たはにかみ屋の少年に会った。二人で今日のラテン語の問題を検討する。少年は、もし神学校に受からなかったら高等中学（ギムナジウム）に行くのか、と聞いてきた。翌日はギリシャ語とドイツ語作文の試験、面接、次の日は数学と宗教だった。

試験が全部終わると、ハンスはすっかり自信をなくしていた。父親に、不合格だったらギムナジウムに行かせてもらえるかと聞くと、絶句された。そうか、無理な相談か、もし落ちたら、見習い奉公しかない、「一生平凡なみじめな人間のひとりで終わることだろう」。

しかし、ハンスは二番の成績で合格した。目がくらむような気持ちだった。菩提樹も市の立つ広場も、「なにもかもいつものとおりだが、すべてがいままでより美しく意味深げに喜ばしげに見えた」。ヘヘエ、合格した時の感慨ですな！　僕も大学に受かった時、キャンパスに咲いていた満開の桜の花がとてもまぶしかった記憶が、今でも脳裏に焼きついている。「あゝ、俺は花が美しいなんて、もう何年も感じたことがなかった」と、しみじみ思った。

第二章は、入試が終わったハンスの夏休みの様子である。他の学校仲間がまだ授業を受けている間に、彼だけ一足先に休みに入った。まずは釣りをする。町の週報に、当町から一人だけ神学校を受験したハンス・ギーベンラートが二番で合格したと短い記事が載る。何も口には出さなかったが、誇りと嬉しさで胸がいっぱいになった。

町の牧師の家に魚を届けに行った。ちょいと面白いのは、その牧師館では「聖書の批判が熱心に行なわれ、「歴史上のキリスト」が追究された」とあることだ。聖書のことばは神のことば、絶対的な真理だと、この牧師は考えない。聖書だって、しょせん誰か人間が書いたものだ、批判的に読むべし、ってわけだ。神学校でいちばん重要なのは新約聖書のギリシャ語入門だという。さっそく牧師館に通い、ルカ伝のギリシャ語版を一字一句訳す個人教授を受け、ハンスは真の学問に触れたような気分になった。

だが、靴屋の親方のフライクさんは、あの牧師は不信心者だ、「聖書はまちがっている、うそをついている」と言うだろうが、そんなことを信じちゃいけないと忠告する。人々に愛と慰めを与える素朴な信仰と、新しい科学的な神学の戦い。ブレヒトの『ガリレイの生涯』にあった天動説と地動説の話が思い出される。また、『車輪の下』でも冒頭近く、ツァラトゥストラのことばを知らなくても町の人々はまだ生きていけたとあった。そう、ちょうどニーチェが「神は死んだ」と言い放ったころの小説である。

校長は、ハンスに「美しい功名心」が育っていくのをみて、満足した。「学校の使命は、お上によって是とされた原則に従って、自然のままの人間を、社会の有用な一員とし、やがて兵営の周到な訓練によってりっぱに最後の仕上げをされるはずのいろいろな性質を呼びさますことである」と、作者は語る。時は十九世紀末、ドイツ第二帝国（一八七一―一九一八年）の時代である。

親や教師の期待と虚栄心がハンスの素朴な向上心を煽って、国家の求める有能な人材に育てあげようとする。頭脳明晰で、しかし身心は決して強靭ではない少年が、しだいに誇り高くなり、自分を特別な存在と思いはじめる。二十五歳の若きヘッセ[8]は、国家主義の時代の大人たちと当時の教育体制に厳しい目を向ける。

いや、いつの時代もどこの国でも、お上は国家にとって有益な人間を育成しようとするものである。学校と子供たちを取り巻く環境は、現代の日本でも、ほとんど変わっていないといえるだろう。

第三章。九月になり、ハンスは神学校に入学する。州の西北のはずれ、森と湖の間に建つシトー会のマウルブロン修道院がプロテスタントの神学校になっていた。[9] 生徒たちは俗界を離れたこの美しい修道院で寄宿生活を送り、「都会と家庭生活の、心を散漫にする影響を脱し」、「若い魂の渇望を清い精神的な研究と享受に集中させることができる」と、どこぞの学校の入学案内書かホームページにあるような文言が綴られる。

だが、ヘッセはそれに続けて、「神学校の生徒は官費で生活し勉強することができる。そのかわり、政府は、生徒たちが特別な精神の子となるように配慮している」、「それは一種の巧妙なしかも確実なしるしづけである。自発的な隷属の意味深い象徴である」、さらに「人間というものはなんとまちまちなものであろう。また人間のおいたった環境や境遇もどんなにまちまちなことであろう。それを政府は生徒たちについて、一種の精神的な制服、あるいははっぴによって合法的に根本的に等しくしてしまう」と。

ヘッセの憤りや、いかに。そうね、学校は怖いところだ。それを意識せずに、あまり純粋に従順に先生の言うことを聞いていると、とても危ない。ハンスは、そして作者ヘッセも、スレていないがために悲劇に陥った。ヘッヘッヘッ、学校とは、教育とは、さらに学問とはいったい何なんでしょう。

シュトゥットガルトで知り合ったゲッピンゲン仕込みのラテン語をあやつる少年は、どうやら入学できなかったらしい。「都会のものと百姓の子、裕福なものと貧しいものとは容易に見分けられた。もちろん富んだ人々のむす子が神学校に来ることはまれだった」けれど。ほぼ五分の一の少年たちがメガネをかけている。詰め込み教育によって受かった凡庸な少年たちと、賢い子、反抗的な子がいる。今日でも難関校でよく見かける風景である。

シュヴァーベン地方は神学者だけでなく、哲学的な思索に富む者も多く世に送り出してきた。もっとも、政治的には鋭いくちばしをそなえた北方の鷲プロイセンにすがっている状態だというのが、ヘッセの故郷に対する評価である。

生徒たちが集団生活を送る部屋の名前が笑える。フォーラム（広場）、ヘラス（ギリシャの古名）、アテネ、スパルタ、アクロポリス、そして最後のいちばん小さな部屋がゲルマニアと名づけられている。長く三百余りの領邦国家に分裂していたドイツがやっと統一されたのは十九世紀後半――明治維新（一八六八年）の三年後――、皇帝ヴィルヘルム一世と辣腕の宰相ビスマルクの時代であった。その遅れて来たドイツの歴史家たちは、古代ギリシャを古代ローマとならんでヨーロッパ精神の源として称揚した。[10] ハンスは九人の仲間と一緒にヘラスなる部屋に割り当てられた。

入学式が行なわれる。式に参列した親たちは、「きょう自分の子どもを金銭の利益とひきかえに国に売ったのだなどと、考えるものはひとりもなかった」。ヘッセのダメ押しともいえる辛辣な記述である。

ハンスだけでなく、彼と同室の少年たちの個性もよく描けている。シュトゥットガルトの教授の息子オットー・ハルトナーは、頭が切れ、落ち着いていて、態度も申し分なし。小さな村の村長の息子カール・ハーメルは、自分の殻に閉じこもったかと思うと急に激情的になったりする、わかりづらい奴。シュヴァルツヴァルトの良家の出身ヘルマン・ハイルナーは詩人肌で洗練されている。

さらにヘラスでいちばんの変わり者エーミール・ルチウスは、偏屈で利己的でけち、上手に勉強していい成績をあげようとした。

先生たちは生徒を敬称で「あなた」と呼び、少年たちは自分を大人だと思いたがった。少年たちの間に友情と反感が生まれる。ハンスは母親のいない家庭で育ったせいか、誰かに甘えるのが下手で、内気な少女のように強い誰かが自分を引っ張っていってくれるのを待った。

詩人のハイルナーは、あくせく勉強する人間を見下すところがあった。「彼は自分の考えやことばを持ち、一段と熱のある自由な生活をしていた。」ある日、口先ばかりの同級生と取っ組み合いの喧嘩になった。そして相手が部屋から出ていった後、ハイルナーは涙が止まらなくなった。泣くことは神学生にとって最も軽蔑されることである。ハンスは怯(おび)えながら、ずっと座って様子を窺(うかが)っていた。ハイルナーが姿を消して十五分ほどたってから彼の後を追い、暗い部屋で突然ハイルナーの唇が自分の口に触れるのを感じた。はにかんだ友情、ぎこちない内気な愛情。

生徒たちはヘブライ語の授業で苦労した。旧約聖書の、エホバの奇妙な太古のことばは、枯れひからびているようで、なお秘密を抱いて生きている木のようだった(11)。

それに比べれば、新約聖書はもっと明るくて内面的、言語もヘブライ語ほど古くも深くも豊かでもないが、もっと繊細で若くて熱があった。それからホメロスの『オデュッセイア』の力強く快い調べも。宗教と古典古代、ヘブライズム（キリスト教文化）とヘレニズム（ギリシャ文化）の世界に浸る生活。まさにヨーロッパの教養教育である。

少年たちの間には多くの友情が生まれたが、不釣り合いな組み合わせもあった。いちばん不釣り合いなのは、ハイルナーとハンスだった。天才肌の気楽な詩人と几帳面で努力家の優等生。お天気屋のハイルナーはガリ勉のハンスの勉強を邪魔し、そんなに好きで勉強しているわけじゃないだろ、君は先生や親父が怖いからやっているだけだと、痛いところを突いてくる。だが、ハイルナーは自分の心を打ち明けられる人間、自分の話を傾聴し、感嘆してくれる相手を求めた。奥手のハンスはそれにピッタリの人物だったのである。

暗い冬が訪れ、ハイルナーは変人のルチウスと喧嘩になり、校長の目の前で彼を蹴飛ばした。彼は重い謹慎処分を受け、ブラックリストに載った。皆が彼から遠ざかっていく。ハンスもまた、いちばんの友人の味方をする勇気が持てずに傍観し、ハイルナーから臆病者呼ばわりされる苦い経験を味わった。

やがてクリスマス休暇となり、ハンスは入学以来初めて父親の待つ実家へ帰省した。

『車輪の下』はヘッセの自伝的な青春小説である。彼は小説の舞台ともなったシュヴァーベン地方、そこの小さな田舎町カルフに生まれた。父親はプロテスタントの宣教師、母方の祖父も有名な牧師という家系に育ち、十四歳で難関のマウルブロンの神学校に入学した。しかし、自我の強い反抗的な少年だったようで、規律の厳しい寄宿生活に馴染めず、一年もしないうちに退学してしまう。精神を病んで、自殺未遂を二度、その後いくつかの職につくが長続きせず、十八歳でテュービンゲンの書店の見習いになり、読書をしながら詩や散文を書きはじめて、やっと落ち着きのある生活を見いだした。

二十代半ばで、まだヘッセが作家として世に知られる前にものした『車輪の下』は、若者の側からの学校批判、生徒の個性を育てずに国家の求める精神的な制服を彼らに着せようとする教育体制への怨恨(ルサンチマン)が漂う。もっとも、今日でも自分が受けた教育に対するルサンチマン（ressentiment）は、誰しも多かれ少なかれ抱いているものだが。

で、ヘッセの時代の教育体制は――国民国家（nation）になる前のヨーロッパ、また日本でも、学校は各階級ごとに自分たちの学校を作り、教育を行なうのが当たり前であった。わが国でいえば、江戸時代の武士階級は藩校で、庶民は寺子屋で、それぞれの階級が生きていくために必要な物事を教わった。それが十九世紀後半、近代国家となるためには全国民の教育が必要として、初等教育の義務化をめざす。日本では明治五（一八七二）年に学制発布。

だが、わかりやすく日本を事例にして説明すれば、その後も中等・高等教育に関しては、中学・高校・大学へ進むのは上流階級のみ、庶民の多くは小学校だけ、あるいは青年学校や実業中学校などへ行く時代が、第二次大戦の敗戦まで続いた。いわゆる「複線型」の教育体制というやつである。

日本の近代教育史は、ヨーロッパの制度を横目で見ながらの改革史、ヘッセのころのドイツも、同様の複線型の教育体制を敷いていた。そして、ギムナジウムへの進学など考えられぬ、国民十人のうちのほぼ九人を占める労働者階級の中にも、むろんきわめて優秀な人間はいた。そうした例外的な生徒は神学校に掬(すく)い上げようとしたわけである。

なお、日本は戦後ＧＨＱの占領を機に、「単線型」の教育体制をとっていたアメリカを模して、昭和二十二（一九四七）年より「六・三制」（小学校六年・中学校三年）の単線型義務教育体制に民主主義がスタートしたのである。けれども……

移行した。「教育の機会均等」、「すべての国民に同じ教育を」なるスローガンのもと、ピカピカの[12]

話が先へ進みすぎた。我々はまだ十九世紀末、南ドイツの静かな神学校にいる。第四章。先生たちから「革命的な不満な分子」として監視されていたハイルナーが風邪を引いて病室で寝ていた。ハンスは彼を見舞い、先に彼を見捨てた行為を詫び、話し相手を欲していたハイルナーもハンスを許した。「ふたりの早熟な少年は友情の中に、初恋の微妙な神秘の一端を、わくわくする恥じらいをもって無自覚ながら、すでに味わっていたのだった。」現代の小説だったら、もっとスキャンダラスな描写と展開になるだろうが、百年以上前の作品はここまでである。

むしろ面白いのは、それに続くヘッセの天才と教師に関するうんちくである。天才的な人間は教授を尊敬せず、タバコを吸い、恋をし、酒を飲み、禁書を読み、生意気な作文を書く。「学校の教師は自分の組に、ひとりの天才を持つより、十人の折り紙つきのとんまを持ちたがるものである。」教師の役目はラテン語や計算のよくできる小市民を育てることであるから。先生と生徒、「両者のいずれがより多く暴君であるか。両者のいずれがより多く苦しめ手であるか。他方の心と生活とをそこない汚すのは、両者のいずれであるか」。

ここはヘッセの筆が公平だ。そうね、今日でも生徒の心の病や自殺の話はしばしばテレビや新聞で報道されるが、教員に鬱が多いことはあまりニュースにならない。彼らの神経をすり減らす働きぶりたるや。

そして、真の天才は学校に屈せず、よき作品を創り、それはやがて後世の先生たちから傑作として引き合いに出されるようになる。こうしていつの時代も「規則と精神とのあいだの戦いの場面は繰り返されている。そして国家と学校とが、毎年現われて来る数人の一段と深くすぐれた精神を打ち倒し、根元から折り取ろうと、息もつかずに努めている」。結びは、教師に憎まれた者が、後に国民の宝を富ますこともあり、しかし多くの反逆児は「内心の反抗のうちにみずからをすりへらして、破滅」していく、と。

さて、僕はどういうスタンスで問題児たちと付き合ったらよいのでしょうか⁉　金太郎飴のようなプチブルの優等生ばかり作ってもつまらないし、さりとて……悩ましいところですな。

校長。彼は人柄がよく、実務的な才もなくはなく、生徒たちに対してお人よしなくらい親切心を持ち、彼らを親称で「君」と呼ぶのを好んだ。だが――と、ここからだ。彼は自負心が強く、教壇では自慢話をし、「自分の勢力や権威が少したりとも疑われるのをがまんすることができなかった」。だから、優等生とはひじょうにうまくいったが、彼にちょっとでも反論する正直な生徒には、すぐにかっとなって声を荒げた。ヘヘエ、僕の周りにも時々いる。自分の気に入っている学生の面倒はとてもよくみるんだけど……教員にとって重要な資質のひとつは、多様な若者たちに対応するための胆力と忍耐力である。

ハンスはハイルナーから離れろという校長の忠告を拒否し、しだいに勉強に身が入らなくなっていく。ハイルナーの方は校長とふたたび揉めて、学校を脱走する。三日後に捕まり、結局退学。ヘッセは記す、「あの熱情的な少年は、のちに、なおいろいろと天才的な所業と迷いとを重ねた末、悲惨な生活によって、身を持すること厳に、大人物といわないまでも、しっかりしたりっぱな人間になった」。熟慮して書いたと思われる、短い後日談。ハンスだけでなく詩人肌の反逆児ハイルナーもまたヘッセの分身であろう。[13]

第五章から小説の最終第七章まで。ハンスはしばらくは持ちこたえた。だが頭痛がするのが常になる。授業についてゆけなくなり、教師の彼に対する評価は落ちていった。ハンスは父親からの激励の手紙に心を痛めた。ヘッセは思春期の長いトンネルの時期、優しい母に助けられたが、この小説では母親はカットされている。「学校と父親や二、三の教師の残酷な名誉心とが、傷つきやすい子供のあどけなく彼らの前にひろげられた魂を、なんのいたわりもなく踏みにじ」った。少年は神経症が懸念された。

ハンスは静養のために実家に帰され、そのまま学校へは戻らなかった。失意の少年は天気のよい日は、幾時間も森の中で寝ころんだ。彼は初めて、故郷の学校の最後の二年間にひとりも友だちがいなかったことに気づく。苦しみと孤独の中で、彼は死を思い、遺書も書いたが、思いとどまった。ハンスは三年前にあこがれた娘エンマ・ゲスラーと再会する。彼がエンマに気を引かれると、彼女の方からキスを求めてきた。ほのかな匂いのするほどけた髪がハンスの額に触った。彼女は両手で彼の頭を押さえ、唇を離そうとしなかった。ハンスは彼女の口が燃えるように感じた。

翌日もエンマと会うことになった。地下室の階段に二人で並んで座る。「彼女はもういくどもキスを味わったことがあり、その道のことを心得ていた。内気で情愛のある少年は彼女にとってまさに手ごろだった。」激しいキスをされ、ハンスはめまいに襲われる。娘は彼に体を押しつけ、彼の手をコルセットの中に入れさせた。それでも初心（うぶ）な少年は何もできずにいたので、エンマは帰っていった。

『車輪の下』は頭でっかちのメッセージが際立つ小説ではない。神学校の少年たち、教師たち、さらにハンスを誘惑するエンマなどの登場人物、そして彼ら彼女らがつながり、交流し、反発する様が巧みに描かれている。また、ヘッセの故郷の自然描写も美しい。

学校をやめて見習い工をしていたアウグストは、すでに一番弟子になっていた。ハンスは鍛冶屋の弟子になる。みじめだ。「あれほどの苦しみも、勉強も汗も、あれほど身をうちこんだささやかな喜びも、あの誇りも功名心も、希望にはずんだ夢想も、なにもかもむだになり、結句、すべての仲間より遅れ、みんなから笑われながら、いまごろ一ばんびりの弟子になって仕事場にはいるというのが、けりだった。」

それでも、「ハンスは生まれてはじめて労働の賛歌を聞き、味わった。それは少なくとも新参者にとっても、心をとらえ快く酔わせるものを持っていた。彼は、自分というささやかな人間と、自分のささやかな生活とが、大きなリズムに接合されたのを感じた」。

そう、徒弟制は今は流行（はや）らないかもしれないが、悪い制度ではない。お金を払って学校で教わると、ついつい〝お客様気分〟になってしまう。それよりは「この仕事をやるんだ」と腹をくくって、親方（マイスター）についてその分野の基礎を叩きこまれる。半人前扱いされて、力のなさを日々思い知らされ、叱られ、時にはこづかれながら。総じてヨーロッパは戦後になっても大学進学率が低い——いや、ごく最近まで低かった！――が、ドイツもその典型である。その理由としてしばしば語られるのが、しっかりとした徒弟制が確立されているから、と。どの職業につくにも、親方の下で修業する方が学校で習うより、ずっと効果的、身が入る。賛成！(14)

日曜日、ハンスはアウグストたちと遠足に行った。一週間働いた後の休日の楽しさを味わう。リンゴ酒やブドウ酒がわきたっている。踊りや歌や恋の戯れに誘われる気分だ。小説の後半は、自然と女性と肉体労働の悦びが綴られる。

僕はいつも苦笑してしまうのだが、ヨーロッパのインテリは、なんだかんだ言いながら、最後は労働者階級の方が幸せだ、という方向に話が向かう。学問は〝禁断の木の実〟、知的な労働なんてのも人間性の自然に反する、やらない方がいいよ、と。まあ、僕も同感せざるを得ないのだが。

ハンスは飲みすぎた。家では父親がなかなか帰ってこない息子に腹を立て、心配しながら待っている。そのころ、ハンスは夜の川に落ちていた。その場を見た者はいない。足を滑らせたのか、水を飲もうとしてバランスを失ったのか。

現代の小説なら、はっきり自殺と書かなければインパクトがないだろう。だが、キリスト教圏では、自ら命を絶つのは天下の大罪。なるほど、あいまいだからこそ、学校の先生たちは夏休みの課題図書にしやすいのだろう。

作家はしばしば自分の分身たる登場人物を殺して、自分の精神を、むろん肉体も生き延びさせることがある。ゲーテはウェルテルを自殺させ、グレートヒェンは処刑して、自らの魂を救い、そして、ヘッヘッヘッ、八十歳を過ぎる最晩年まで女性を追いかけまわしていた。

葬式で靴屋の親方フライクが、教師たちを指さしてつぶやく、「あすこに行く連中も、あの子をこういうはめに落とす手伝いをしたんじゃ」。親と教師の見栄が、さらに学校、そして国家が、まだ自立する前の若者の個性を潰そうとすることへの、ヘッセの強烈な反発。

ヨーロッパの戦後の教育が〝個の自立〟をその基本精神としている背景には、過去のこうした国家主義的な教育体制を内省し、それを反面教師にしたところがある。自らの主になっている人々の集合体が真の民主主義だ！　美しき理想だなあ。心からあこがれてしまう。けれども、学生たちの精神的な自立を促す教育は、それを見守る教員としては、まさに胆力と忍耐力が勝負であって……石垣りんのように十四歳で詩人になる決心を自分でする、なんてのは例外中の例外。今日日の日本の若者たちは、ほとんど〝自分探し〟のために大学に進学する！[15]

と、はい、やっと先進国病の話の入口にたどり着きました。やれやれ[16]。

19　J・D・サリンジャー『キャッチャー・イン・ザ・ライ』

先進国病。エーリッヒ・フロムからスタートしようか。自分が生きていく目的を見いだせずに内面の魔物と闘うヘッダ・ガブラーの姿を追った際に、しかし人間は自分が心の底から何を欲しているのか、そう簡単にはわからないものだと唱えるフロムの有名なことばを引用しておいた。[1]

ユダヤ系の社会心理学者フロムは、ナチスから逃れてアメリカへ渡り、第二次大戦中の一九四一年に『自由からの逃走』を上梓した。執筆の動機は――ヘッセの生きた第二帝政が第一次大戦の敗戦とともに崩壊し、ドイツはワイマール共和国[2]の自由主義の時代を迎えた。にもかかわらず、ドイツの民衆は結局〝自由〟から逃避してヒトラーを熱狂的に支持するようになる。それはなぜなのか。[3]

自由とは単に外圧がなくなるだけでは得られない。民衆ひとりひとりが個を確立しないと、寄らば大樹の陰なる心理はなくならないよ、と。フロムの本で面白いのは、ドイツ第三帝国の大衆心理という眼前の現実をモチーフとしながら、それにとどまらない、近代人が広くあまねく自分たちの獲得したはずの自由を持て余している様を、人間の心を裏側から凝視する精神分析学的な視点から、壮大なスケールで考察しているところだ。

世界中のインテリに愛読されたこの本は、日本の大学生にとっても戦後のある時期まで必読書であった。厳しい受験戦争を経て、やれやれ、やっと大学には入ったけれど、「ここはどこ？」、「私は誰？」のアイデンティティ・クライシス状態、日本の大学でいうところの「五月病」[4]にかかった学生は、フロムの自由論を鏡にして自己を見つめた。

いや、日本全体を見渡せば、戦後復興から一九六〇年代の高度経済成長、七〇年代のオイルショックも早々に脱して、八〇年代のバブル期と、総じて大人たちは自らの職場に〝自己実現〟の場を見いだし、先進国病の兆候は他国に比べて、その認識が遅れた感がある。だが、バブルの弾けた一九九〇年代の前半からガタガタッと来た。一九九五年に阪神・淡路大震災とオウム真理教による地下鉄サリン事件が起こる。一九八九年に始まる平成一桁期は、経済だけでなく、日本人の精神構造のタガが外れたような人心の荒れ方とどんより暗い世相を呈した。そして二十一世紀は、ニューヨークの九・一一同時多発テロ（二〇〇一年）で幕を開ける。東日本大震災が二〇一一（平成二十三）年。〝平らに成る〟はずの平成、僕にとっては厚い霧に覆われた暗いイメージの時代にみえた。[5]

そのタガの外れた、後ろ向きの精神状態を、僕はよく「先進国病」ということばで表現している。それは繰り返すが、高度成長で国家が〝行け行けドンドン〟状態にあったころの日本では、あまり自覚されなかったかもしれない。だが、大学生だけは五月病という症状で、先進国病の何たるかを肌で感じていたといえるだろうか。そう、文学においても、かつてはヘッダ・ガブラーやボヴァリー夫人やチャタレイ夫人のような上流の有閑マダムを主人公にしないと描けなかった先進国病を、少なくとも先進国の一般民衆は共有するようになった。

そんな先進国病を扱った古典的な青春小説が、二度の世界大戦の勝ち組の大将となり、人類史上ずっと続いていた飢餓との戦いをいち早く脱した超大国アメリカから誕生したことは、あながち偶然とはいえないだろう。一九五一年、J・D・サリンジャーの『キャッチャー・イン・ザ・ライ』が出版される。社会心理学書『自由からの逃走』を小説に書き直すとこうなる！　その、食うに困らない、生活に不自由のない若者の深き苦悩を描いた青春文学は、「アメリカ文学史上最大のベストセラー小説[6]」となって、今日に至るまで読み継がれている。ストーリーはべつにどうということはない、高校を退学になった中流のお坊ちゃまがニューヨークの街をブラブラする、ただそれだけのまったりとした物語なのに。ヘッヘッヘッ、どこがいいんだ、このグダグダとした、はっきりしない小説？

実は僕は若いころ、サリンジャー文学とは出会っていない。『車輪の下』には心を揺さぶられたが、僕は大学に入った後、五月病にはまったくかからなかった。芽の出ない下積みの時期ながら、結局学部八年間、大学院修士課程三年間、のらりくらりと〝モラトリアム〟を延長しつづけて、精神的な〝自由〟を謳歌した。

そのころ、一応英語文学のスタンダード作品だからというのでサリンジャーも読んではみたが、若者ことばの俗語が多くて辟易（へきえき）、英文が全然頭に入ってこなかった。それは原書で読むのをあきらめて、野崎孝の翻訳（『ライ麦畑でつかまえて』白水社、一九六四年）で読んでも、同様だった。やっぱり文学は、読み手の問題意識なりモティベーションなりと共鳴する作品を選ばないと、ダメなのだ。

ところが、僕のゼミの学生は、もう何人もサリンジャーで卒論を書いている。僕がサリンジャーもアメリカ文学もほとんど興味ないよ、と嫌な顔をしても。まあ、自分の好みを押しつけたくはない。「個の自立」を努力目標とし、「黙って俺について来るな」なんてスローガンを掲げているゼミだ。「やめてくれ」と強く言うわけにもいかない。それで、僕にとってはすでに解消した問題を扱ったサリンジャー小説にも、ずいぶんと付き合った。

と、前振りが長くなってしまった。ミレニアムを過ぎてから、超人気作家の村上春樹による新訳『キャッチャー・イン・ザ・ライ』（白水社、二〇〇三年）が出た。村上が間違いなく大きな影響を受けている小説――むろん、彼は絶対にそんな風には言わないが――、そして彼のグダグダした小説の書きっぷりにも一脈通じている作品。なので、本節の引用は村上訳を使うことにした。さてさて。

一人称の語り手、十七歳の「僕」ことホールデン・コールフィールドが語りはじめる。「去年のクリスマス前後に僕の身に起こったとんでもないどたばたについて」だという。「うちの両親はいい人たちだ」、それから兄のＤＢは作家になって羽振りがいい。最初は『秘密の金魚』なんて短篇集を出して、「こいつは掛け値なしに最高の本」だったが、今はハリウッドで「せっせと身売りみたいなことをしている」。

僕はペンシルヴェニア州のペンシー高校の生徒、ニューヨークに住む両親と離れ、『車輪の下』

のハンスと同様、寄宿舎生活を送っていた。学校の広告には「いつもそれっぽい若者が馬に乗ってフェンスをひょいと飛び越えている写真が使われてる」が、学校の中でもその近辺でも馬なんか一度も見かけたことはなかった。ホールデンは四科目で落第点を取っても全然やる気を出せず、ついに退学処分をくらって、クリスマスを前に実家に帰ることになった。フェンスをひょいと飛び越えられなかったわけだ。

僕は体調不良で、「結核っていうか、そういう感じになっちまって」、あれこれ検査するために今、病院に入っている。「まあとくにどっかが悪いってことじゃないんだけどね。」

ホールデンは高校を去る前に、歴史担当のスペンサー先生に別れを言いに行った。七十歳を過ぎているかもしれないお爺ちゃん先生で、ホールデンを落第させたことを後ろめたく感じているらしい。誠実な先生だ。でも、「案の定お説教がしっかり始まった」ので、自分の方から「歯の浮くようなことをべらべらとしゃべり」、しかし頭の中では実家の近く、セントラルパークにいるアヒルたちのことを考えていた。

口から出まかせばかりのホールデンは、物語の信頼できる語り手ではない。自ら「僕はとてつもない嘘つきなんだ。まったく救いがたいくらい」だと述べている。それでいて、いいかげんな大人たちには我慢できない。学校の新寮の名前はペンシーの卒業生オッセンバーガーにちなんで名づけられたが、「このおっさんはペンシーを出たあと、葬儀場ビジネスで一財産こしらえた」人物。チャペルでスピーチをすると、「これがなにせ十時間くらい延々と続くんだ。まず最初に五十くらい気の抜けたジョークを並べ立てる。そうやって自分が気さくなやつだということを僕らに印象づけるわけだ」。そうね、美術館でも劇場でも学校の新校舎でも、大口の寄付者の名前がついた建物がたくさんあるわな。十六歳の純な少年からすれば、それは大人の功名心、名誉心、虚栄心の象徴と映る。

ホールデンは友だちに関しても、悪口ばかり並べる。寮の隣部屋のアックリーは歯を磨かない、マッチの軸で爪を掃除する、にきびを指で潰す。不潔な奴だ。女の子とセックスをした話をするが、聞くたびに違う、作り話らしい。彼も、ホールデンも、童貞のようだ。女にもてるのは、僕と同室のストラドレイター。ハンサムだが、「自分自身にぞっこん惚れ込んで」いて、「人生の半分くらいを鏡の前に立って過ごしている」。うぬぼれ屋で、頭にはセックスのことしかない。彼だけは女の子と「ほんとにやってる」らしい。また、調子ばかりいい奴で、作文の宿題をホールデンに頼み、でもあまりうまく書きすぎるなと注文をつけ、あげくに僕の書いた作文の内容に不満で、殴り合いの喧嘩になる。あゝ、青春。

けれども面白いのは、ホールデンが弟のアリーについては悪く言わないこと。二歳年下で、白血病で他界した。当時十三歳だった僕は悲しくて、ガレージの窓ガラスを一枚残らず割り、精神分析みたいなのにかけられそうになったと回想する。傷つきやすいホールデンは、自分にちょっとでも攻撃を仕掛けてくる奴のことは嫌悪するが、無力な者、動かない、変わらない物、すでに死んでしまった人間などには優しくなれる[7]。

で、僕は退学を通知する手紙が親に届く前に寮を飛び出す。ニューヨークへ向かう夜行列車の中で、同級生の母親と出会う。ホールデンが「どん底のろくでなし」だと思っている生徒、しかしそんなことはおくびにも出さず、彼女の息子を誉める。僕は軽薄極まりない大嘘つきだ。

ホールデンは、他人に認められたい欲求を人一倍持っている。自分を上に見せたいために、人を見下し、口汚く罵り、嘘も平気でつき、でっかい話をする。だが、すねていて、自虐的で、偽悪的でもある。根性が曲がっているというやつだ。けれども根はまじめ。まだ社会の泥にまみれていない少年だ、純粋で、脆くて、潔癖で……十代のころに、あれこれ努力し、試行錯誤すれば、いずれ自己実現できる日もあろうものだが、なかなか遠き未来のことなんか……お丶、ホールデンだけじゃない、思春期の若者は皆、心の中に〝ホールデン的なもの〟を抱えている！

ホールデンはニューヨークに着くと、タクシーで安ホテルへ行く。ベルボーイはよぼよぼで頭の禿げた老人、「わきの方から髪を目いっぱいあつめてきて薄いところを隠そうと」している。案内されたのは、窓外の景色なんてない、壁しか見えない部屋。向かい側の部屋では男が女装している、別の部屋では男女が口に含んだ水をかけ合っている。宿泊客は変態か低能ばかりだ。それで二年ほど前に付き合っていた女の子のことを思い出した。「頭の中だけで言えば、僕はたぶん世界一のセックス狂」、その「僕に輪をかけて下劣な子でね、いやらしいことが根っから好きだった」。でも、行為には至らずじまいだったみたい。「セックスってのは、僕にはもうひとつよくわからない」と、それは未経験のホールデンには、興味津々だが不潔にも思えるのであろう。

妹のフィービーが思い浮かぶ。可愛くて頭のいい子、まだ十歳だ。学校の成績は全部A、ローラースケートの似合う痩せ方で、感情が強く、「暇さえあれば本を書いている」。珍しく誉めているが、誇張はありそうだ。

僕はホテルのナイトクラブに行く。ぱっとしない後方のテーブルに案内され、おまけに未成年だと見抜かれ、酒を出してもらえない。隣のテーブルには三十歳くらいの三人の女性が座っていた。皆、「相当醜い顔をしていて」、「田舎からはるばるニューヨークに出て来たおのぼりさんだなと、一目でわかる」。ダンスに誘うが、ことばづかいをたしなめられる。見下している相手に見下される。ヘヘエ、ナンパや合コンの時の心理と似てるか⁉

ジェーン・ギャラガーの顔が頭に浮かぶ。隣の家の娘、変ちくりんな女の子で、口が大きく、美人ではない。なのに、「彼女は僕をノックアウトした」。一度だけネッキングに近いところまで行ったという。僕は女の子をからかうのが大好きなんだけど、「不思議なことに、僕がまともに好きになっちまうのはきまって、あんまりからかったりする気になれない女の子たちなんだよ」。潜在意識下では、まじめな子ときちんと付き合いたいのだ。

ホールデンはタクシーを拾って、グリニッジ・ビレッジにある「アーニーズ」というナイトクラブへ向かう。僕はよくタクシーを使う。金は持っているのだ。タクシーの運転手にしつこく話しかけて、嫌われる。ホールデンは人嫌いではない。むしろ人と交流したい。でも、口をついて出るのは、悪口や自慢やしつこい話ばかり、それでまた嫌がられる。

アーニーズは夜も更けてくる時間なのに、満員盛況だった。クリスマスの季節の週末、客は生意気そうな学生たちがほとんどだ。そんな客を前にしてピアノ弾きは曲を「とてつもなく俗悪なものに変えて」演奏し、最後に「すごくインチキくさい謙虚な一礼」をした。その嘘っぽさ、俗物性に、僕は嫌悪感を覚える。とんちき連中の学生たちに囲まれて、ホールデンは〝居場所〟がない。[8]自分の寄って立つ場所のない、心の満たされぬ、根なし草の若者が大都会の夜を彷徨(ほうこう)する〝地獄めぐり〟の物語。

僕は歩いてホテルまで戻った。ヘッヘッヘッ、帰りはタクシーじゃないんだ。エレベーターの中で、エレベーター係の男に女はいらないかと声をかけられる。「ちょいの間(ま)が五ドル、一晩で十五ドル」。僕はちょいの間を頼む。「あと一歩で、というところまではずいぶん何度も行ったんだけど、でも結局は最後までやらなかった」童貞の僕にとっては、「ビッグ・チャンスだぞって考えた」。

安娼婦を待っている間の描写がおかしい。歯を磨き、新しいシャツを取り出し、なんとも落ち着かない。「僕としてはとにかく早くすませてしまいたかっただけだ。」やって来た女の子は、ブロンドに染めているのが見え見えの髪で、グリーンのドレスにピンクのスリップ、「やたら神経質な女」――神経質になっているのは、ホールデンの方だろう――、僕と同じくらいの年格好で、結局ホールデンは気持ちが萎(な)えてしまって、やらずじまい。おまけに、ちょいの間のはずが、後からエレベーター係がやってきて、追加料金を取られ、文句を言ったら、腹を一発殴られた。僕は「そのまま死んでいくような気がした」。

まだ未経験の若者にとって、初体験は人生の一大事だ、キャッ！　女やセックスの話が繰り返し出てくる小説である。また、好きか嫌いか大きく分かれる作品でもある。そして、愛読書なんだけど、それは友だちに言わない、言いたくないという〝隠れキャッチャー・ファン〟も多い。だって、見たくない自分の姿が描かれているわけだから、ホールデンへの共感も嫌悪感も当然あるはずである。

翌朝。僕は十時くらいに目が覚めて、サリー・ヘイズに電話した。「とくに夢中になっているというのでもなかったけど、とにかく僕らはけっこう長いつきあい」をしている。ルックスは文句なく、頭はあまりよくなく、インチキ臭いところもあるが、その分ジェーン・ギャラガーより気楽に話ができるようだ。彼女とデートの約束をする。

ホテルをチェックアウトし、またタクシーを使ってサリーとの待ち合わせ場所近くの駅へ行く。財布の中身を勘定する。ずいぶん使った。「僕はもともとが浪費家なんだよ。」両親の話が出てくる。父親は弁護士、「かなり金持ちなんだよ」。アイルランド系で、カトリックだったが、結婚する時に教派を変えた。母親は僕の弟のアリーが死んでから調子がよくない、すごくぴりぴりしている。

おっと、サリンジャーは父親がユダヤ系の実業家、母親はアイルランド系スコットランド人でカトリック、結婚して彼女の方がカトリックを捨てた。アメリカ、それも公民権運動や人種差別撤廃運動のあった一九六〇年代より前の時代である。差別されたのは黒人やヒスパニックやアジア系だけではない。同じ白人の中でもユダヤ系やアイルランド系はWASP――ホワイト（W）でアングロ・サクソン（AS）でプロテスタント（P）、かの国の支配階級――より格下だ。さらにユダヤとカトリックも水と油。サリンジャーはハーフ・ジューイッシュ、生粋のユダヤ人からはよそ者扱いされ、アングロ・サクソンのコミュニティにも入れない。強いアイデンティティ・クライシスを抱えていたはずだ(9)。

ホールデンは駅に到着し、小さなサンドイッチ・バーで朝食を食べる。そこで二人の尼さんが隣の席に座る。ぜんぜん尼さんっぽい話し方じゃなくて、感じがいい。僕がカトリックかどうかも尋ねてこない。ホールデンは気前よく十ドルの寄付をして、恐縮される。

僕はなんとなくブロードウェイの方に歩いていく。日曜日の人混みはすさまじかった。僕は去年、兄のDBが連れていってくれたサー・ローレンス・オリヴィエ主演の『ハムレット』を思い出した。「生身の人間みたいに振る舞わない」俳優が好きではない僕にとって、天下のシェイクスピア役者も「頭がこんがらがった気の毒な青年というよりは、どっかのお偉い将軍みたいに見えた[10]」。

僕は子供のころから好きだった自然歴史博物館に向かった。そう、剝製になった動物や鳥たちは動かない、僕を傷つけない、安心できるわけだ。でも、博物館の前に着くと急に、僕は中に入りたくなくなる。ふたたびタクシーを拾って、サリーと約束したホテルへ行く。

サリーと会う。彼女はきれいだった。「彼女を見たとたんに結婚したくなっちまった」、「彼女のことがとびっきり好きってわけでもない」のに。一緒に見た芝居はまあまあだった。しかし、役者が「いささかうますぎ」て、嘘っぽかった。幕間に聞こえよがしな大声で批評し合う観客たちも嘘臭い。「自分たちがどれくらいシャープな人間かみんなにわかるように」しゃべりまくっている。気に食わない。ヘヘエ、自分も似たり寄ったりなのに。

それからスケートに行く。サリーと話しているうちに、突然「二人でここを抜け出そうじゃないか」と「混じりっ気なしに本気」でもちかけ、もちろんサリーは拒絶、「私たちってなんのかんの言ってもまだ子どもなのよ」と怒りまくって、二人は喧嘩別れした。

青春ですね。若者（わかもの）は馬鹿者（ばかもの）に似ている！　まだ社会と、そして自分の人生と折り合いがついていない。自らがプレイヤーとしてグラウンドに立たず、遠間（とおま）の観客席から野次を飛ばしているだけ。自分を棚に上げた野次は、素朴で正直で辛辣で無責任だ。インターネットの匿名の書き込みにも通じる。

僕（狩野）が長年付き合っている大学生たちも、さまざまな意味でホールデン的な、また『異邦人』のムルソーのような気質をもっている。さらに米文学者の柴田元幸は、この小説を一種の「狂人日記」だと述べている。[11] 前向きな、積極的な、建設的な要素が見当たらない作品。そうね、サリンジャーの綴った『どん底』でもあるかな。

僕がダラダラと、グズグズと、あてどない自分探しの旅をしている若者たちと、さほどイライラせずに連（つる）んでいられるのは、自分もモラトリアムが長かったから、そしてそうした自らの存在理由（レゾンデートル）を模索する青春時代を、とっても大切だと思っているから。[12] でもなあ、今の学生よりは昔の僕の方がもうちょっと何かを求めてもがいていたような気もするんだけど、僕の気のせいであろうか。

ホールデンは時間潰しに戦争映画を見て、兄のことを考えた。ＤＢは四年間も軍隊に入っていた。「彼は戦争よりも軍隊のほうをより憎んでいたと僕は真剣に思うんだ。[13]」ホールデンにとってハリウッドで成功している兄は、あこがれの存在であり、かつ俗世にまみれて不誠実にも思える。

僕は以前の学校の寮で指導係だったカール・ルースに電話をかけて、彼を呼び出した。超インテリで、今はコロンビア大学の学生、僕は対等の口をきこうとするが、子供扱いされ、相手にされない。おまえは変わってないな、精神分析を受けろ、と。

斜にかまえ、虚勢を張れば張るほど、周りから見透かされるホールデンがそこにいる。僕は今の自分に納得していない。もっと違う自分があるはずだ。しかし、自分のなりたい自分の姿は思い描けない。若い時は、ありのままの自分をなかなか愛せないものである[14]。

酔っ払ってサリーに電話をかける。寂しい、人恋しい。でも、「はいはい。じゃあね。うちに帰っておやすみなさい」とすげなく言われ、電話を切られる。ホールデンみたいな奴は、実際にそばにいれば、面倒臭い、うっとうしいことかぎりない。この作品はホールデンと社会との闘いの物語ではない[15]。敵は己の心の中にいる。このまま成長しないで大人になると、ヘッダ・ガブラーになってしまう。

金もなくなってきた。酒もすっかり醒めた。僕はこっそり家に帰る。両親に気づかれぬように忍び足で、DBの部屋を占領しているフィービーに会いに行く。ハリウッドに行った兄が使っていたのは「うちではいちばん大きな部屋」、「気がふれたみたいにでかい机」があり、「やたら巨大なベッドもあった。なにしろ縦十マイル、横十マイルくらいあるんだよ」。大きなものが好き――現在の自分に満足できず、自分は小物だといじけている人間にかぎって、大きなものを好み、大口を叩く。そんなホールデンの心象風景でもある。

やがてフィービーが目を覚ます。彼女は大喜びで僕の首に抱きついてきた。だが、勘のいい妹はしばらく話している間に、僕が学校を追い出されたことを見抜いてしまう。「また全科目落としちゃったんでしょう」、「あなたは学校と名のつくものが何もかも気に入らないじゃない」と。ヘッヘッヘッ、六歳年下の妹は弱き者、自分より格下の安心できる存在だと思ってかわいがっていたのに、そのフィービーに図星を指されて責められる。お兄ちゃん、「気に入っているものをひとつでもあげてみなさいよ」、「好きなこと、ひとつだって思いつけないんじゃない」。

「僕はアリーが好きだ」と言うと、「アリーは死んでるんだよ」。そう、自分に口答えしない相手は愛せる。将来は何になりたいの、お父さんみたいに弁護士になったら？「弁護士も悪くはないと思う。でもさ、あんまりぴんとこないんだ。」弁護士って「大物づらをすることで手一杯」なんじゃないか、「無実の人間の生命をじっさいに救ってまわっているとしても」、それは「すげえ弁護士だとみんなに思われたくてやっていること」かもしれない、「自分がインチキ人間かどうかなんて、自分じゃなかなかわからないものなんだ」。

いや、ホールデンにも人を救いたいという願望はある。僕はライ麦畑みたいなところで遊んでいる小さな子供たちが、そばのクレイジーな崖っぷちから落ちそうになると、かたっぱしからつかまえるんだ。「さっとキャッチするんだ。そういうのを朝から晩までずっとやっている。ライ麦畑のキャッチャー、僕はただそういうものになりたいんだ。」

この挿話が小説のタイトルに使われている。だが、人を救済したいという若者の純粋な気持ちは、社会の中で揉まれ、数々の失敗を繰り返し、時に助けようとした相手に疎まれ、自分は本音から他人のために尽くしたいのか、それともただ単に自己顕示欲からやっているだけなのかと絶えず内省させられながら、人と接する技術と姿勢と忍耐力を磨かないと、真のキャッチャーにはなれない。本書でも何度か触れたように、人間の救済者願望とは純朴にしてかえって邪魔になることもある、けっこう面倒な心理なのである。

ホールデンはかつての英語の先生、今はニューヨーク大学で教えているミスタ・アントリーニに電話をかけて、自宅に遊びに行く。「僕がこれまでに教わった教師の中では、おそらくいちばんまっとうな人だった。」年は兄ＤＢより少し上くらいで、「敬意を抱きつつも、適当にふざけた口をきくことだってできる」人だ。

で、出がけにフィービーからお金を借りる。妹の持ち金全部、八ドル六十五セント。僕は涙が止まらなくなった。そうだよなあ、妹に金を借りる兄の心情、自分が情けない。

アントリーニ夫妻はすごくしゃれた高層アパートに住んでいる。昔ながらの清貧を誇るタイプではない。奥さんはお金持ち、夫婦とも知的、ミスタ・アントリーニは先生というよりは兄貴分みたいな存在だ。すでに僕の父親から最近の息子の落下傾向について聞いていたらしい。先生はハイボールを飲んでいた。そして、あ〜あ、酒のせいもあろう、話がだんだん説教臭くなっていく。僕は「イエス・サー」と。人間、お返事がりっぱすぎる時は、たいてい耳が閉じている。僕はついに噛み殺しつづけていたあくびをしてしまった。

その夜は先生の家に泊まることになった。ところが夜中、僕がふと目を覚ますと、真っ暗闇の中にミスタ・アントリーニがいて、「僕の頭に触るっていうか、軽く撫でたりしてるんだ」。えっ、そっちの趣味のある人か⁉　僕は震えまくって、彼のアパートから一目散に逃げ出した。

この小説の冒頭に、ディケンズの『デイヴィッド・カッパフィールド』の話が出てくる。典型的な「教養小説（Bildungsroman）」で、若者がさまざまな人生経験を通して内面的な成長を遂げていく姿を描く。教養小説にはしばしば、まだ未熟な主人公に人生の何たるかを教える〝よき大人の導き手〟が登場する。この作品でその役割を担えるとすれば、ミスタ・アントリーニなのだが、しかし彼は……『キャッチャー・イン・ザ・ライ』のアンチ教養小説としての特徴がよく表れている一節である。[16]

大詰め。僕がアントリーニ先生の家を飛び出すと、空はもう明るくなりはじめていた。クリスマス季節の月曜日の朝、フィフス・アベニューを歩くと、救世軍の女の子たちがベルを鳴らしていた。「口紅なんてぜんぜんつけてない女の子たちだよ。」ここにもきちんとした、清楚な子たちへの憧憬(どうけい)が窺(うかが)える。

人物たちは対照的に配置されている。安娼婦に対して尼さんと救世軍の女の子たち、年配のスペンサー先生には若いアントリーニ先生、まじめなジェーンと気楽に付き合えるサリー、さらに僕のそれぞれ一癖ある友人たち。だらしないホールデンと作者サリンジャーは違う！　サリンジャーは各エピソードや人物たちを赤い糸でつなぎ、しかしそうした計算を悟られないように気をつけながら、タガの外れた主人公が語るグダグダな小説であるかのようにみせている。これ、大した創作テクニックである。[17]

僕は、このままどっか遠くに行ってしまおうと決心する。が、フィービーにだけは会って、「さよならみたいなのを言って、クリスマスのお小遣いを返して、そのあとでヒッチハイクで西部に向かうんだ」。誰も僕のことを知らない土地に行って、聾唖(ろうあ)者のふりをしよう、「そうすれば誰とも、意味のない愚かしい会話をかわす必要がなくなるじゃないか」。

　心に傷を負わない、汚れのない、無垢な、偽りのない、本当の人生を求める！　でも、ホールデンの話はいつも頭の中で夢想したイメージにとどまり、現実感がない[18]。

　フィービーの通っている学校に行く。と、壁に「ファック・ユー」と落書きがあるのを見て激怒する。ヘヘエ、自分だって汚いことばをさんざん使っているのに。妹を待つ間、近くの美術館へ行く。子供たちがミイラの展示室を探すのを手伝う。死んだ物は僕のお得意だ。

　フィービーが待ち合わせ場所に来る。すると、彼女は僕の赤いハンティング帽をかぶり、僕の古い大きなスーツケースを持っている。なにっ、わたしも一緒に行く!?　そりゃ、ダメだ。僕は現実から逃避しても、優秀なおまえは……けれども、フィービーは大泣き。わかった、わかった、お兄ちゃんはもうどこにも行かないよ……

　ということで、僕はフィービーを動物園に連れて行き、さらに回転木馬に乗せる。機嫌の直った妹を見ているうちに、急に雨が降ってきて、僕は濡れネズミになったが、でも「なんだかやみくもに幸福な気持ちになって」きて、彼女を見守った。

　ちょっとポエティックな情景。だが、ホールデンの成長は見てとれない。そこがまたこの小説の妙味になっている[19]。アイデンティティ・クライシスをテーマにした作品は、本節の注でご紹介したように、他に秀作がたくさんある[20]。なのに、なぜ『キャッチャー・イン・ザ・ライ』が相変わらずバイブル扱いされるのか？

　二十一世紀の情報化社会、我々の心は過剰な情報にひどく傷つけられている。街の本屋にはハウツー本が並び、スマホで検索すれば安直な解説がすぐに出てくる。世には情報という名の〝答え〟があふれ返っている。しかし、それで何が解決する？　我々の一生を左右するような納得性が、そんな〝断片的な知識〟や〝他人の作成した解答〟で得られるのか。

翻って、ホールデンの五里霧中の彷徨は、サイコセラピーの役目を果たす。テネシー・ウィリアムズと同様、サリンジャーもまた自らの魂を治療するために、主人公の地獄めぐりを綴っている。だからこそ読者にも、その最後まで答えを得られない暗中模索の旅が、心底まで響いてくる。[21]

そして、ホールデンが回転木馬に乗るフィービーを見ながら、自分がキャッチャーになった気分に浸った後、サリンジャーは冷水を浴びせる。ページをめくると、短い終章。僕は精神を患って病院に入院していることが明かされる。はは あ、冒頭ではぼかしていたが、そういうことだったのか。終幕まで出口なし、予定調和なし、主人公はタガが外れたまま。

文学には、そして人生にも、どうやら既成の正解はなさそうだ。いや、たとえそんなものを呈示されても、心底からの満足は得られない。やっぱり自分の力で自分の答えを探す、とても面倒臭い、難儀な、時間のかかる旅を続けるしかないだろう。

我々はそうした個を確立する自由から逃走してはならないのである。[22]

20 ミラン・クンデラ『存在の耐えられない軽さ』

僕は進歩史観はとうの昔に捨て、四十歳を過ぎたころからは〝人間の後ろ向き性〟をテーマにあれこれ原稿を書いているが、なにも若い時からそんな重たい、陰気臭い問題を背負い込む覚悟があったわけではない。人生は重い方がいいか、軽い方がいいか。そりゃ、堅苦しい生き方はしたくないが、でもせっかく生まれたんだ、やっぱり多少の重みはあった方がいいだろう。二十代の長い〝自分探し〟の時期、大学院に入っても大したテーマも見つからず、無為で怠惰なモラトリアムの日々を過ごしていたころの漠たる本音はそんなところであった。

で、ミラン・クンデラの『存在の耐えられない軽さ』（一九八四年）は、そうした漠然とした問いを真正面からあらためて突きつけられ、頭をゴツンとぶん殴られたような衝撃を受けた一書である。一九六八年の押し潰された民主化運動「プラハの春」を背景に、軽やかに生きているプレイボーイの外科医が何気なく付き合った田舎者の小娘を忘れられず、どこまでも振り回される話。チェコスロヴァキアからフランスに亡命した作者は、男女の恋愛をからめた政治小説の風をよそおい、しかし後半ではヴェトナム戦争時代のカンボジア国境地域にまで舞台を広げ、つまりは共産主義、資本主義を問わず、いずこの社会にも普遍的に存在する人生の危うさ、難しさを活写した。哲学的で、心理学的で、言語学的でさえある。

そこで、現代人の虚ろな心性（マンタリテ）を捉えて、一風変わった、ちょいと読みづらいかもしれないクンデラの長篇小説を、本書の、現代を知るための二十番目の題材として取り上げてみたい。

さて、世界中のインテリに愛されたこの変な小説、時系列に沿ってストーリーで読ませる作品ではないので、先にちょっとだけ概要を述べてしまった。

全七部のうちの第I部、冒頭はニーチェである――「永劫（えいごう）回帰という考えは秘密に包まれていて、ニーチェはその考えで、自分以外の哲学者を困惑させた[1]」。我々の経験は何度も繰り返されるものだ、それは裏を返せば、一度きりしか起こらないことは、影に似た、重さのない、無意味なものだ、となろうか。

また、「われわれの人生の一瞬一瞬が限りなく繰り返されるのであれば、われわれは十字架の上のキリストのように永遠というものに釘づけにされていることになる」と。なんか形而上的な問答で、煙（けむ）に巻かれている気分である。だが、「あらゆる時代の恋愛詩においても女は男の身体という重荷に耐えることに憧れる」と、エロい一言も。そして、「確かなことはただ一つ、重さ―軽さという対立はあらゆる対立の中でもっとも多義的だということである」。

はいはい。

主人公トマーシュのことは、「重さと軽さという考え方に光を当てて初めて」はっきりとわかる。トマーシュはある小さなチェコの町で、レストランのウエートレスのテレザと出会い、一時間一緒にいた。十日後、彼女が彼をプラハに追いかけてきて、その日にもう愛し合った。夜、田舎娘は風邪で熱を出し、一週間彼の住居に泊まった。これを恋と呼べるのか。

「Einmal ist keinmal（一度は数のうちに入らない）と、トマーシュはドイツの諺（ことわざ）をつぶやく。一度だけおこることは、一度もおこらなかったようなものだ。人がただ一つの人生を生きうるとすれば、それはまったく生きなかったようなものなのである。[2]」はて、わかったようなわからないような。

トマーシュはバツイチだ。最初の妻とは二年足らず一緒に住み、息子が一人生まれたが、十年前に晴ればれとした気分で離婚した。以来、トマーシュは愛人たちと、彼が〝性愛的友情〟と呼んだ関係を結ぶ。今なら〝セフレ〟と呼ぶところか。「トマーシュは自分の人生から恋愛を除去し」、一人の女と頻繁には会わず、また行為が終わると、自分は不眠症に悩んでいるからと言って女たちを家に帰し、一緒に眠ることをしなかった。[3]

ところがプラハに彼を追ってきたテレザは、彼の横で寝た。朝、トマーシュが目を覚ますと、「まだ寝ていたテレザは彼の手をつかんでいた」。何かが、いつものセフレたちと違う。「愛し合うことの目的は二人にとっては快感ではなく、むしろそのあとにくる眠りといえるくらいであった」と。おう、プレイボーイ、どうした⁉

時にテレザの対極をなす人物としてサビナが登場する。トマーシュの女友だちのうちで、彼のいうことを最もよく理解した画家、「私はあんたが好きよ、だってあんたったら趣味の悪い俗悪（キッチュ）なものの正反対なんですもの」と宣（のたま）う。キッチュ（Kitsch）――ここもドイツ語で来たね、インチキで安っぽくて通俗的なもの。まだ人生の垢がついていないホールデンも、それを嫌った。いやいや、もう少し大人の香りがするか。サビナはトマーシュと同類、嫉妬も独占欲もベタッとした情緒も好まず、お互いに割り切った、後腐れのない男女関係を善しとする、へへエ、理想のセフレである。

　テレザが夢を見る。部屋の真ん中に劇場の舞台のようなベッドがあり、テレザの目の前でトマーシュがサビナを愛している。また別の夢は、大きな室内プールの周りを、テレザをはじめとして二十人ぐらいの女が全裸で行進させられている。女たちは帽子をかぶった男に命令されて、うさぎ跳びをさせられ、それができないとピストルで撃たれる。男は、そう、トマーシュだった。と、フロイト流には、それらの夢は何を意味するのか？

　言語の話になる。ラテン語から派生したすべての言語で、「同情（英語だと compassion）」は接頭辞の com-（「同」の意）に「受難」を意味する passion がついた単語、だから「苦しんでいる人の気持ちに加わる」意味だ。でも、「同情から誰かを愛するというのはその人を本心から愛していないことを意味する」と、クンデラがことばの語源の講義をしながら、愛の何たるかについて論じている。人に同情し、共感するだけで、それを愛と呼べるのだろうか。

　トマーシュが多くの女性と浮気していることが、テレザの知るところとなる。スレていない、天然の、純な娘には、彼の軽やかな性愛的友情は理解の埒外（らちがい）である。彼女はすぐにカッとなり、落ち着きをなくしていく。やがて、トマーシュは「テレザの苦しみをやわらげるために」――同情から？――彼女と結婚し、彼女に小犬を手に入れてやった。名前はテレザの愛読書『アンナ・カレーニナ』にちなんで、カレーニンと名づけられた[4]。

だが、一九六八年八月、ロシアの戦車が彼らの国を占領する。「プラハの春」とそれに続くソ連の軍事介入事件である[5]。テレザは占領の最初の七日間、「幸福とよく似たある種の興奮状態で過ごした。カメラを持って街角に立ち、外国のジャーナリストたちに写真を配り、その人たちは写真を奪い合った」。彼女は「自分の人生でのもっとも素晴らしい日々を生きた」。けれども、ロシア人に対する「憎悪に酔いしれたお祭り」はほどなく幕を閉じ、トマーシュはテレザの亡命の希望を受け入れて、スイスのチューリッヒへ逃れた。

しかし、それで終わりではなかった。ジュネーヴに逃げていたサビナがチューリッヒにやって来た。ホテルに彼女を訪ねたトマーシュの前に、「スラッと美しい長い足をした、パンティとブラジャーだけをつけた裸の彼女が立っていた。頭には黒い男物の山高帽をかぶっていた」。二人は一言もしゃべらずに愛し合った。

チューリッヒに滞在して六、七カ月になるころ、テレザは置き手紙を残してプラハに帰った。彼女はトマーシュのお荷物になりたくなかった。帰国すれば「当局はもう彼女を外国には出さないだろう。テレザの出発は信じがたいほど最終的なものであった」。

トマーシュはふたたび自由な独身者に戻った。七年間テレザに縛られて生活した後の週末を満喫した。だが、「月曜日にはこれまで知らないような重苦しさが彼を襲った」。「テレザが彼の考えの中に入り込んできた。」なんとトマーシュは、テレザのいるチェコに戻った。

「トマーシュは自分の中にいかなる同情も感じなかった。ただ感じたのは胃の中の圧迫と、もどってきたことに対する絶望であった。」いったいテレザの何が、エリート外科医のドン・ファンをこうまで振り回すのか。

第Ⅱ部は、「もし著者が読者に、登場人物が本当にいたと信じこませようと努めるなら、それはばかげたことである」という、人を食った一句で始まる。「トマーシュは Einmal ist keinmal.（一度は数のうちに入らない）という文から生まれ、テレザはおなかがぐうぐう鳴ったことから生まれた。」

総じて大衆小説が読者に、現実を忠実に、リアルに描写していると思わせようとするのに対して、クンデラは現実と記述との間にギャップがあることを意識させようとしている。しかも、時々変な一人称、状況を俯瞰（ふかん）しながらコメントしたり問いを発したりする「私」こと著者が顔を出して、語りの人為性を印象づける。皮肉で異化効果に富んだ、複眼を善しとする姿勢と書きっぷりである。で、第Ⅰ部が主にトマーシュの視点から綴られていたのに対して、第Ⅱ部は同じ物語がテレザの目線ないしは意識・無意識を通して書き直されている。

彼女は「心と身体の和解しがたい二重性」から生み出された。昔の人間は心臓の何たるかを知らなかったが、今の我々は「心というものが脳における灰色の物質の活動以外の何物でもないことを知っている」。だから、文学もロマンティックな叙述ではすまないわけだ。

テレザは母親と彼女の九番目の男との間の不注意な愛の行為によって生まれた。望まれずに生を受けた子である。「母親は家では下着のまま歩きまわり、ときにはブラジャーもつけず、夏の日などは裸であった。」テレザは開けっぴろげな母を慕い、しかし母には愛されなかった。愛情飢餓！なるほど、彼女がトマーシュに、セックスよりもその後に手をつないで寝ることを求めるのは、それゆえか。愛が欲しい、人とつながっていたい。

テレザは他人と同じと思われるのを嫌った。彼女がトマーシュのところへ行ったのは、裸になれば誰の身体も同じだと考える母親の世界から逃げ出すためだった。「裸というものはテレザにとっては子供のときから強制収容所の制服を意味し、屈辱を意味していた。」と、う～ん、暗い潜在意識だ。ＳＭＡＰならもっと明るく「♪ 世界に一つだけの花」と歌うであろうに。テレザは、学歴は低いが本を愛し、「本が彼女を他の者たちと違うものとしていた」。彼女は自意識が強く、しかしそういう上昇志向が旺盛な人間はめまいを起こす、それは落下への恐怖というよりむしろ憧れだと、解説が入る。上を向きながら、早く落ちてしまいたい衝動。

この小説、形而下の出来事はあっさりと綴り、脳内の灰色の物質の活動の方をこってりとしつこく描写する。テレザは潜在意識にいろいろなものを背負っている。それが夢に出てきて、彼女を悩ませる。母親、裸体、強制収容所……個人的な体験、祖国の歴史。

テレザはサビナのアトリエに呼ばれ、舞台のような四角いベッドを見た。サビナの死んだおじいさんの山高帽があった。二人はお互いのヌードを撮り合う。「脱いで」という、ともにトマーシュから聞いたことがある「魔力的な命令文」が、二人を結びつけた。心が武装解除された。

ロシア軍がプラハに侵攻し、テレザは五十枚ほどの記録写真をたずさえてスイスへ渡った。雑誌社は彼女を歓迎したが、「事件からもういささか時間がたった今」は、写真を掲載する可能性はないと言われた。侵攻の日々の写真は、テレザが情熱から撮ったものであり、何か特別なものであった。しかし、すでに過ぎ去った一回性の事件。テレザは、いい腕をしている、サボテンの写真を撮ってみないかと勧められる。「サボテンは永遠に時代と共にある。」だが、彼女は植物の方が歴史的大事件より価値が高いという話に納得できない[6]。

テレザはスイスで孤独だった。ブレジネフの軍門に降（くだ）ったドゥプチェックが弱かったのと同様、自分の弱さも実感し、「その弱さにまるでめまいがするかのように引きつけられた」。彼女がプラハに帰った五日後、突然トマーシュが現れた。テレザは、彼女のために運命を変えた男が自分の横で寝入っている、その息の音を聞いて、ひじょうに幸福であった。

第Ⅲ部には四人目の主要人物、フランツが登場する。ジュネーヴの大学の先生で、サビナの非の打ちどころのない友人だったが、やがて彼女に誘惑されて愛人となる。サビナのアトリエで、彼女はワインを飲み干すと、フランツがいないかのようにブラウスを脱ぎ、古くて黒い山高帽を手に取った。鏡の中では、「美しい、よそよそしい、無関心な女が下着姿で、頭にはおそろしく似つかわしくない山高帽をかぶっていた」。後はご想像のとおり。

フランツが最高の気分で帰った後、サビナはトマーシュもまた山高帽に興味を示したのを思い出した。彼女の下着姿に山高帽という滑稽な光景が突然、暴力的な意味を持ちはじめ、二人が興奮したことがあった。「薄いパンティをはいたむき出しになった足の下に、デルタがすけて見えた。ランジェリーは彼女の女性としての魅力をきわだたせ、堅い男性用の帽子がその女性らしさを否定し、暴力で犯し、滑稽なものとした。」

これ、まじめに読んではいけない。クスクスと、ケタケタと笑いながら読むべきエロ小説である。[7]

山高帽は、前世紀に小さなチェコの町の町長をしていたおじいさんの思い出の品であり、父の記念品でもあり、それが「トマーシュとの愛欲の営みの小道具」となり、サビナが「意識して育ててきた自分の独創性のシンボル」となり、さらに外国ではセンチメンタルな、「過ぎ去った時への記念の品」となった。一つの物体に対するイメージが流転する。

それは「「二度同じ川に足を踏み入れることはけっしてない！」というヘラクレイトス[8]の川床」だと、クンデラがまたペダンティックな一席をぶつ。サビナは「違う意味を持つ川が流れるのを見た。同じ対象が毎回違う意味を呼びおこす」。

と、そこからサビナとフランツが、同じことばを使ってもそれを異なる意味で理解していた、二人の間に誤解が生じたという話が始まる。「理解されなかったことばの小辞典」なる小見出し付きで。演題は、女について、誠実さと裏切りについて、さらに音楽、光と闇、パレード、ニューヨークの美しさ、サビナの祖国、墓地、アムステルダムの古い教会、力、真実に生きること。どれも捻りが利いていて味わいがある。

例えば、フランツは誠実さをすべての美徳の中で第一のものと考えたが、サビナにとっては父親や社会主義リアリズムに従うことと背くこと、どちらが誠実さでどちらが裏切りだったのか。また、音楽はベートーベンの第九交響曲などに陶酔するものと理解するフランツに対して、サビナはスピーカーから流れる騒音のようなものをイメージする。

そうした差異は、単に個人の理解の違いではなく、西欧と東欧、資本主義社会と共産主義社会の人々の世界観の異同をもあぶり出す。

フランツはサビナの抵抗する祖国を賛嘆するが、サビナは抗議して、うらやましいのはフランツのように平静のうちに仕事を行なえることだ、と。でもフランツは、社会が豊かであれば、精神的な活動に専心できるが、そのために「文化は生産過剰、活字の洪水」に陥り、むしろ「君のかつての祖国での一冊の禁書」の方がよほど大きな意味をもつと反論する。(9)

力について。フランツは筋骨隆々の肉体をもち、しかし善良で心優しい。トマーシュのように女に命令する強い男に慣れたサビナには、「肉体的な愛は暴力なしには考えられない」。だから、「愛とは力をふるわないことだ」と静かに語るフランツは、「その科白は素晴らしい」ものの、「彼女のセクシャル・ライフから失格する」ことになる。

また、真実に生きるとは――フランツは、プライベートな時と公の場で別人になることは偽りの源であると確信するが、サビナは「観客を持ったり、観客を意識することは嘘の中で生きることを意味する」、「自分のプライバシーを失う者は、すべてを失う」と。盗聴や密告が当たり前だった東欧社会に生きる人間の実感であろう。(10)

覚えておいでか。本書の第1節、『薔薇の名前』を論じた際に、ことばと、そしてそれが表す概念は、すべて「事物の記号」であり、それが「どのような根源的な経験の事実」から生み出されたかを調べるべし、とあったのを。危うきかな、脆(もろ)きかな、さればしかと吟味すべきかな、言語。

さて、偽りを嫌うボンボンのフランツは、隠し通せば問題なかった愛人の存在を妻のマリー・クロードに告げ、あっけなく別居されてしまう。サビナの方は「人の知るところとなった恋は重いものとなり」、彼を振って、パリへ去った。「人生のドラマというものはいつも重さというメタファーで表現できる」、だが「サビナに落ちてきたのは重荷ではなく、存在の耐えられない軽さであった」。一方のフランツは、寂しくなると思いきや、彼に夢中になった若い女子学生と付き合いはじめる。でも、妻は離婚に応じず。「愛は戦いなのよ」、「わたし、戦うつもりよ。最後まで」と。あゝ、ドタバタ。

何が重さで何が軽さか、クンデラは「小辞典」[11]にあることばのようにそれは多義的だと言わんばかり、あれこれ混ぜっ返して〝正解〟は語らない。

パリに来て三年たったサビナに、トマーシュの息子から一通の手紙が届く。トマーシュがテレザを乗せて運転していたトラックが崖から転落して、二人は死んだ、と。ほほう、やってくれるねえ、小説がまだ半ばにも至らぬうちに結末を明かしてしまう。形而下のストーリーで読むべき作品ではないというわけだ。なかなかの剛腕である。

第Ⅳ部。テレザが夜中の一時半に帰宅してトマーシュの顔にキスしようとすると、彼の髪から変わった臭いを感じた。「まるで犬のように嗅ぎまわると、それが女のデルタの臭いであることが分かった。」嘘だ～い、トマーシュは相変わらず女遊びをやめなかったが、髪からデルタの臭い、ってのはあり得ないだろう。まじめに読んではいけない小説である。

「プラハの春」が押し潰された後の反動の時期、ラジオからは反体制派を非難するために、秘密警察が盗聴した彼らの個人的な会話が放送されていた。プライバシーが完全に破壊され、「この世が強制収容所に変わった」。

雑誌に載ったソ連の軍事介入の折の写真が反体制運動に参加した人間を特定する証拠に使われることがあった。テレザは自分が撮った写真も使用されるのではと怯えた。

トマーシュはテレザを、「愛と肉体的な行為とは二つの別なものである」と繰り返し説得した。だが彼女には、「肉体的愛の軽さや、それが単なる娯楽であるということが分からない。軽さを学びたい！」ヘヘエ、テレザには「♪男と女のラブゲーム」ってのができないんだよね。

ある日、こんなことが起きた。テレザが技師を名乗る男の場末のアパートに行った。何百冊の蔵書があり、その中にソフォクレースの『オイディプース』も目に入った。謎の男は彼女の服を脱がせ、キスを迫った。テレザは彼の行為に逆らいながら、「急に自分のデルタがうるんでいるのを感じて、びっくりした」。自分の意志に反して興奮している。「遠くのほうから彼女に官能のうずきが迫ってくるのを感じ」ながら、拒絶の叫び声をあげた。

後日、テレザの働くホテルのバーの同僚で、元は大使、ジョン・F・ケネディと一緒に映った写真もある男が言った、「それは秘密警察の者だな」。彼女の弱みを握るために、裸で抱き合っている写真を撮ったのかもしれない。技師がソフォクレースを読むであろうか？「あの部屋はどちらかといえば現在逮捕されている貧しい知識人の没収された住居に似ていた。」

秘密警察をめぐる出来事は、幻想的に描かれている。いや、この作品、現実は夢か幻のよう、逆に潜在意識や夢の描写の方がリアルな感がある。クンデラは、共産主義体制が国民の私生活に土足で介入し、彼らの精神生活をボロボロにする様を無気味な寓話の形で綴る。

　第V部のスタートは、ソフォクレースである。トマーシュはかつて、初対面のテレザが彼をプラハに追いかけてきた時、「彼女は誰かが籠に入れ、彼のところに流してよこした子供であるという強い気持ちを抱いた」。「捨てられた子供というイメージ」が彼の頭に残り、どうやらそれがために『オイディプース』のチェコ語訳を手に取ったらしい。

　オイディプースの物語は、ご存じの方も多かろう、捨て子だったオイディプースが成長したある日、山道で男を殺す。彼はやがてテーバイの女王イオカステと結婚するが、彼女の前夫は実はオイディプースが殺した男、そして彼の実の父親だった。彼は自分を生んだ母親と寝床を共にしていたわけである。彼は国に疫病が蔓延（まんえん）した時、自分がその原因だと悟って、自らの目を刺し、盲目となってテーバイから立ち去る[12]。

　クンデラは語る。中部ヨーロッパの共産主義体制は、犯罪者によって作り上げられたものではない、犯罪的体制を作ったのは「天国に通ずる唯一の道を見出したと確信する熱狂的な人びと」だった。彼らは多くの人びとを処刑し、後になって、天国は存在せず、「熱狂的であった人びとはすなわち殺人者である」ことが明らかになった。

　告発された者たちは、「われわれは知らなかった！」、欺かれたんだと言って、無罪を主張した。だが、本当に知らなかったのか。知らなかったふりをしていたのではないか。さらに、知らなかったら無罪というなら、「玉座にいるばかは、ばかであるがゆえに、あらゆる責任から解放されるのであろうか？」オイディプースは「自分が知らなかったためにおきた不幸を見るに耐えられずに、目を刺し、盲目となってテーバイを出ていった」。結果に対する責任を取った。

トマーシュはこのオイディプースの話が気に入ったので、友人たちにしばしばそれを話し、原稿にしてチェコ作家同盟が出している週刊新聞に送った。投稿は三分の一に縮められ、読者欄に載った。ロシアが彼の祖国を占領する数カ月前の小さな出来事である。

彼はチューリッヒからプラハに帰ると、また元の病院に戻った。彼は病院で一番腕のいい外科医であった。しかし、外科部長から呼び出され、君を失いたくないので、あのオイディプースの一文だけは撤回してくれと言われる。はじめは穏やかな話だったが、トマーシュが意地になって拒否するうちに、事は大きくなり、ついに病院を辞めざるを得なくなる。

彼は田舎の診療所で、次にもっとポストの低い医療センターで働いた。ある時、内務省の者だという男がやって来て、彼を高く評価していると誉めちぎり、オイディプースの原稿が掲載された折の経緯を聞いた。トマーシュは乗せられてあれこれ話しているうちに、はたと気づく。これは自分より編集者をターゲットにした取り調べだ、と。彼はそれからは、嘘の証言をした[13]。二週間後、ふたたび内務省の男が訪れ、今度は脅迫めいた口調で、共産党に忠誠を誓い反体制派を告発する文書にサインせよと迫った。

トマーシュはなんとか男を帰し、翌日に辞表を提出した。彼は当時の何千という知識人たちと同様、「社会の最下層に自発的に降り」ていって、窓を洗う労働者になった。

小説中、“Es muss sein!（そうでなければならない！）”なる一句が繰り返し出てくる。クンデラはストーリーよりもキーになることばや概念・観念、また鏡や山高帽などの小道具、ベートーベンやオイディプースや犬のカレーニン、それらが生み出すメタファーによってあちこちのページをつないでいく。上質な遊び心にあふれた作品である。

トマーシュはチューリッヒからテレザのいるプラハへどうしても帰らなければならなかったのか。彼の人生に“Es muss sein!”なるものはあったのか。「私が思うに、あったのである。それは愛ではなく、職業であった。医学に彼を導いたのは偶然でも、さめた計算でもなく、深い内的願望である。」すなわち、「外科は人間が神と接する局限の境界にまで、医者としての職業が基本的に命ずることを強力に行う」。神に近づく行為がために、彼にとって外科医という職業は「天職」となった。

そう、ベートーベンの有名なモチーフ“Es muss sein!”も、最初は戯れに口にした一言だった。それが一年後、彼が作曲しているうちに、「まるで《運命》そのものが話しているかのように、より荘厳に響いた」。クンデラはベートーベンを、重さを肯定し価値あるものにした代表として、たびたび登場させている。

一回性の、偶然性の、軽いものではないものが、やはりこの世には存在する。トマーシュにとってそれは愛ではなく医師という仕事であった――ところが彼は、「人間がそれまで自分の天職とみなしていたものを投げ捨てたとき、人生から何が残るのかを知りたくて、外科医になったのであろう」と。なんて意地悪な小説。かつて手術がうまくいかなかった日は、絶望的になり、夜は眠れず、女への欲望も失った、「彼の職業の“Es muss sein!”は彼の血を吸う吸血鬼のようなものであった」。だが、今は窓洗いの仕事を終えた瞬間に、それを忘れることができる。トマーシュは十歳も若返った気持ちで、さらに女遊びを加速させた。

マックス・ヴェーバーやエーリッヒ・フロム、A・H・マズローも真っ青になりそうな話である。トマーシュは二十五年間で二百人くらいの女と付き合ったとか。年に平均八人、そんなに多い数ではないと、彼はうそぶく。ひとりひとり、皆違う。ただの美人よりもユニークな女性がいい。「キリンとコウノトリに似ている女」は、その独特なアンバランスさが彼を興奮させ、二人は個性的な体位で愛し合った。

一方、テレザはトマーシュとピッタリ一体になる体位を望んだ。性的陶酔感よりも幸福感を求めた。愛ということばで表される観念は、人によって異なる。「愛はメタファーから始まる。」テレザはトマーシュの詩的記憶に、新たな愛の観念を注ぎ込んだ。[14]

窓洗いになったトマーシュに、ある日彼の先妻の息子が会いに来た。息子は「迫害されている編集者のグループ」に入っていて、政治犯の恩赦を求める嘆願書にサインしてほしいというのだ。父は考えた末に、文書に署名しなかった。ほどなくサインした者たちは、国家に操作されているすべての新聞によって糾弾された。

署名するかしないか、どちらが正しい選択であったのか。その問いに対する答えは存在するのか。「人生はたった一度かぎりだ。それゆえわれわれのどの決断が正しかったか、どの決断が誤っていたかを確認することはけっしてできない。」加えてクンデラは、チェコの歴史もヨーロッパの歴史も同じく「人類の運命的未経験」のスケッチに過ぎないと講義する。「歴史も個人の人生と同じように軽い、明日はもう存在しない舞い上がる埃のような、羽のように軽い、耐えがたく軽いものなのである」と。

トマーシュの女漁りは続き、テレザは嫉妬しつづけた。テレザは田舎に移り住むのはどうかと誘い、トマーシュも複数の女性との性愛なしではいられない自分の〝Es muss sein!〟からの休暇が欲しいと考えた。「愛を性と結びつけるということは、創造者のもっとも風変わりな思いつきの一つであった。」また、トマーシュはプラトンの有名な神話を思い出した。人間は最初、男女両性具有者で、神がそれを二等分した、「その半身はそれ以来世の中をさまよい、お互いを探し求めている。愛とはわれわれ自身の失われた半身への憧れである」。だがトマーシュには、彼の半身の代わりに「籠に入ったテレザ」が送られてきたのである。


第Ⅵ部は、トマーシュならぬスターリンの息子の話から始まる。ソ連の独裁者の息子ヤコブは、第二次大戦中にドイツの捕虜収容所で便所を汚したことで口論となり、自ら電流の流れる有刺鉄線に飛び込んで死んだ。「糞のための死は無意味な死ではない」、彼の死は一般的なばかばかしい戦死と違って、「ただ一つの形而上的死として際立ったもの」だったと。はて？

作者はしばしば、形而上的な（？）問いを発し、後のページで〝答え〟ならぬ彼の所見を述べる。クンデラ曰く、神と糞、天国と性的興奮は相容れないものではないか。世界は神が創ったのか、自然にできたのか。人間に与えられたものである存在を無条件で受け入れるか、疑うか。神によって正しく創造され、存在は善であるとする信仰、すなわち「存在との絶対的同意」の美的な理想は、「糞が否定され、すべての人が糞など存在しないかのように振る舞っている世界」だ、その理想を

「俗悪なもの（キッチュ）（Kitsch）」という、と。

なるほど、俗悪なものがキッチュなのではない、俗悪なもの、汚いもの、臭いものに蓋をして見ないようにする、元から存在しないことにするのをキッチュと呼ぶ、ってか。サビナが共産主義に対して最初に憤ったのは、道徳的な意味ではなく、美的な意味においてであった。「共産主義社会がつけていた美の仮面」、そのモデルがメーデーの祝典であった、と。

二十世紀後半の東欧社会を誰が笑えよう。つかこうへいがこき下ろした、ブス殺しを汚名とする偽善的な戦後日本社会もまた、キッチュそのものである。

キッチュの例がさらに続く。「強制労働収容所（グラーク）も、全体主義的俗悪なもの（キッチュ）がごみを捨てるための浄化槽のようなもの」とみなすことができる。また、サビナが学校で受けた教育では、「ソビエト社会ははるかに進んでいるので、そこではもう基本的な不一致は善と悪との間にあるのではなく、善とよりよい善との間にある」と説明された。糞は「向う側」の資本主義社会だけに存在する。彼女は共産主義者たちが自分たちの社会にも悪があると認めれば、体制と共存することができた。しかし、「共産主義の理想が現実化された世界、白痴が微笑むその世界」は耐えられなかった。「全体主義的な俗悪なもの（キッチュ）の帝国では答えはあらかじめ与えられており」、質問をする人間は敵とみなされた。[15]

サビナはパリからアメリカへ移住した。だが、そこにも……

フランツはパリの友人から電話で、カンボジアへの行進に誘われた。ヴェトナム戦争が泥沼化した一九七〇年、米大統領リチャード・ニクソンは、共産ゲリラへ物資を支援するルートを遮断すべく、カンボジアへ侵攻した[16]。領内では飢餓が進んでいる、西側の知識人たちは医師団の入国を迫るために、国境へ徒歩で行進しようというのだ。フランツは二十人の医師と約五十人の知識人、さらに四百人のジャーナリスト、カメラマンとともにパリの飛行場を離陸した。

しかし、タイのバンコクで行なわれた会議では早々にアメリカ人とフランス人が対立、やっと行進が始まっても、アメリカ人の女優が目立とうとして隊列から離れ、彼女を撮ろうとしたカメラマンが地雷を踏んでしまう。国境に到着すると、川の向こう側の占領軍に呼びかけるが、当然応答はなし。フランツはカンボジア領内に駆け込んで射殺されたい願望も感じたが、結局頭(こうべ)を垂れて、皆と一緒にバスへ戻った。戯画化された茶番劇の筆遣いである。

「誰もが、誰かに見られていることを求める」――見る、見られる、自己顕示欲に対する作者の考察がひとくさり。

サビナはアメリカが気に入った。絵もよく売れた。だが、「ただ表面的にのみ。その表面の下にあるのは、見知らぬ世界であった」。死後にアメリカの土に埋められるのが怖くなり、遺言状を書いて、自分の死体は火葬し、その灰は散布してくれと記した。「彼女は空気より軽く」なりたかった。

フランツは国境から戻ったバンコクの町で、金をゆすられ、格闘になり、頭を殴られた。目が覚めると、話も体を動かすこともできない状態で、ジュネーヴの病院のベッドに寝かされていた。彼は若い女子学生の恋人に連絡するよう望んだが、口がきけなかった。葬式は別居していた妻のマリー・クロードが取り仕切った。フランツは彼の真情とは裏腹に、妻のもとに帰還し、正直で善良なフランツが彼女の心に残った。我々は忘れ去られる前に、キッチュに変えられると、痛烈な結び。でも、当たってる。死者の物語は、遺族の意志に沿って、きれいに綴られるものである。

ややや短めの第Ⅶ部はエピローグってところだ。トマーシュとテレザは警察も関心を示さぬ田舎の村に引っ越す。そこには「トマーシュの髪にセックスの臭いを残す」女たちもいないだろう。共産主義政権下で農村は荒廃していた。だが、静かな生活を送れる。トマーシュはそこでトラックの運転手となって、農夫や農機具を運んだ。

「創世記の冒頭に、神は鳥や魚や獣の支配をまかせるために人を創造されたと、書かれている」、しかし「もちろん創世記を書いたのは人間で、馬ではない」、「どちらかといえば、人間が牛や馬を支配する統治を聖なるものとするために神を考え出したように思える」。アーメン！　デカルト流の、西欧近代の傲慢さは、クンデラにはない。

愛犬カレーニンが癌を患い、死んでゆく様がクンデラにしてはちょぃと抑えた筆で綴られる。瀕死のカレーニンがまだ生きようとしている、「そのうなり声はカレーニンの微笑み」であった、と。人間が人前で見せる偽善的な笑顔とは違う、犬の微笑みは邪心のない無垢なものだ、ってか。

また、カレーニンは死ぬまでロールパンを口にくわえて運ぶ同じ遊びをして、倦むことがない、とも。人間ならすぐに飽きてしまう。「人間の時間は輪となってめぐることはなく、直線に沿って前へと走るのである。これが人間が幸福になれない理由である。幸福は繰り返しへの憧れなのだから」。繰り返しへの憧れかあ、クンデラも進歩史観のない人だ。彼の小説を読んでいると、己の人生観なり世界観なりを問われているような気になってくる。

僕も、自分は、そして広くあまねく人類も成長しているとは思えず、進歩史観など幻想だと考えている。また、〝人間の後ろ向き性〟に背を向けるのは、キッチュだと信じている。美しいもの、健全なもの、感動的なもので、どれほど意図的に人生の、社会の真実が隠されているか。そういう〝前と上しか向かない思考〟を壊してくれる文学作品があっても悪くない。

人生の軽重、深浅とは何ぞや。僕は、軽やかなヴォードヴィルの中で人生の重たさを描こうとするチェーホフの愛読者である。また、熱狂的に真理を説く、純粋で性急な狂信者を唾棄し、「人びとを愛する者の務めは、真理を笑わせることによって、真理が笑うようにさせること」だと語るウンベルト・エーコの姿勢に賛成する。僕は懐疑論者にして不可知論者、でも自分の考え方が暗いとは思っていない。夢や希望なんて抱かなくても、僕なりに、無理せず、ささやかに、天職でもない教育の現場で、それなりにシーシュポスの岩運びはやってきたつもりだ[17]。

トマーシュは村で医療ができるように何度も申請したが、警察はそれを決して許さなかった。それに、彼の「手はもう二度とメスをとることもできないほどこわばっていた」。

トマーシュとテレザは農場長たちとホテルの地下の酒場に行き、そこでダンスを楽しんだ。踊りながらテレザが、「トマーシュ、あなたの人生で出会った不運はみんな私のせいなの。私のせいで、あなたはこんなところまで来てしまったの。こんな低いところに」と言うと、トマーシュは「僕がここで幸福なことに気がつかないのかい？」と。

クンデラは幸福をいかなるメタファーと考えているのか。そう、先進国病を患ったヘッダ・ガブラーが幸福感を得られぬ内面心理と比べてみるのも一興。また、『すばらしい新世界』でムスタファ・モンドが論じたように、幸福は大衆社会を支配する、手ごわくて厄介な観念なのも、たしか。トマーシュとテレザは、酒場から自分たちの部屋に戻っていって、この現代の寓話の幕が下りる。

クンデラはラストでトラック事故を語らない。トマーシュとテレザは幸福感を抱きながら生涯を終えた⁉　事故死だ、外的には不条理、けれども内的にはハッピーエンド？　いやいや、二人とも自己を真に認識して死んだとは思えない。作者は最後まで意地悪である。

でも、いいじゃないか。何度も記したとおり、一流の作品に〝答え〟なしだ。文学なんて、そんなもんだ。[18]

注

第1章　おゝ、現代

1　ウンベルト・エーコ『薔薇の名前』

（1）拙著『続ヨーロッパを知る50の映画』国書刊行会、二〇一四年、第2章のジャン・ジャック・アノー『薔薇の名前』の節をご笑覧。

（2）本節における『薔薇の名前』からの引用はすべて河島英昭訳（上巻・下巻、東京創元社、一九九〇年）からだ、当然のことながら。

（3）「過激な六〇年代」のクライマックスの年、一九六八年。チェコスロヴァキアにおけるドゥプチェックの挫折だけでなく、ヴェトナム反戦、パリ五月革命、各国の大学紛争……世界中が激しく揺れた政治の季節である。イタリアも例外ではなかった。エーコはモラヴィアやパゾリーニらと文学論争を戦わせ、しだいに話は煮詰まって袋小路に陥った。それを打開すべく、「世界を変革するため」ではなく「書くことを純粋に愛するがゆえに」（前書き）中世の物語を悠々と書くんだ、と。

（4）ウンベルト・エーコ『薔薇の名前』下巻の巻末に河島英昭の有益な解説が付されている。ぜひ読まれたし。本節でもむろん、有難く参照させていただいた。

(5) ロンドン南西のオッカム村出身のフランチェスコ会士ウィリアム（一二八八?—一三四八年?）は、神学と哲学を分けて考えようとする近代的な発想に立った。教皇ヨハネス二十二世に破門され、皇帝ルートヴィヒに保護される。

(6) ジャン・ジャック・アノーの映画では、馬ではなくトイレになっている。アドソがモゾモゾしていると、ウィリアムが、自然の要求ならアーチの裏だ、さっき修道士が駆け込み、戻ってくる時は悠々としていたから、と。わかりやすい置き換え。でも、言語と現実との関連やスコラ哲学の論争へは思いを馳せられない。

(7) ちなみに、僕も帰納法ないしは「臨床」が好き。四十年間、ずっとそれでやってきた。この本も「文学とは何ぞや」、「文学における現代とは」なんて大きな論題を先に掲げず。まあ、個々の作品の解題を書いているうちに、なんか出てくるだろうと……

(8) うるさいことをいうと、文書館（archivio）は冊子として綴じられていない古文書を保管するところで、写本や印刷本は図書館（biblioteca）に所蔵されている。原文は biblioteca なので図書館と訳すべきだろうが、でも一般の人たちは図書館と聞くと、大学か町の新刊本中心の図書館が思い浮かぶであろう。河島訳も文書館となっているので、それに従った。

(9)「平信徒」、いい訳語だ。僕は気に入っている。ただし、イタリア語原文は i semplici（素朴な人々）。要するに、民衆、大衆、人民なのだが、文脈によって、肯定的にも否定的にも響く。シンプルだからこそ、多義的だ。

(10) ウィリアムには「彼［ダンテ］の操る俗語を知らないので、わたしは読んだことはない」し、「耳にしたかぎりでは、あまり面白くなさそうだ」と語らせているが、どうしてどうして、エーコは『薔薇の名前』の事件とほぼ同時代に生きたダンテ（一二六五—一三二一年）への敬意をあちこちのページに記している。ラテン語で綴られた聖書が読めるのはカトリックの僧侶だけだったがために、彼らが知を独占していた中世から、徐々に俗語、すなわち各地域の民衆の言語によって文化が語られる時代へ移っていく。ダンテがトスカーナ方言で書いた『神曲』は、その象徴。やがて十六世紀になると、ルターが民衆への布教のために聖書をドイツ語に訳すことになる。

(11) 古典古代の本がはるか現代にどのように伝わったか、ご存じだろうか。古代最大といわれたアレクサンドリアの図書館に所蔵されていた古（いにしえ）の書物は、イスラム世界を経由して中世ヨーロッパの修道院へもたらされた。それをカトリックの僧侶たちが、一冊一冊書き写した。日本でいえば、写経のようなものである。そうして生き残った稀覯本が、十五世紀グーテンベルクの活版印刷術の発明により〝大量コピー〟できるようになった。本好きな人々の間では有名な話である。

（12）映画『薔薇の名前』でもエーコ先生の気持ちに沿って、常にクールなウィリアムが、迷宮文書庫のお宝を初めて目にした場面だけは、大はしゃぎで歓声をあげる。アノーは背景に晴れやかな音楽まで流し、この映画でいちばん明るいシーンに演出している。

（13）ミケーレは修道院で殺人があったとされる一三二七年十一月の直後にアヴィニョンに向かい、教皇と会談する。結果は失敗に終わり、狂人扱いされ、後に破門されるのだが、エーコはこのフランチェスコ会総長を、激情家ではあったが教皇との妥協も辞さなかった特異な人物として、共感をこめて綴っている。

（14）第二次大戦中、キリスト教民主党と共産党は反ファシズムの立場で共闘した。戦後は資本主義体制の中で、前者がずっと政権を担い、後者は西ヨーロッパ最大の共産主義勢力としてにらみを利かせていた。だが「鉛の時代」を迎えて、両党は「歴史的妥協」のもとに連立政権を構想、その中心人物がアルド・モーロであった。前掲の拙著『続ヨーロッパを知る50の映画』、第11章のマルコ・ベロッキオ『夜よ、こんにちは』の節、参照。

（15）十二世紀のフィリップ・モーレーの詩の一節で、ホイジンガの名著『中世の秋』に引用されている。なお、原文はラテン語。河島訳はイタリア語以外の部分はカタカナで訳しており、ここもカタカナ（＋漢字）を使用している。

（16）翻訳なら『開かれた作品』（新装版、篠原資明・和田忠彦訳、青土社、一九九〇年）がある。エーコの批評を日本語で読める、あな有難や。

（17）映画では、薔薇の名前はアドソが生涯に一度だけ肉体の愛を教えられた娘のことだとしている。まあ、そうしないと映像作品にはならないわけで、それはアノーの確信犯的な誤読である。エーコは、あまりにも多くの象徴的な意味をもつ薔薇を意図的に使っている。だから過ぎにし薔薇は、運命の女、姿を変えたキリスト、さらには性愛、栄華、宇宙、人生、そして万能の神、なんでも読者のお気に召すままってわけだ。で、さて、それらは実在するのか？　ただの概念、いや名前だけじゃないの、とエーコが舌を出している姿が目に浮かぶ。

2　マクシム・ゴーリキー『どん底』

（1）映画『薔薇の名前』のDVD特典映像にあったジャン・ジャック・アノー監督の言から引いた。想像に難くない。

（2）ゴーリキーの『どん底』からの引用は、すべて中村白葉訳の岩波文庫版（一九三六年）より。ただし、句読点だけ若干変更した。

（3）拙論「巨匠たちの改作――『どん底』をめぐって」（『ヨーロッパ映画の現在』上智大学ヨーロッパ研究所、二〇一一年、所収）参照。本節は、ジャン・ルノワールと黒澤明の両巨匠が撮った二本の映画『どん底』を解説した同論文（漫談？）を基にしている。映画版にご興味をお持ちの方は、ぜひそちらもご一読あれ。

（4）総じて日本人はパスポートやビザの重要さに疎い。旧共産主義圏では自国内を移動するにも国内用パスポートが必要だった。また、現在でも日本人は外国旅行をする際にビザを当たり前のように取得できるが、そうでない外国籍の人々はごくふつうに存在する。日本人は日本人に生まれた偶然にもっと感謝すべきであろう。我々は日本人というだけで特権階級である。

（5）マックス・ヴェーバー『プロテスタンティズムの倫理と資本主義の精神』（大塚久雄訳、岩波文庫、原著一九二〇年）、またエーリッヒ・フロム『自由からの逃走』（日高六郎訳、東京創元社、原著一九四一年）をお読みあれ。いずれも、人間の心性（マンタリテ）の厄介さを扱った名著である。

（6）貴族の「余計者」を実感したいなら、文豪ゴンチャロフの『オブローモフ』（一八五九年）などいかがだろうか。田舎に広大な領地をもち、大勢の農奴を抱え、食うに困らぬはずなのに金欠、その魂は純真にして、しかし無気力、自堕落、無為徒食。そんな青年貴族のダメ人間ぶりをダラダラと、長々と綴る。米川正夫訳の岩波文庫は全三巻。退屈きわまりない小説なのに、名作の誉れが高い。また、これを読んだ当時二十三歳の批評家ドブロリューボフは『オブローモフ主義とは何か？』（金子幸彦訳、岩波文庫、原著一八五九年）を書いて、ロシア文学における「余計者」タイプを分析し、彼らが精神的奴隷状態に陥っている原因を追究した。以後、オブローモフはロシア文学における「余計者」の代名詞となっている。拙著『続ヨーロッパを知る50の映画』の第4章にあるニキータ・ミハルコフ『オブローモフの生涯より』の節もご笑覧。
（7）二〇一五（平成二十七）年一月実施の入試センター試験、現代社会の問題。
（8）一目置かれることは大切。ヤクザだって、暴れるのはチンピラ、幹部になれば穏やかになるという説もある。
（9）だったん（韃靼）人ないしはタタール人は、ロシアに広く居住するモンゴル、トルコ系諸族を漠然と指す名称。ロシアおよび東ヨーロッパは、十三世紀にモンゴル軍の侵攻を受けて以来、およそ二世紀半にわたってモンゴル人に間接支配された。その時期を「タタールのくびき」と呼ぶ。西ヨーロッパがルネサンスと宗教改革により大きく前進した時期に自分たちはアジア系民族に支配されていたとして、ロシアの西方に対するコンプレックスを語る際にしばしば使われることばである。そんないわく因縁のある民族。
（10）中村喜和・灰谷慶三・島田陽『世界文学シリーズ・ロシア文学案内』朝日出版社、一九七七年、二四六頁。
（11）ルイ・ジューヴェは生粋の舞台俳優にして演出家、自分の一座を持ち、モリエールを舞台に乗せ、ジャン・ジロドゥに次々と新作を書かせては初演した。映画では、巨匠ルノワールも映画スターのジャン・ギャバンも、ジューヴェに絶大なる敬意を払っているのが窺えて、楽しい。

3　芥川龍之介「藪の中」

（1）ロナルド・バーガン『ジャン・ルノワール』関弘訳、トパーズプレス、一九九六年、二三八―二三九頁。
（2）もっとも、チャップリンもルネ・クレールの『自由を我等に』（一九三一年、フランス映画）のラストシーンを借用していることは、昔からの映画ファンにはよく知られた事実である。
（3）一九三三年にヒトラーが政権を握ったことに象徴されるファシズム勢力台頭の中、ソ連はコミンテルン第七回大会（三五年）で広範な反ファシズム勢力の結集を呼びかけた。フランスでは、それまで不仲だった社会党と共産党、さらに急進社会党が連携して総選挙に勝ち、レオン・ブルムを首班とする人民戦線内閣が誕生した。

（4）黒澤明研究会・共同通信社（編）『黒澤明　夢のあしあと』共同通信社、一九九九年、一九三頁。

（5）拙著『シェイクスピア・オン・スクリーン』三修社、一九九六年、第8章第2節「能の演技――黒澤明の『蜘蛛巣城』」を参照されたい。

（6）ジャン・クロード・カリエールはフランスの作家、脚本家、俳優。ルイス・ブニュエルの後期の作品をはじめ、一癖も二癖もある映画の脚本を数多く手がけた。

（7）ウンベルト・エーコ、ジャン・クロード・カリエール『もうすぐ絶滅するという紙の書物について』工藤妙子訳、阪急コミュニケーションズ、二〇一〇年（原著二〇〇九年）、二二二―二二五頁。愛書家の二人が、ＩＴをバッサバッサ、デジタルの時代に紙の書物の偉大さと楽しさを語って、気分爽快にさせてくれる対談本。超お勧め。

（8）本節は「文学から映像へ――映画『羅生門』をめぐって」（『青山国際政経論集』第七十八号、青山学院大学国際政治経済学会、二〇〇九年、所収）を基にしている。黒澤映画に関する解説はそちらの方が詳しいので、興味のある方はご一読のほど。

（9）芥川作品からの引用はすべて、新潮文庫の『地獄変・偸盗』（一九六八年）および『羅生門・鼻』（一九六八年）より。

（10）真砂には芥川が関係をもち、後に手を焼いて避けつづけた秀しげ子の影があるという説がある。作家が個人的な思いを作品中の人物に潜ませることはしばしばあるが、しかしそうしたモデル探しはやり過ぎるとかえって作品理解から遠のく危険性も伴う。芥川を悩まし、彼の遺書に「利己主義や動物的本能」の持ち主として登場する女性は、真砂にリアリティを与える一助にはなったかもしれないが、やはり真砂は真砂、創作された人物はその作品中で解釈するのが正攻法であろう。僕は真砂に大きなウエイトを置く読み方は取らない。

（11）撮影の宮川一夫は、監督から「日の丸のような太陽をバックにして、三船（敏郎）と京（マチ子）が接吻するところを撮りたい」と注文されて考えこんでしまったという。当時は、太陽にレンズを向けるとフィルムが焼けてしまう、それはタブーだと考えられていたとか。『全集　黒澤明』第三巻（岩波書店、一九八八年）中の佐藤忠男による「作品解題」（三〇二―三〇九頁）より。なお、このあたりの技術面の解説は佐藤の解題に過不足なく記録されているので、有難く参考にさせていただいた。

（12）佐藤忠男『黒澤明の世界』朝日文庫、一九八六年、一八六頁。
（13）第二次大戦中のレジスタンスの経験から出発して、ナチスに対する抵抗運動や民衆の困窮する生活の様子をドキュメンタリーの手法で撮影する新リアリズム運動。その代表作のひとつ、ヴィットリオ・デ・シーカの『自転車泥棒』（一九四八年）あたりを見れば、『羅生門』との同時代性が実感できるだろう。

第2章　未来と科学

4　スタニスワフ・レム『ソラリス』

（1）『ソラリス』からの引用は、すべて沼野充義訳（『スタニスワフ・レム・コレクション』国書刊行会、二〇〇四年）より。名訳に感謝。
（2）他のメディアとなれば、アンドレイ・タルコフスキーのソ連映画『惑星ソラリス』（一九七二年）とスティーヴン・ソダーバーグのハリウッド映画『ソラリス』（二〇〇二年）があるが、どちらも上出来な作品とはいえず、あまり語る気になれない。
（3）「スーパーカミオカンデ」の公式ホームページをはじめとするインターネットの各種サイト、および『高等学校　物理Ⅱ』（第一学習社）などを参照。文学を読むためのにわか勉強もまた楽しからずや。
（4）レム原作の映画としてもタルコフスキーの映画としても決して芳しくない『惑星ソラリス』だが、ハリーが自殺できずに生き返ってしまう場面は、まんざらでもない。ホラー映画の色気というやつだ。
（5）レムの境遇に関しては、スタニスワフ・レム『高い城・文学エッセイ』（『スタニスワフ・レム・コレクション』国書刊行会、二〇〇四年）の巻末にある、芝田文乃および沼野充義によるあとがき・解説にわかりやすくまとめられている。本稿も有難く参照させていただいた。また、同書に収められたレムの自伝的エッセイ「高い城」、「偶然と秩序の間で——自伝」は一読に値する。

（6）ポーランド語でルヴフ。ウクライナ語でリヴィウ、ロシア語はリヴォーフ、さらにドイツ語ではレンベルク。沼野充義がポーランド人作家のレムに敬意を表してルヴフと記しているので、本稿でもそれにならった（同書、四三四頁参照）。

（7）同書中の「偶然と秩序の間で――自伝」、一六五―一六六頁。

（8）同書中の沼野充義による解説（四三四頁）より。

（9）同書中の「偶然と秩序の間で――自伝」、一七五―一七六頁。

（10）同書中の沼野充義による解説、四三五頁。

（11）同書中の「偶然と秩序の間で――自伝」、一七四頁。

（12）最近世論の動向以上に研究に大きな影響を及ぼしているのが、お上の研究教育行政である。要するに国も企業も大学も金がないのだ。その中で、研究者たちが助成金をとるために費やしている並々ならぬ労力たるや。とくに理系の研究は金がかかる。お上に逆らえない。かつては「産学協同は潔しとせず」なんて言っていたが、今はそんな時代じゃない。悲惨、哀れ、徒労、疲弊、まさにブラック・コメディの世界である。えっ、僕ですか、僕はもう三十年前から金のかかる研究はやめました。大学からもらえる若干の研究費とポケットマネーでできることに特化して、自分の書きたい漫談だけをものする。清々しい気持ちで、売れない原稿を書いている。あの三流官庁には会釈もしたくない。

（13）僕が使用しているパソコンの機能も、僕は二％以上使っている自信がまったくない。自分の潜在意識と同様、パソコンにもこわごわ異文化接触している。

（14）もっとも、共産主義社会はあまりフロイトと相性がよくない。なにせ「唯物史観」が公式テーゼ、社会システムを変更すれば人間も善き存在になれると宣う世界だから。レムも科学用語はずいぶんと羅列しているが、精神分析学に関しては、彼が知らないはずはないのに、案外素朴なレベルにとどめている。

（15）前掲の「偶然と秩序の間で――自伝」、一八一―一八三頁。

（16）僕の読み方。この物語は、銀座のクラブで、若くして死んだ美人妻に似たチーママに出会った会社の重役の話と同じ。そこは疑似恋愛の世界、高級な店ほどお客さんとのガチンコの恋愛はご法度。そんなことは百も承知のはずなのに、酸いも甘いも知り抜いた中年男がチーママに本気で入れ込んでしまう。彼女の方もダンディで優しいお客さんに惹きつけられ、しかし最後は〝スレた女の純情〟よろしく好いた男の地位と名誉を思い、お酒にちょいと睡眠薬を忍ばせて、彼の前から去っていく。これぞ、大人の、銀座の恋の物語だ。

と、大学のゼミで『ソラリス』を読んだ時に自説を語ったのだが、学生たちは誰も納得しなかったので、本稿では本文に入れず、注に記すにとどめる。

(17) レムはラストで、話の通じぬ他者との交流継続を暗示したのに対して、タルコフスキー映画の終幕は主人公がなつかしき故郷に回帰する。二人は映画化をめぐって三週間議論した末に喧嘩別れになったという。さもありなん。前掲の国書刊行会版『ソラリス』に沼野充義が付した訳者解説（三六〇頁）より。

5　オールダス・ハクスリー『すばらしい新世界』

(1) 米ランダムハウス社のモダン・ライブラリー編集部が一九九九年に選んだ「英語で書かれた二十世紀の小説ベスト一〇〇」で、『すばらしい新世界』は第五位、『一九八四年』は第十三位（第一位はジョイスの『ユリシーズ』）。ついでに、仏『ル・モンド』紙による「二十世紀の一〇〇冊」（一九九九年）では、『すばらしい新世界』が第二十一位、『一九八四年』が第二十二位（第一位はカミュの『異邦人』）。もちろん、前者はアメリカ目線が、後者はフランス目線が強い選び方ではあるが、一応ご参考まで。

(2) 引用は、Aldous Huxley, *Brave New World and Brave New World Revisited*（Harper Perennial Modern Classics, 2005）からの拙訳。邦訳には、ハックスリー『すばらしい新世界』（松村達雄訳、講談社文庫、一九七四年）がある。訳語の選択が的確。参考にさせていただいた。

(3) イギリスはハクスリーがこの小説を書いた一九三二年も、二十一世紀の現在も、厳然たる「階級国家」である。どの政党も「階級なき社会の実現」をモットーとし、しかしモットーにしているということは階級が消滅していない何よりの証拠だ。

いったいどこの国・地域にも〝社会的コンプレックス〟の向かう先はあるもので、日本は「学歴・学校歴」、アメリカは「人種」、そしてイギリスは「階級」。はて、わが国では学歴・学校歴によって社会的階層が形成されているのか!?　それは事実か、はたまた人々の単なる意識か？　同様にイギリス人は、何かというと階級を意識する。それが二十六世紀になっても、解消されていないどころか、生まれる前から人々の階級が人為的に決められてしまうというお話。コテコテの英国小説！　イギリスの階級に関しては拙著『スクリーンの中に英国が見える』（国書刊行会、二〇〇五年）、その上下二段組五百五十ページ以上の分厚い本の中でふんだんに語った。ご一読のほど。

（4）例えば、レイ・ブラッドベリの『華氏四五一度』（一九五三年）。情報はすべてテレビやラジオで発信され、本は所有さえ禁じられて、発見されると消防士（ファイアマン）によって焼却される。パソコンが出現した現代、それはもはや空想的な物語ではなくなりつつある。

（5）アメリカは第一次大戦で大量の武器をヨーロッパ諸国に売りさばき、建国以来の借金をすべて返済する。それこそが二十世紀の超大国アメリカのスタートであった。ハクスリーは相当アメリカが嫌いみたいだ。もっとも、後年は目の治療もあって、カリフォルニアに移住するのだが。

（6）階級による背丈や体格の違いが事実かどうかは別として、映画などもよく見ると、そうしたステレオタイプがしばしば配役に反映されている。前掲の拙著『スクリーンの中に英国が見える』第4部第4章「アラン・シリトーと労働者階級」あたりをご参照。

（7）『すばらしい新世界』が出版された一九三〇年代前半は、サイレント映画から音付きのトーキー映画（talkie）に、一気に移行した時期である。それに引っかけて、体で感じられるフィーリー映画（feely）と。

（8）小道具にも人名がいっぱい。例えば、避妊薬携帯用ベルトの名がマルサス・ベルト。『人口論』（一七九八年）で名高いあのマルサスだ。現在、人類の人口について研究している人たちが、地球の未来に対していちばん悲観的かもしれない。人口抑制は世界の安定の鍵だ！

（9）イギリスのユーモアが多くの日本人の考えるそれとまったく異なるという話は、『スクリーンの中に英国が見える』の大きなテーマのひとつ。かの国の喜劇、笑い、ユーモアについて山ほど、ゲップが出るほど論じているので、ご笑覧あれ。

（10）学生たちのキバを抜き、没個性化する画一化教育と知りつつ、日本の学校に勤めて生計を立てている、この矛盾。僕の人生はつくづくブラック・コメディだと、ため息が出る。あゝ、慚愧。

（11）名前の由来は、トルコ革命の雄ムスタファ・ケマル・アタチュルクとイギリスの化学企業の社長にして政治家サー・アルフレッド・モンドを掛け合わせたものらしい。また、モンドはフランス語で「世界」、『ル・モンド』紙のモンドも意識しているだろう。

（12）人文学の論文も同じだ。自然科学分野の論文と違い、結論が重要とは限らない。

（13）"a tale told by an idiot"、『マクベス』の五幕五場で、マクベスが人生のはかなさについて語る名高きモノローグの中の一句。野蛮人の口を借りて、ハクスリーは思う存分シェイクスピアの詩行を綴っている。好きなんですな。

（14）自分は人生、けっこう好き勝手にベンチャーしてきたのに、子供にはできれば浮き沈みの少ない、順風満帆な人生を送らせたい、という気持ちも親にはあるわけで。僕もシェイクスピアなんか研究しているふりをしながら、ずいぶん危ない橋を渡ってきた身なので……いや、白痴の語る独り言でございます。

（15）大学の教員の世界がまさにそれだ。魑魅魍魎の集団！　自分が優秀だと思っている連中の集まりで、事務仕事を――できもしないくせに――見下す。できないだけでなく、見下しているから、いつまでたってもできるようにならない。もっとも、日本に教授・准教授だけで十万人以上いるとか。ひとつの国に十万人も優秀な人間がいるはずはないから、大学の先生様がアルファ集団というのも幻想であろう。

（16）こんなことを書くから、イギリスのお隣、あのガチガチのカトリック国アイルランドでは、早々に発売禁止になった。また、ピューリタンの国アメリカのいくつかの州でも発禁になった。むべなるかな。

（17）「涙なしのなんちゃら」、よくお手軽な初級本にあるやつだ。「涙なしのフランス語」、「涙なしの確定申告」などなど。

（18）「プチブル」にも注をつけるべきであろう。昭和の末期、バブルが始まる前くらいまで、マルクス主義の用語たるプチブル（＝小市民）は、大いなる蔑みのことばであった。社会の変革を求めず、自分の小さな幸福だけに安住しようとする快楽信仰の人々に後ろ指をさす時に使う単語。「マイホーム主義」、「日和見主義」なんて類語もあった。プチブルは今や死語かもしれないが、それはことばがなくなったのではなく、一億二千万国民が総プチブル化したので、その概念が意識されなくなっただけである。

6　ベルトルト・ブレヒト『ガリレイの生涯』

(1) ベルトルト・ブレヒト『ガリレイの生涯』からの引用は、すべて岩淵達治訳の岩波文庫版（一九七九年）より。なお、岩淵の個人全訳で『ブレヒト戯曲全集』全九巻（未來社、一九九八―二〇〇一年）が出版されている。

(2) 岩淵はここに注をつけて、「肉体を一番快適なコンディションにおいたときには知性の働きも一番活発になるというのはブレヒトの基本発想である」と述べている。そうね、僕もいちばん原稿のアイデアが浮かぶのは、家でブラブラしている時だ。いいインスピレーションを生み出すためには、能率や競争よりも暇な時間の確保が大切。ちなみに学者（scholar）も学校（school）も、古代ギリシャ語の〝暇〟が語源、なのに現状は……

(3) コペルニクス（一四七三―一五四三年）が地動説を唱えたのは十六世紀初頭、しかし観測技術が不十分で仮説の精度が低く、天文学者の間で大きく注目されることはなかった。よって、ローマ教皇庁も問題視せず。ところが反逆的な僧侶ジョルダーノ・ブルーノが地動説を擁護し、一六〇〇年に異端として処刑される。さらにその十数年後、ガリレイが望遠鏡を用いて天体を観測し、地動説を確信せざるを得なくなる。ここに至って、教皇庁は七十年以上前に書かれたコペルニクスの『天体の回転について』（一五四三年）を禁書とし、ガリレイに対しては、一六一六年に宗教裁判を開き、有罪判決を言い渡した。注を付したパラグラフは、二度行なわれた彼の裁判のうちの第一回目を反映した場面（戯曲の第七場）についてのくだりである。なお、ガリレイ裁判の三年後に、ケプラーが惑星は楕円軌道を描いているとする「ケプラーの法則」を発見し、地動説の検証をさらに強力に推し進めることになる。

(4) この節を書いている時、日本学術会議が半世紀ぶりに、大学などが軍事研究を行なうことに否定的な声明を発表した（二〇一七年四月十三日）。二〇一五年に防衛装備庁が大学などに研究を委託しはじめたのが、事の発端である。大学の自治と政府との緊張関係は、このところとみに強まっている。

（5）学問は〝禁断の木の実〟である。僕は学問をやって幸福になれる人は少数派だと思っている。強烈な知的好奇心がなければ、研究者などめざすべきではない。研究職は世間一般が考えているほど格好のいい仕事ではない。

（6）拍手したくなるセリフだ。しかし考えてみれば、現代の日本でも、知って知らんぷり、寝たふり、また上司の耳に快くないことは微妙に曲げて虚偽報告するのが、常識あるニッポン人の常識的な行動規範だ。お父さんたちは、そうせねば生きていけぬ。家族の生活がかかっている。それを考えれば、ガリレイに一喝されてすごすご帰っていく元弟子も、ちょいとかわいそうになってくる。

（7）科学史・科学哲学を研究する村上陽一郎が、「安全学」なる分野を提唱し、科学・技術・医学などが人間のコントロールできるレベルを超えてしまった今日における危機管理の問題について論じている。達見である。

（8）若いころブレヒトに心酔し、アメリカに亡命していた時期のブレヒトと共に舞台作りをした経験もあるジョゼフ・ロージーが、イギリス亡命後にブレヒト原作の映画『ガリレイの生涯』（*Galileo*、一九七四年、イギリス・アメリカ合作映画）を撮っている。謝肉祭の場面は、アングロ・サクソンらしいミュージカルの乗り。日本未公開だが、字幕なしでよければ、全篇YouTube に転がっている。

（9）E・M・フォースター『小説の諸相』（『E・M・フォースター著作集』第八巻）中野康司訳、みすず書房、一九九四年、第二章参照。

（10）アリストテレスは『詩学』の中で、読者や観客が主人公に共感して、主人公と同じ視点で悲劇的な物語の世界を旅すれば、日ごろから心に溜まっている暗い心情を解放することができる、それによってカタルシス、つまり心の浄化を経験できる、それが悲劇なのだと述べている。西洋では悲劇の定義として必ずといってよいほど持ち出される有名な論。なお、その悲劇論の続篇にあたる喜劇論があったとするのが、第1章で紹介した『薔薇の名前』である。

（11）僕が見た絶品の『ガリレイの生涯』の舞台は、いずれもロンドンのナショナル・シアター（オリヴィエ劇場）の公演。一本はジョン・デクスター演出、マイケル・ガンボン主演の一九八〇年版。僕が大学院生のころ、初めてロンドンに旅行した際に出会った忘れえぬ舞台。感激したなあ。もう一本はハワード・デイヴィスが演出し、サイモン・ラッセル・ビールがガリレイに扮した二〇〇六年版。後者では注をつけた場面（十二場）、教皇は真っ白な下着の上に、さらに白い服を二着着せられ、最後に金色のマントを羽織って、はい、一丁上がり。こともなげに〝権威〟が創作される様を見せていた。

（12）僕の好きな劇作に、ロバート・ボルトの筆になる『わが命つきるとも』（一九六〇年初演）がある。ヘンリー八世の離婚・再婚に同意せず、裁判で有罪となって処刑されたトマス・モアの伝記もの。ブレヒトの影響を受け、殉教者モアへの観客の同化を許さない工夫が凝らしてある。だが、投獄され裁判を待つモアに、娘が面会に来る場面で、父は言う。国に悪徳がはびこっている今は「少し断固とした態度をとらなければならない――たとえ英雄になる危険をおかしてもだ」。僕はこのセリフを聞くと、いつもトマス・モアに〝同化〟してしまう。前掲の拙著『スクリーンの中に英国が見える』第2部第2章「譲れない正義」を参照されたし。

（13）ブレヒトが書いたアメリカ版『ガリレイの生涯』の序文より。岩波文庫の『ガリレイの生涯』の二〇八頁、「『ガリレイの生涯』の覚え書」中から引用。

（14）これも、同書所収「『ガリレイの生涯』の覚え書」（二四六頁）より。

（15）初稿も悪くない。僕はこっちも好きだ。岩波文庫の訳注（二六四―二八二頁）に入っている。ご一読のほど。

（16）前掲の「『ガリレイの生涯』の覚え書」（二四五頁）より。

（17）エッカーマン『ゲーテとの対話』（上）山下肇訳、岩波文庫、一九六八年、二〇二頁。

（18）ブレヒトのいう「異化」は、およそヨーロッパ映画ではごくふつうに行なわれている。かの文化圏に属する映画では、主人公はハリウッド作品と違って圧倒的な存在感を有さず、大いなる共感も呼ばない。拙著『ヨーロッパを知る50の映画』正・続（国書刊行会、二〇一四年）では、ブレヒトの異化効果が完全消化されて、空気のようになっているヨーロッパ映画の状況をそこここで語っている。ご笑覧あれ。

第3章　不条理

7　ウジェーヌ・イヨネスコ『授業』

（1）教会の地下にはしばしば、納骨ないしは礼拝用の地下室クリプト（crypt）がある。ヨーロッパの教会には、クリプトに山積みにされた骸骨を拝観料を取ってみせているところもある。僕のロンドンでの行きつけは、トラファルガー広場に面したセント・マーティン・イン・ザ・フィールズ教会地下のカフェレストラン、その名も「クリプト」。

（2）この小劇場の舞台に立ち、後に有名になった人たちは綺羅星のごとしだ。上の教会とはいろいろあったみたいだ。そりゃ、当然だろう。ジァン・ジァンのオーナー高嶋進によるノンフィクション・ノベル『ジァンジァン狂宴』（左右社、二〇一三年）ご参照。

（3）最後の一年は仲谷昇とダブルキャスト。入場料については覚えていなかったが、中村伸郎『おれのことなら放つといて』（早川書房、一九八六年）に六百円と書いてある。日本エッセイスト・クラブ賞を受賞した、中村の人柄と芸風を彷彿させるおとぼけエッセイ集。中村曰く、新劇のホール芝居のマンネリな雰囲気、好意に甘えて無理に切符を買ってもらって芝居を続けてゆく情けない状況に嫌気がさし、「見たいと思ったら見てくれ」という芝居をやりたかった。見終わった観客に、「まア六百円ならネウチはある、君も見て来い」といわせて、客の口コミが得られればと努力したつもり、と。いいねえ。

（4）テキストは、『ベスト・オブ・イヨネスコ』（白水社、一九九三年）所収の安堂信也・木村光一訳を使用した。

（5）蛇足だが、僕は高校時代、数学は得意科目だった。担任の先生からは、「理系に行け」、「おまえ、なんで文系志望なんだ」と言われた。しかし、自分に数学的なセンスがあるとはまったく思わなかった。ただ一所懸命勉強して、成績がそれなりだっただけ。これは自慢でもなく卑下でもなく。

（6）ここいらへんの僕の話を舌足らずとお思いの読者に、新書を二冊紹介しておきたい。まず社会学者の橋爪大三郎が書いたロングセラー『はじめての構造主義』（講談社現代新書、一九八八年）は、構造主義から始めて、ヨーロッパ人の思考方法の源を探り、それはやっぱり数学なんだと実感させてくれる有難い書物。僕は大学生にずいぶんこの本を推薦したが、面白がってくれるのは理系の人間ばかり。つくづく文系学生の数学コンプレックスの深さを思い知らされてしまう。もう一冊は、大学・大学院で物理学を専攻したサイエンスライターにしてミステリー作家、竹内薫（湯川薫）による『99・9％は仮説——思いこみで判断しないための考え方』（光文社新書、二〇〇六年）。同書によれば、科学は——そして常識は——全部仮説にすぎない、それは反証可能だ、反証されれば覆るからこそ科学なのだ、だからすべてを疑え、と。文系の人間にはわりと〝常識〟的な考え方が、「おゝ、理系よ、おまえもか」と、嬉しくなってくる啓蒙書。僕の数学・科学談義は、みんなこの二冊に書いてある。ぜひお読みあれ。

（7）イヨネスコはブレヒト劇を嫌ったらしいが、彼の芝居にも異化効果は歴然とある。

（8）通時的（歴史的）と共時的（同時代的）。両方を一遍にやると煩雑になるからとりあえずどちらかに特化して物事を追究しようとする発想は、今やどの研究分野でも当たり前のように共有されているが、これもソシュールに端を発する。彼の方法は、ヨーロッパの思潮史でいえば、同時代のヨーロッパ外の言語や事物にも関心を寄せ、自分たちの優越性を放棄して、ヨーロッパ文明の進歩の歴史以外にも目を向ける出発点になったといえよう。

（9）言語研究の方向をラディカルに変えた先駆者ソシュールの流れを汲んで、戦前のプラハ（英語でプラーグ）は言語学研究の一大中心地となった。そのサークルの代表的メンバーのひとり、ロマン・ヤコブソンは第二次大戦から逃れてアメリカへ渡る。その時、ニューヨークで出会ったのが、同じくユダヤ系でかの地に亡命していたレヴィ・ストロースである。二人の劇的な邂逅によって、言語学の研究方法が文化人類学に応用されるようになり、レヴィ・ストロースによる西欧中心主義を根底から揺るがす「構造主義」の登場へとつながっていく。これはドラマだ！
　と、ヘッヘッヘッ、僕は外国語学部の学部・大学院に八年間もいたので、さほど興味もなかった言語学をずいぶんやった（必修でやらされた）。僕の言語学に関する知識と見識は凡たるものだが、後の文学研究にはずいぶんと役に立った。若いころに無駄だと思った勉強が、後年になって有難い基礎教養と認識されることはしばしばある。

　本書も記号論学者のウンベルト・エーコによる『薔薇の名前』から始まり、言語学の匂い芬々たるミラン・クンデラ作『存在の耐えられない軽さ』まで、現代の文学がいかに言語学の影響を受けているかが実感される。

（10）イヨネスコ自身が"La Tragédie du Langage"に書いている、よく知られた話。マーティン・エスリン『不条理の演劇』小田島雄志訳、晶文社、一九六八年（原著一九六二年）、一一〇―一一一頁より孫引き。

（11）同書、一一一頁。

（12）日本人はオギャアと生まれた時から日本人なのではない。教育によって"日本人"になるのだ。教育がいかにポリティカルであるか。

（13）タモリのデタラメ言語をお知りになりたい方は、YouTubeをご覧あれ。マージャンだけでなく、各国語によるバスガイド、各言語による女性の口説き方、南北朝鮮のサッカー中継などなど。意味がない（ナンセンス）のに文句なく笑える。

（14）演劇批評家の渡辺保がテレビの解説で"狂熱"ということばを使っていた。ドンピシャの表現だと思う。

（15）ト書きには、教授は女中にナチスの卍（ハーケンクロイツ）の腕章を腕に巻いてもらって、ほっと一安心するとあり、しかし注には、パリで上演の際は、腕章の件はカットされたとある。卍は内心の暴力性を視覚化してわかりやすいのだが、観客のイメージをひとつの歴史的風景に特化してしまう。カットした方が、人間の普遍的な残虐性に思いを馳せることができて、この不気味な喜劇の終幕にはふさわしいだろう。

（16）中村伸郎、前掲書、七一頁。

（17）文学座は一九三七（昭和十二）年に久保田万太郎、岸田國士、岩田豊雄（獅子文六）が結成。しかし、日中戦争の拡大で三巨頭は劇団を放り出し、あとを任されたのが、中村伸郎、森本薫、杉村春子らであった。一九六三年に三島由紀夫の戯曲『喜びの琴』上演中止をめぐって、当時座付き作家だった三島や中村ら十四名が退団、世に「喜びの琴事件」と呼ばれる。

（18）僕はジュヌヴィエーヴ・セローが「ヌゥヴォ・テアトル」とくくった名称を案外気に入っている。早くから若き劇作家たちの身近で彼らを擁護した女流作家からすれば、反演劇でも不条理でもなく、ただの「新しい演劇」、そんな地味で無色な呼称がいちばんしっくりくるのであろう。ジュヌヴィエーヴ・セロー『ヌゥヴォ・テアトルの歴史』中條忍訳、思潮社、一九八六年（原著一九六六年）参照。

8　フランツ・カフカ『変身』

（1）フランツ・カフカ『変身』からの引用は、すべて池内紀訳（白水Uブックス、二〇〇六年）より。かつての高橋義孝訳は、「原文はドイツ語！」と主張する固さがあったが、池内訳はスラスラと読める。両者を読み比べると、カフカをどういう作家と捉えるか、その姿勢の違いも窺える。

（2）池内紀『となりのカフカ』光文社新書、二〇〇四年、五六頁参照。また、同書一九九頁に、『変身』初版表紙を飾った「寝乱れた髪の男が両手で顔を覆って立っている。半開きのドアの向こうに真っ黒な闇」の写真が掲載されている。僕は作品を読む前にできるだけ〝攻略本〟は読まない、攻略本を読んでもそれを一度忘れるまで待ち、しかる後に自分の目で作品を味わいながら解題を書くように心がけている。だが、池内の何冊も出ているカフカの解説本をめくると、僕が書きたいことは、ほとんど全部、僕より上手に記してある。当たり前か、相手はカフカの専門家なのだから。ずいぶんと参考にさせていただいた。

（3）ボードレール『パリの憂愁』福永武彦訳、岩波文庫、一九五七年（原著一八六九年）、「三五　窓」。

（4）池内紀、前掲書、二〇三頁。

（5）同書、一六〇―一六一頁。

（6）カフカの生涯に関しては、『変身』（白水Uブックス）に付された池内紀による解説、また『となりのカフカ』をはじめとする彼の啓蒙書に、詳しく、わかりやすく書かれている。ご参照あれ。

（7）前掲の池内紀『となりのカフカ』、二六頁。

（8）同書、四五頁。

（9）僕の大好きな映画を一本紹介しておきたい。ワレーリイ・フォーキン監督、エウゲーニイ・ミローノフ主演の『変身』（二〇〇二年）。演劇の国ロシアの映画らしく、グレーゴルの虫男ぶりをすべてミローノフが〝人力〟で演じる。虫になった男の手先、足先、それらの動き、声……特殊メイクなし。カフカは本の表紙に虫男の絵をつけることを拒否したが、映画ならそれを視覚的に表現しなければいけない。だが、ミローノフの肉体芸でそれを見せられると、「ブラボ〜ッ！」と叫ばずにいられない。また、開幕で、大雨の駅にプラハと標識があって、あれっ⁉ でも、ラストにカペル橋が映る晴れやかで明るい場面があって、なるほどプラハと最初に明示した理由はこれか、と。小説と映像というメディアの違いがありながら、映画は「原作の本質」をみごとにスクリーンに移植している。必見。

(10) カミュ『シーシュポスの神話』（清水徹訳、新潮文庫、一九六九年）所収の「フランツ・カフカの作品における希望と不条理」（一七七頁）より。このエッセイは、一九四二年に『シーシュポスの神話』初版が出版される折に、その一章として発表されるはずだった。しかし、当時のフランスはナチス・ドイツの占領下にあり、ユダヤ人であるカフカに関する論考を載せることははばかられ、ドストエフスキー論に差し替えられた。新潮文庫版では、そのカフカ論を「付録」という形で掲載している。

(11) 自身も作家であったマックス・ブロートと、刊行できる原稿を探していた新興の出版社のおかげで、カフカの七作品が生前に薄い本になっている。それ以外のカフカの本は、彼の死後、マックス・ブロートがカフカの手書きのノートから起こし、小説の体裁を整えて発表した。さらにブロートが一九六八年に他界した後、カフカのノートが解禁となり、ブロートによって編集された版とは異なるカフカ全集が出版された。これらの経緯についても、池内紀が前出の『変身』（白水Uブックス）の巻末解説およびカフカ攻略本で詳しく語っている。ご一読されたし。

(12) 僕の書く文章は全部〝自分への手紙〟。体内の毒素を吐き出すための排泄行為である。もちろん頼まれ原稿や付き合い原稿はずいぶん書いたが、しかし業績作りのための論文は一本もない。それがささやかな自慢（⁉）だろうか。文章は世に問う前に、まずは自分に問うものである。

(13) 少なくとも、僕はそうだ。遅筆の僕は新しい本を書きはじめると、いつも「さあて、この原稿を脱稿するまで命がもつかな」と思ってしまう。もし途中で命が尽きそうなら、未完の原稿はシュレッダーにかけてくれと頼むだろう。僕は最後の校正まで自分で目を通したものだけを、世に残したい。

(14) 僕のお勧め本は、鎌田實『がんばらない』（集英社文庫、二〇〇三年）。終末医療、さらに医療全般について、かくありたしと思わされる一書。介護はがんばらないことが大切、と教えてもらった。

(15) 池内紀の前掲書『となりのカフカ』の第八章「ユダヤ人カフカ」を参照。池内はまた同章の中で、一九一一年にイディッシュ語（東欧のユダヤ人の言語）の劇団がプラハを訪れ、その際カフカが熱心に劇団員と交流した様子を記している。さらに曰く、「カフカの小説には、名前からして、あきらかにユダヤ人と思われる人物は多い。しかし、作中に「ユダヤ人」といった言い方は、ついぞ出てこない」（同書、一三三頁）と。ドイツに同化し、だが自らのユダヤ性をおもんぱかっているカフカの内心を推しはかって、興味深い。

(16) 前出のワレーリイ・フォーキン監督の映画『変身』では、三人の間借り人は一見してわかる黒衣の厳格なユダヤ教徒。一瞬にして視覚的に認識させてくれるメディアもまた善し。

(17)『どん底』の節でもご紹介したマックス・ヴェーバー『プロテスタンティズムの倫理と資本主義の精神』（大塚久雄訳、岩波文庫、原著一九〇五年）は、タイトルが長すぎるので、短く『プロリン』と呼ばれてきた。僕が大学生時代に読んだ本の中で、最も心を震撼（しんかん）させられた書物である。高校の世界史で教わった世界が、ガラガラと音をたてて崩れるような感覚に見舞われた。

9　アルベール・カミュ『異邦人』

(1)『異邦人』の翻訳なら窪田啓作訳といわれるくらい長年愛読された新潮文庫版（一九五四年）を、本節の引用にも使わせていただいた。

(2) オスマン・トルコはアジア・アフリカ・ヨーロッパの三大陸にわたる大帝国を築いて東西貿易を独占、近世ヨーロッパ諸国にとっての一大脅威となった。一四五三年に東ローマ帝国を滅ぼしたのも、オスマン・トルコ。もっとも、かの帝国内では多民族・多言語・多宗教が共存していたともいえる。民族国家やら民族自決やらといったスローガンが叫ばれるのは十九世紀以降、それはすぐれて近代の産物である。

（3）シャルル・ロベール・アージュロン『アルジェリア近現代史』（私市正年・中島節子訳、白水社文庫クセジュ、二〇〇二年）に、『異邦人』出版の五年後、一九四七年の数字として、ヨーロッパ人九十二・二万人、ムスリム人七百八十六万人とある（同書一二六頁）。アージュロンの啓蒙書は、アルジェリアがフランスに占領され、植民地化され、百三十二年間の支配の後に独立し、さらには独立後の旧植民地がいかに多くの問題を抱えていたかを、簡潔に、しかし図式化せずに教えてくれる。『異邦人』を読むための予備知識を得るために、ぜひ一読されたし。

（4）ヴィリジル・タナズ『カミュ』（『ガリマール新評伝シリーズ』6）祥伝社、二〇一〇年、三一八頁。ルーマニア人が書いた、それゆえにフランス人なら書きづらい立ち入った話もズケズケ語っている魅力的な評伝である。

（5）母方の祖母の名はカトリーヌ・サンテス、旧姓はカルドナ。カミュは、粗暴な隣人レエモン・サンテスと、聖母のファースト・ネームをもつマリイ・カルドナに、祖母の姓を忍ばせている。なお、カミュの母の名も、祖母と同じくカトリーヌ。東浦弘樹『晴れた日には『異邦人』を読もう――アルベール・カミュと「やさしい無関心」』世界思想社、二〇一〇年、六二頁参照。

（6）新潮文庫版の『異邦人』（窪田啓作訳）の巻末に白井浩司が記した、ひじょうに行き届いた解説より。

（7）ヴィリジル・タナズ、前掲書、二八頁。また、東浦弘樹、前掲書、一四八頁。

（8）映画だと、一九五〇年代末からその手の作品が出現する。ジャン・リュック・ゴダールは、意図的にフィルムを粗雑につなげる「ジャンプ・カット」で、登場人物たちの行動の動機づけをあいまいにして一世を風靡（ふうび）した。また、ミケランジェロ・アントニオーニも、不可思議な人間心理を不可思議なまま呈示して、現代人の愛の不毛を語り、時代の寵児となった。拙著『ヨーロッパを知る50の映画』の第4章、ジャン・リュック・ゴダール『勝手にしやがれ』、および第9章のミケランジェロ・アントニオーニ『情事』の節を読まれたし。

（9）例えば、東浦弘樹の前掲書、一〇五頁。

（10）『異邦人』は超ロングセラーだ。研究者にも一般の読者にも評判がいい。攻略本も山ほどある。だが、総じて研究書や解説本は、そういう書物の性格上仕方ないんだけど、ムルソーの心理や行動を理詰めで解釈しようとする、不条理なものをなんとか合理的に説明しようとする。例えば、ピストルは六連発だから弾丸はあと一発残っていたはずなのに、なぜ撃たなかったのか、第一部のラストではムルソーのことばとは思えない高揚した文体になっているのはどうしてか、またフランス語の時制の問題も……つまり、主人公のムルソーは深くものを考えていなかったにしても、作者カミュは緻密に小説を構成していたはずだ、と。なるほど、僕が気づかずに読み飛ばしていたところを丁寧に論じてくれて、たいへん助かるのだが、しかしあまり理が勝ちすぎると、ムルソーという鈍感な男を扱った小説の面白さが薄れていく。カミュはよくよく考えながら、でも案外穴だらけの古風な小説をものしたと、僕は思う。なので、専門家の方々に敬意を表しつつ、僕はもう少し野放図な解題を書かせていただく。

(11) 野崎歓が *L'Étranger* を『よそもの』と邦訳している。野崎歓『カミュ『よそもの』きみの友だち』(みすず書房、二〇〇六年)参照。あまりにも『異邦人』なる邦題が定着してしまって、なかなか馴染めないけれど。

(12) 日本の場合は、法律と道徳に加えて、〝自主規制〟と〝世間の目〟がある。この二つの要素は存外強烈な縛りとなって、我々の心と日々の行動を監視し、規制している。

(13) 東浦弘樹が前掲書の一四九頁で、カミュのエッセイ集『結婚』中のことばを引用しながら語っている。

(14) サルトル『シチュアシオンI』(『サルトル全集』第十一巻、人文書院、一九六五年)所収の「『異邦人』解説」(八三頁)より。

(15) カミュ『シーシュポスの神話』(清水徹訳、新潮文庫、一九六九年)中の最終章「シーシュポスの神話」より抜粋。

(16) 一人称小説である。ムルソーが処刑されてしまうのなら、最終章は誰が書いたのか。カミュの専門家なら、説明せねばならない論題だ。白井浩司は、「法廷でムルソーが視線を交した、ひとりの新聞記者による聞き書き」説(新潮文庫版『異邦人』の巻末解説、一四〇頁)、野崎歓は、ムルソーに「不条理な唐突さで、恩赦のしらせが届」き釈放されたという説(野崎歓、前掲書、一四四頁)。興味深い議論、面白い仮説だが、僕はカミュの研究者ではないので、不参加とさせていただきます。まあ、小説はしょせん作り物、破綻があって当然だと思っていますし。

(17) 本文にも記したように、親とも教師ともぶつからず、友人ともほとんど喧嘩せず、ぬくぬくと生きている(ように見える）近ごろの若者たち。右を向いても左を見ても、ムルソーだらけ。こいつら、何考えているんだ⁉　しかし、胸襟を開く習慣がないからこそ、自らの世界を覆った霧は晴れることがなく、心の中に漠たる不安は溜まりに溜まる。ゼミで『異邦人』を読んだ折に、そんなに反逆せずに生きていると、いつか不条理な罪で裁判にかけられて、処刑されちゃうぞ〜、と言ったら、ある学生が「ギロチンより虫になる方がリアリティがあるかな」と。はいはい、不条理文学に現実感を感じていただけたんなら、何でも結構でございます。

第4章　近代

10　E・M・フォースター『インドへの道』

（1）拙著『スクリーンの中に英国が見える』、四六頁。同書の中で、E・M・フォースター原作の映画五本『モーリス』、『眺めのいい部屋』、『天使も許さぬ恋ゆえに』、『ハワーズ・エンド』、そして『インドへの道』を全部解説している。ご一読のほど。

（2）『インドへの道』からの引用は、E. M. Forster, *A Passage to India* (Penguin Books, 1924) よりの拙訳。訳出にあたっては小野寺健訳（『E・M・フォースター著作集』第四巻、みすず書房、一九九五年）を参考にさせていただいた。名訳！　同書の巻末にある訳者解題も、ぜひお読みあれ。

（3）インドに言語がいくつあるか。社会言語学者の田中克彦とH・ハールマンは一九五一年の数字として八百四十五言語という数字を挙げている（田中克彦、H・ハールマン『現代ヨーロッパの言語』岩波新書、一九八五年）が、同じ分野の研究者、本名信行（編）の『アジアの英語』（くろしお出版、一九九〇年）には千六百五十二言語（一九六一年）が母語として存在するとある（フランシス・ブリットー、同書第九章「インドの英語」）。文字を持たぬ、家族の中だけで話されることばも多々あり、そもそも言語なるもの、複数の独立した言語と数えるか一言語の複数の方言と考えるかが判然としない場合もしばしばで、要するに言語の数は数えられないのである。

ちなみに現代のインド憲法が定めている公用語はヒンディー語および二十二種の地方公用語、そして準公用語としての英語。国家（ないしは州）が国内（州内）の共通語として保護する「公用語（official language）」と、子供が家庭でまず最初に母親から教わる「母語（mother tongue）」の違いを知るべし。それ以上詳しく記すと小説がつまらなくなるので、ここいらへんで。

（4）ウルドゥー語は現在のパキスタンの公用語。ヒンディー語と同系だが、文字がペルシャ文字を基礎としているので、我々には別言語にみえる。

（5）映画化作品としては、デヴィッド・リーン監督による『インドへの道』（一九八四年、イギリス映画）がある。フォースターは女性に興味がないのに対して、リーンは実生活でも映画でも情熱的な女を求めた。原作ではせいぜいが狂言回しに過ぎないアデラを、リーンは内心に性的抑圧を抱える主人公に格上げしている。両者の違いについては、拙著『スクリーンの中に英国が見える』の第3部第8章「イギリスの見たインド――『インドへの道』、『熱砂の日』、『大地のうた』、他」をご参照。

（6）E・M・フォースター『フォースター評論集』小野寺健編訳、岩波文庫、一九九六年、所収。「私の信条」からの引用は、容易に手に取れるこの文庫版の翻訳を使用した。また、フォースターの二冊の評論集『アビンジャー・ハーヴェスト』と『民主主義に万歳二唱』の完訳はみすず書房から出版されている。彼のエッセイは、一読してインパクトはないが、噛むほどに味わいがある。彼の小説と同じ。

（7）日本でそんなことを言ったら村八分、いや国家八分にされた時代。おっと、非国民――僕はその日本語をとっても面白い用語だと思っている。

（8）人生、毎日がエキサイティングで刺激的なはずはない。しかし若いころはそれに耐えられず、酒を飲んで議論したり、恋人とデートしたり、徹夜でマージャンに興じたりして、自分の気持ちが高揚する時間を求めた。が、今、還暦をすぎてやっと、とろとろとまどろみながら『インドへの道』を味読するだけで充実感を覚えるようになった。E・M・フォースター四十五歳のうんちくには、この作家の老成を実感させられる。

（9）僕がムア夫人にあこがれを抱いたのは、小説よりむしろ映画の影響が大きいのかもしれない。デヴィッド・リーン作品でムア夫人に扮したのは、ペギー・アシュクロフト。ローレンス・オリヴィエもジョン・ギールグッドも彼女と共演したがったという逸話の残る、二十世紀最高のイギリスの舞台女優。映画では原作のとおりの無力な老人をさりげなく演じて、しかしじゃじゃ馬のアデラの横で、気品と奥ゆかしさを漂わせる。アカデミー助演女優賞受賞。

（10）堂々たる体軀で、骨太で、オックスフォード流の英語を話す弁護士、その名は英印関係史上に悪名を馳せるイギリス軍による無差別虐殺事件（一九一九年）が起こったアムリトサル市を連想させる。日本人にとっての広島・長崎と同じくらいインド人の記憶に刻まれている地名だという。

（11）フォースターの小説は基本的に、イギリスの上層中流階級――通称ジェントリー（gentry）、同階級の人間がジェントルマン（gentleman）――の人々が自分たちと階級を異にする人たちと交流しなければならなくなった際のドタバタぶりを諷刺するコメディである。また、彼も学んだパブリック・スクールは、ジェントルマンたちの子弟を植民地官僚として養成すべく作られた全寮制の中高一貫制男子校だが、そこでは「肉体は充分に発達しているし、知性もまずまずだが、心は未発達のまま」の人間が育ち、「海外のイギリス人が紛糾を起こす原因は、大部分がこの未発達な心なのである」と、フォースターは痛烈に皮肉っている（「イギリス人の国民性についての覚書」小野寺健訳、前掲の『フォースター評論集』所収）。そう、インドでの過酷な生活に耐えられる体力と知力はなんとか養われても、異文化を許容する感受性と想像力はきわめて乏しい、と。ロニーはパブリック・スクール出身の優等生という設定。拙著『スクリーンの中に英国が見える』の第1部第1章「イギリスは暗い――『モーリス』、『アナザー・カントリー』、『キャリントン』」を読まれたし。

11　魯迅「狂人日記」、「阿Q正伝」他

（1）父親から、敵と戦ったという話は聞いたことがない。ほんとうにそうだったのか、子供の前だから話さなかったのか、それは知らない。よく聞いた話は、雪の国境を知らぬうちに越えてしまい、ソ連兵に追いかけられた話、熊を獲って食べた話、上等兵に殴られた話、それから露天掘りの監督をやった話……風呂でよく軍歌を歌っていた。苦しい時代がなつかしかったのだろう。昭和十四年秋の入隊、「あと半年早かったら、ノモンハンでやられていた」、昭和十八年に除隊になり、「勝ち戦のう

ちに帰って来られた、運がよかった」と。「二度目の召集を受けた時には、もう外地へ行く船がなくて、南方行きをまぬがれた、小学校の同級生はずいぶん戦死している」とも。若いころはヤンチャだったと聞くが、僕が知っている父親は人が好すぎるくらい善良な人だった。今、わが家の仏壇には、父親が他界した後に実家から出てきた「支那事変従軍記章」が納めてある。

(2) エドガー・スノーの著作は『中国の赤い星』(一九三七年)。アメリカ人のジャーナリストが中国奥地に入り、まだ海のものとも山のものとも知れなかった毛沢東をはじめとする共産党員たちに会って書いたルポルタージュである。アグネス・スメドレーについては何を読んだのか覚えていない。わが青春の読書、そんなもんだ。

(3) ノンポリも、今の若者は知らないので、注をつけておくべきか。nonpolitical の省略語で、一九六〇―七〇年代の大学紛争に参加しなかった学生たちを皮肉った用語。もっとも、僕は政治に関心がないというよりは、政治が大嫌いなのだが。

(4) アヘン戦争は、イギリスが中国との貿易で茶や絹の見返りにインド産のアヘンを輸出し、それを食い止めようとした清朝との間で起こした戦争。イギリス艦隊に屈服した中国は、屈辱的な不平等条約を押しつけられ、アメリカやフランスとも同様の通商条約を結び、以後坂を転げ落ちるように帝国主義列強の餌食となっていく。

(5)「狂人日記」、「藤野先生」、「阿Q正伝」からの引用は、『阿Q正伝』(増田渉訳、角川文庫、一九六一年)より。増田は、よく知られているように、上海で晩年の魯迅から個人教授を受けた愛弟子。

(6) 片山智行『魯迅――阿Q中国の革命』中公新書、一九九六年、一二四―一三二頁参照。

(7) 注5にある三篇以外の魯迅からの引用は、『世界文学全集54 魯迅集』(竹内好訳、筑摩書房、一九七〇年)を使用した。竹内好は一九七〇年代まで魯迅研究の第一人者だった人。六〇年代世代の日本人も、竹内の魯迅の読み方に大きく影響されていたはずだ。僕は増田渉と竹内好の翻訳と啓蒙書にはずいぶんお世話になったが、ノンポリの身としては、やっぱりちょっと温度差を感じてしまうところもある。

(8) 中国人の学生に入試の口述試問で、「日本の大学の授業に、何を期待しますか?」と質問すると、しばしば「ゼミを楽しみにしている。先生から教わるのではなく、学生同士で議論がしたい」と。頻繁に同じ答えが返ってくるから、どこかで面接対策が施されているのだろうが、それにしてもね。

対等の立場で議論することによって、最近流行りのことばでいえば「批判的思考（critical thinking）」を養う。そうした教育が欧米に比べて遅れているのは、なにも日本だけではなく、むしろ儒教道徳圏のアジア全般にいえることであろう。

（9）僕はゼミで意見を求める場合は必ず下級生から、またいろいろな世代の人間が集まっている研究会では年下の者から発言してもらう。常識ある日本人は、年長者が話しはじめると、当然のごとく黙る。それが常識あるニッポン人の生きる道である。一方、アメリカ人に「ご意見を？」といえば、まあ、老いも若きも我先にしゃべる、しゃべる。彼らにも儒教を学ばせたい!?

（10）僕はしょっちゅう学生から、「先生、楽しそうに授業してますねえ」と言われる。よせやい、退屈そうに講義を聞いている学生の前で、僕がつまらなそうな顔して話したら、全員ガクンとテンションを落として寝てしまうじゃないか。だから、楽しそうに一人芝居しているだけ。心は泣いているの。

（11）スマホは現代の若者にとって、命の次に大切なものである。九十分間の授業中、スマホを触らないと、禁断症状が出て手が震えはじめる。完全な依存症である。もっとも、僕が「今の日本の若者は」と言う場合、それは「今の全世代の日本人は」と同義語である。

（12）僕も還暦を過ぎて、職場でわからないことがあれば尋ねるのはたいてい年下の同僚や職員だし、読む本も年下の著者の書いたものが多くなった。だから最近ますます、年齢や地位が上の人間を軽々に信じてはいけないと、ごく自然に思うようになってきた。

（13）ここで僕は、匿名性が担保されるインターネット上での発言は除外して論じている。人様に、とくに権力者に「ノー」と言い放ち、面と向かって批判する場合は、慎重な言いまわしと、タイミングの見極めと、相当な手練手管と、そしていざという時には返り血を浴びる覚悟が必要である。そうした胆力なく口にする安全地帯からの批判は、単なる外野の野次、一言居士の自己満足に過ぎない。

（14）もし誰とでも対等に論じ合える社会になったら、今進んでいる小学校での道徳教育はとっても面白い授業になると思う。つまり、道徳を上から押しつけるのではなくて、道徳を材料にして、自由に語り合う試み。それができれば、哲学を必修にして各人の人生観を磨かせているフランスの高校教育に一歩近づけるかもしれない。

(15) 藤井省三『魯迅——東アジアを生きる文学』岩波新書、二〇一一年、六九—七二頁。後半の、魯迅文学の各国における受容史の記述が、僕には興味深かった。なお、胡適はアメリカに留学した際にコロンビア大学でジョン・デューイから「プラグマティズム」の洗礼を受けている。民衆の国アメリカ合衆国の教育というと必ず語られる哲学と教育実践の流派だ。

(16) 関川夏央『二葉亭四迷の明治四十一年』文春文庫、単行本初刊一九九六年、参照。明治時代の文人たちの気風がわかる面白い評伝である。

(17) 同書、四四頁。ゴンチャロフと余計者に関しては、本書第1章第2節の注6をご参照。

(18) 藤井省三、前掲書、五七—五八頁。

(19) 同書、四八頁。日本の学制発布は一八七二年。ここから国民全員を学校に行かせるという発想がスタートし、二十世紀に入るころそれがほぼ実現するわけである。イギリスの普通教育法制定が一八七〇年、日本の義務教育の普及はヨーロッパの先進国並みに進んでいる。世にいわれる民主主義社会とは、十九世紀前半に始まった選挙権の拡大と、そして全国民に初等教育をゆきわたらせる政策が両輪となって、百年以上の歳月をかけてようやく今日の形になった。現代の途上国の民主化も、民衆の教育がいかに大きな鍵を握っているかを知るべきである。

(20) 片山智行、前掲書、六四—六九頁。「藤野先生」と『吶喊』の「自序」では、前者が処刑を銃殺としているのに対して後者は斬首としているなど、微妙な違いがある。どちらも二十年前後の時がたってからの回顧談であり、魯迅が体験した事実との相違を何人もの研究者が分析している。片山は、事実どおりではなかったにしろ、魯迅の「詩と真実」ではあっただろうと記す。しかり！　また、竹内好、前掲書、七二—七八頁も読まれたし。

(21) 魯迅に「「フェアプレイ」は時期尚早であること」という短評がある。これについては、佐高信『魯迅烈読』(岩波現代文庫、二〇〇七年)に教えてもらった。佐高の、魯迅が好きなんだなあ、竹内好のことも敬愛しているんだなあ、という熱が伝わってくる啓蒙書。佐高は、僕とは気質がまったく異なる左翼リベラルの論客だが、でも実は、僕は彼の隠れファンだ。佐高みたいなうるさくて、反骨精神の固まりで、気骨のある、健全な左翼が、もっともっと今の日本社会には必要だ。な〜んてヤワな応援の声が彼の耳に届いたら、「このノンポリのプチブルのバカめが！　おまえもちっとは戦え」と怒鳴られそうだが。

(22) 日本は満州事変以来、十五年間帝国主義戦争を行なった。一方、世界断トツの軍事大国となったアメリカもケネディがヴェトナムに介入してから十五年間アジアの小国と戦って、結局勝てなかった。僕が物心ついたころにアメリカは「ヤンキー・ゴー・ホーム」と世界中から罵声を浴び、僕が大学に入学した一九七五年四月、ついにヴェトナムから撤退した。

(23) 頭髪は剃りあげ、後頭部の髪だけ三つ編みにして伸ばす男性の髪型。儒教ではタブーだが、満州族の清朝が敵味方を区別するために強制して、中国人の間にも広まる。よって、辮髪を切ることは、反清朝の姿勢を示すシンボルとなった。

(24) 片山智行は前掲の『魯迅――阿Q中国の革命』を全篇、中国語の「馬々虎々（マーマーフーフー）（いいかげん）」をキーワードにして論じている。

(25) 魯迅と愛人の許広平の往復書簡『両地書』（『魯迅選集』第三巻、竹内好・松枝茂夫訳、岩波書店、一五七頁）。佐高も同じ一節を引用している。

(26) 藤井省三、前掲書、二〇八―二一一頁参照。

(27) 拙著『スクリーンの中に英国が見える』、四七頁参照。同書は、イギリスのドライでシニカルでブラックなユーモアないしは喜劇をひとつの大きな主題としている。日本の人情喜劇と違って、ウェットでなく、共感を呼ばず、しかし我々の目を自分たちの見たくない現実に開かせる、大きな社会的矯正力を有する、と。

(28) 片山智行、前掲書、八〇―八三頁。

(29) 映画だけど、お勧め作品を一本。チアン・ウェン（姜文）監督の『鬼が来た！』（二〇〇〇年、中国映画）は、第二次大戦中の中国における日本軍を笑いのめし、返す刀で蔣介石の国民党軍、アメリカ軍、さらには毛沢東の八路軍までもこき下ろして、お見事。魯迅を超える真っ黒な諷刺喜劇！

12　城山三郎『落日燃ゆ』

(1) 城山三郎『落日燃ゆ』からの引用は、すべて新潮文庫版（一九八六年）より。

（2）山座円次郎（一八六六―一九一四年）。外交官。孫文の亡命を援助し、広田を学生のころからかわいがる。本文にあるように、北京で客死、享年四十九。

（3）加藤高明（一八六〇―一九二六年）。外交官、外務大臣、総理大臣（在一九二四―二六年）。岩崎弥太郎の長女と結婚、幣原喜重郎の義兄にあたる。

（4）小村寿太郎（一八五五―一九一一年）。外交官、外務大臣、日露戦争後のポーツマス条約（一九〇五年）の日本全権として高校の日本史でも必ず名前を覚えさせられる。周知のように日露戦争は辛勝ないしは引き分けだったが、日本国内は「勝った、勝った」の大フィーバー。ご褒美のほとんどない条約の締結は小村にとって苦渋の選択であった。

（5）幣原喜重郎（一八七二―一九五一年）。外交官、外務大臣、総理大臣（在一九四五―四六年）。平和外交を善しとし、「幣原外交」の名で一時代を築く。

（6）尾崎行雄（一八五八―一九五四年）。長く衆議院議員を務め、「憲政の神様」、「議会政治の父」と呼ばれる。

（7）牧野伸顕（一八六一―一九四九年）。大久保利通の次男、外交官、外務大臣、パリ講和会議副全権。吉田茂の岳父だから、麻生太郎の曽祖父にあたる。

（8）ちなみに僕も高校時代、外交官に、簡単になれるならなってやってもいい、くらいは思ったことがある。しかし、折しも金大中事件（一九七三年）が起こり、韓国の独裁者朴正煕と大統領選を争った野党国会議員金大中――後の韓国大統領（在一九九八―二〇〇三年）――が東京のホテルから白昼堂々誘拐され、それが韓国中央情報部（ＫＣＩＡ）の仕業だとわかっていながら日本政府は真相究明を求めず捜査を棚上げした。そんなダークな茶番劇を見せられたら、多感な青年に外交官やら政治家やらになろうなんて志が立つはずがない。で、もし僕が外交官になっていたら、山村育ちの大学時代の貧しきクラスメートとは結ばれなかっただろうという話。この注、ご放念ください。

（9）西園寺公望（一八四九―一九四〇年）。公家、政治家、桂太郎と交替で総理大臣（在一九〇六―〇八年、一一―一二年）を務める。パリ講和会議全権。九十歳で没するまで長く元老として昭和天皇のご意見番だった。

（10）松岡洋右（一八八〇―一九四六年）。外交官、満鉄総裁、外務大臣。本文にあるとおり、国際連盟脱退時の総会演説が有名。

東京裁判の公判中に肺結核により死去。

（11）近衛文麿（一八九一―一九四五年）。公爵、貴族院議員、総理大臣（在一九三七―三九年、四〇―四一年）。軍部と共鳴する積極主義論者だが、首相になってからは自論のごとくは行動できなかった。終戦後、A級戦犯に指名され、出頭期日の早朝に服毒自殺。

（12）僕は東京外語大と都立大の出身。どちらも小さな大学で、卒業生が少なく、学閥とは無縁。学閥のお世話にならずに生きてきたことに、僕は心底清々している。

（13）荒木貞夫（一八七七―一九六六年）。陸軍大将、皇道派。A級戦犯に指名され、終身刑の判決を受けて服役。

（14）服部龍二『広田弘毅――「悲劇の宰相」の実像』（中公新書、二〇〇八年）も近衛内閣外相時代の広田を痛烈に批判している。広田に若いころの覇気なく、軍部と右翼に抵抗力を示さず、煮えきらない態度で外務省の部下たちを失望させ、南京事件を閣議で取り上げなかった。彼は軍部の暴発に押し切られただけでなく、国民の人気に頼る近衛を諫めるどころか追随して、日中戦争が長期化する一因を作った、と。

僕にとって服部の本は、広田の「日中提携」外交とその本質的な難しさについての記述がいちばん興味深かった。一冊の書物を信じてはならず。それはとくに人物伝にいえる。だから、一人の人物に複数の伝記があるのは、たいへん助かる。外交史・政治史の研究者たる服部龍二は、広田を公人として評価している。城山とは主題も視点も異なるから、別の人物像が見えてきて当然である。

（15）スタンリー・クレイマー監督の『ニューールンベルグ裁判』（一九六一年、アメリカ映画）は僕のお勧め映画。軍人や政治家のA級戦犯を裁いた「ニュルンベルク裁判」ではなく、それに続く「ニュルンベルク継続裁判」を題材とし、ヒトラーに反対すれば命の危険にさらされた苦難の時代のドイツで、ナチスの蛮行を制御しようと努力しながら、結果的にユダヤ人を強制収容所へ送り込む手助けをしてしまった法律関係者を加害者として裁けるか否か。よくあるアメリカの勧善懲悪劇とは異なる、まだ赤狩りの悪夢冷めやらぬ時期に制作されたハリウッド・リベラルの映画人たち渾身の秀作である。

（16）テレビや新聞では連日のように、組織の不正とその責任の追及が報道されているが、今日の日本の管理職、とくに中間管理職は「権限なしで、責任あり」の悪条件のもとに日々がんばっている。割の合わない、とてもやってられないやり損な仕事――と、少なくとも僕は思う。広田を見ていると、戦前の総理大臣も〝困ったさん退治〟を主な仕事とする、職権も決定権もほとんどない中間管理職だったことが実感される。

(17) 僕の愛読書、斎藤憐の『昭和　名せりふ伝』(小学館、二〇〇三年)には、こうある――「対米開戦までの日本軍の戦死者三十万人。天皇の赤子たちが負担した戦費二百八十億円。この死者と戦費が、四年後[の一九四一年]に中国から手を引けという米国の要求を拒否する理由になり、日本は日米戦に突入する」(八四頁)。アーメン!

『昭和　名せりふ伝』は、劇団自由劇場の大ヒット作『上海バンスキング』(一九七九年)の作者が、各時期の流行語をネタにして綴った昭和の庶民史・精神史。近現代日本の「正史」をぶった斬る。まじめな歴史家や凡たる文学者には絶対に書けないグロテスクな外伝。『落日燃ゆ』よりも面白く、「狂人日記」や「阿Q正伝」よりも過激。昭和六十四年のページまで読み進めると、天皇制を呪って民衆の側につこうとした斎藤が、だんだんと民衆のことも信じられなくなったんだろうなあと思わされて、切ない。ケタケタ笑いながら読めて、しかし読後感は重たい。

(18) 大学の授業でしゃべって怖いのは、戦争の話である。僕だって第二次大戦のことは書物でしか知らない世代だが、二十一世紀の学生たちはノンポリの僕が驚愕するほど戦争を知らない、知ろうとしない。僕が三十年以上禄を食んでいる国際政治経済学部、その立派な名前のついた目線の高い学部に所属する学生に戦争の話をたま~にすると、彼ら彼女らがドン引きしているのがヒシと伝わってくる。恋話ならすぐに乗ってくるのに。そんな今日日の若者たちが僕の戦争解釈に反発するのは一向にかまわないが、僕の意見を事実だと鵜呑みにされてはたまったものじゃない。だから、恐ろしくて戦争の話題はできるだけ避けている。でも、まったく触れないわけにはいかない場合もあって。表面的で薄っぺらな話なら、しない方がましだし。どうしたらいいんでしょうか、どなたかぜひ教えてください。

(19)『落日燃ゆ』を一緒に読んだ僕の職場の若い同僚は、「広田を気の毒だとは思わない、A級戦犯が七人というのも少なすぎる、この小説には共感できない」と、それはもうクソミソだった。いいねえ。広田みたいな人がいたということを言い訳にされたら困るよな、A級戦犯よりBC級戦犯の方がずっと哀れだよなあ。僕は自分の選んだ書物に「ノー」を突きつけ、こっぴどく批判する人たちと本を合評するのが好きだ。それが読書会の醍醐味！

(20) 佐高信『城山三郎の昭和』角川文庫、二〇〇七年、五六頁。城山文学の攻略本として、ぜひお勧め。魯迅に続いて城山三郎についても、佐高信にたくさん教えてもらった。感謝！

(21) 佐高は『城山三郎の昭和』で、城山が広田の遺族たちから取材拒否にあった話を紹介している。だが、作家の大岡昇平がたまたま広田の長男弘雄と小学校以来の親友で、家族を口説いてくれた、と。それでも、広田の娘二人は父の遺言とばかりに断固拒否、結局三男正雄が城山と別室の娘たちの間を行き来しながらの間接取材になったとか（同書、五六―五八頁）。

(22) 私見。東京裁判がいくら連合国、もっとはっきりいえばアメリカ政府の意向を反映した拙速な政治裁判であったとしても、中国をはじめ日本が植民地化した国々の惨状を考えれば、その裁判の意義を全面否定することはできない。わが国の戦争責任を論じる場合、とりあえず対アメリカと対アジアは分けて考えるべきではないだろうか。なお、小林正樹監督の『東京裁判』（一九八三年）は必見の長篇ドキュメンタリー映画。いずれ憲法改正の是非を問う国民投票もありそう。その予習がたった四時間三十七分でできる。

(23) 城山三郎は「旗」を嫌った。彼の詩に、「旗振るな／旗振らすな／旗伏せよ／旗たため」とある。軍隊だけでなく、日本は新聞も教育も世論も昔から大合唱が好きである。対して城山は「ひとみなひとり／ひとりには／ひとつの命」と。個人主義者E・M・フォースターと同じ精神ですな。

13　つかこうへい『熱海殺人事件』

(1) 中野好夫「諷刺文学序説」（『中野好夫集』第一巻、筑摩書房、一九八四年、二七〇―二七一頁）。初出は『文藝』一九四六年三・四月合併号、五月号。

(2) テキストは、つかこうへい『熱海殺人事件』（新潮社、一九七五年）を使用した。つかは本文にも記したとおり、台本を時代とともに、いや公演中も毎日のように変え、出版されている戯曲も、同じ台本の別バージョンが何種類もある。が、僕は最初に世に出た一九七五年版がいちばんシンプルかつ作者本来の意図をよく伝えていると思うので、それを読み解くことにする。

（3）山田太郎なる平凡な名前の歌手がいた。勤労少年を歌った「新聞少年」（一九六五年）が大ヒットしてＮＨＫ紅白歌合戦にも出場する。その連想もあって、場内は爆笑だった。つかは時事ネタをふんだんに使い、鮮度が落ちると別のネタに入れ替える。だから、決定版の台本はないということなのだが……

（4）四十年以上前の大学生のころに見た芝居だ。まさか後年になって演劇について原稿を書くようになるなんて思ってもみなかったから、メモもなし。でも、この加藤健一の登場シーンは目に焼きついている。他の役者は調べてみると、故三浦洋一（木村伝兵衛）、平田満（熊田留吉）、井上加奈子（ハナ子）らしいのだが、覚えていない。木村伝兵衛役は風間杜夫だったかもしれない。

（5）今日「ソープランド」の名で知られる性風俗店は、かつては「トルコ風呂」と呼ばれていた。だが、一九八〇年代にトルコ人留学生たちの抗議を受けて、呼び名が変えられた。

（6）ちなみに大学進学率（短大含む）は一九五五年が十・一%、そして現在はご存じのように、五十%を超える数字を示している。あゝ、大衆高等教育社会！

（7）鈴木忠志（一九三九年―）はアングラ演劇の梁山泊「早稲田小劇場」の結成メンバーのひとり。同劇団のこけら落としは別役実の『マッチ売りの少女』、看板女優は白石加代子。つかが初期に頼った一世代前の先輩は、生意気で破天荒で自分にすり寄ってくるつかを面白がり、目にかけた。つかとの違いは、自ら劇作をせず、演出家に徹していること。

（8）ここいらへんの記述は、長谷川康夫『つかこうへい正伝　1968―1982年』（新潮社、二〇一五年）を参照した。つかこうへいと演劇活動を共にした長谷川が、つかの大学入学時から「劇団つかこうへい事務所」解散までを綴った貴重なドキュメント。また、『文藝別冊［追悼総特集］つかこうへい』（河出書房新社、二〇一一年）にも略年譜あり。同雑誌には生前のつかと交流のあった演劇人、批評家、友人たちのつか評が集めてあり、つか芝居の攻略本として絶好。なお、つか自身による自作年譜もあるが、かなり創作が混じっている。

（9）鈴木忠志（ロングインタビュー）「ト書きなき舞台を生きた男」（前掲『文藝別冊［追悼総特集］つかこうへい』、二一一頁）。

（10）長谷川康夫、前掲書、七五頁＆一七〇頁。
（11）前掲の『文藝別冊［追悼総特集］つかこうへい』、二八頁。
（12）一九八二年に有吉佐和子との対談（『中央公論』に掲載）で、初めて自分が在日だと表明したといわれている。高橋宏幸「マイノリティの歪な位置――つかこうへい」（前掲『文藝別冊［追悼総特集］つかこうへい』、一七八―一七九頁）より。
（13）つか芝居を原作とした最高傑作映画である。監督は深作欣二。しかし、同時につかの原作とは異なる哀愁が漂い、戯曲に内在する大衆嫌悪という毒が薄れてしまった。この映画の成功により、つかのモチーフはますます一般に理解されなくなっていく。
（14）別役実が、「妙な色っぽさと野暮ったさ」のまつわりついた「熱海」という固有名詞を使ったつかのセンスを絶賛している。「固有名詞の文体」（前掲『文藝別冊［追悼総特集］つかこうへい』、五―一四頁）、一読に値する評論である。
（15）長谷川康夫、前掲書、四二二頁。
（16）つかこうへいと同い年で彼と親しかった高橋三千綱が面白いことを言っている。つかは文章が書けなかった、シナリオがないのは書けないから、書いたらバレちゃうから口立てにした。あれでよく直木賞が獲れたと思う。ただし、ことばには敏感で人間の悲哀を込められた、根底には韓国に対する郷愁と反発がある。つかは苦しみながらことばを選んでいた、稽古でも簡単にぽんぽんことばが出てくるわけではなかった、ことばはすべて彼の原点に触れるようなことだった。書いている方が楽なのにそうはしない、すごいエネルギーを使っている。つかは笑わせるつもりで書いていない、けっこう悲痛だった、と。高橋三千綱（ロングインタビュー）「せつなの言葉に己が原点を込めて」（前掲『文藝別冊［追悼総特集］つかこうへい』、九二―九七頁）。
（17）紀伊國屋ホールにおける『熱海殺人事件』の舞台風景については、長谷川康夫の前掲書、三三〇―三四三頁をご参照。
（18）「期待される人間像」は一九六六（昭和四十一）年の中央教育審議会の「後期中等教育の拡充整備についての答申」の別記にある文章により、人口に膾炙（かいしゃ）されるようになった。日本人、とくに教育者かくあるべしという美辞麗句が並んでいる。インターネットで簡単に読めるので、興味のある方はご覧あれ。

（19）風間研『小劇場の風景』中公新書、一九九二年、六九―七七頁。同書は、一九六〇年代から八〇年代の小劇場演劇を取り上げて、僕の〝これ一冊〟というお勧め本。六〇年安保挫折後の心象風景を寺山修司や唐十郎らに見、七〇年代のつか芝居の〝意味〟を僕に最初に教えてくれ、僕と同い年の野田秀樹からいきなり若者芝居がノンポリになったと論じ、八〇年代に登場した鴻上尚史は、情報化社会の中で人間が自分の声で自分の内面を語れない、どこかで聞いた他人のことばでしか心情を吐露できない姿を描いていると解読する。小劇場演劇にそっぽを向いていた僕に、若者演劇にも切実なテーマがあるんだよと教えてくれた、僕が「やられた、参りました」と頭を下げた啓蒙書。

（20）『熱海殺人事件』は今日でもしばしば再演されているが、一度手っ取り早く鑑賞したければ、映画『熱海殺人事件』（一九八六年）がある。監督は高橋和夫、脚本はつか自身が書き、伝兵衛役を仲代達矢が演じている。もっとも、ふつうに笑える映画だが、ただのふつうのエンタメ喜劇という凡作。映画『蒲田行進曲』で舞台を映像にみごとに移植した深作欣二の演出力とテクニックがあらためて実感される。

（21）菅孝行「「日本」演劇の〈他者〉――現代演劇におけるつかこうへいの位置」（前掲『文藝別冊［追悼総特集］つかこうへい』、七七頁）。僕がいちばん気に入っている、熟読に値するつかこうへい論である。

第5章　個人

14　アントン・チェーホフ『かもめ』

（1）テレビの人気トーク番組『徹子の部屋』での問わず語り。『朝日新聞』一九八一年一月十二日朝刊の「天声人語」から引用。

（2）『かもめ』からの引用は、すべて神西清訳の新潮文庫版（一九六七年）より。

（3）若い男女の食い違いについて僕に最初に教えてくれたのは、池田健太郎『「かもめ」評釈』（中公文庫、一九八一年）だった。生まれてから二十年近く湖水のそばで暮らしたニーナがにれの木を知らないはずはない。また、トレープレフが好きだと告白しても、彼女は周囲を気にして「シーッ」と。そして、有名作家にどう思われるかを心配し、トレープレフの台本についてはあまり気に入っていないとはっきり言う。なるほど、両思いではないのね、と。

学生時代からシェイクスピアをはじめ英文学の作品を読む時には、英語のテキストに詳しい注釈のついた教科書を便利に使っていたが、作品がロシア文学となると、日本語訳のテキストに丁寧な解説のついた「評釈本」がとても有難い。なお、『桜の園』には、宇野重吉『チェーホフの『桜の園』について』（麦秋社、一九七八年）という評釈本がある。池田は研究者、宇野は劇団民藝の俳優・演出家、二冊を読み比べると、両者のこだわりの違いが窺えて、楽しい。

（4）池田健太郎、前掲書、五二―五六頁参照。

（5）池田はチェーホフと旧知の間柄だったネミローヴィチ・ダンチェンコの話として、『かもめ』の第一稿では、マーシャはドールンとポリーナの間の不義の子という想定だったらしいと語っている（同書、八一頁）。『「かもめ」評釈』は、川端香男里の巻末解説にもあるとおり、『かもめ』のワリアント（異文）をはじめ、チェーホフの短篇小説、手帳メモ、手紙などから作者の創作意図を探って、戯曲からだけでは読み取れない含意を考察している。昔の作家は手紙をよく書いた。個人全集の最後にしばしばついている膨大な量の手紙は、文学研究の貴重な資料である。

（6）池田によれば、ここには削除されたワリアントがあって、「わたしはもう二十年あなたの妻でいたわ、あなたの親友で……」というセリフが推敲の段階でカットされたとか（同書、一〇七頁）。注5にも挙げたように、ポリーナとドールンは娘までもうけた深い仲らしいが、完成稿では二人の秘めたる関係はささやきにとどめている。

（7）同書、三五頁&一一一頁参照。

（8）チェーホフは『かもめ』に、『ハムレット』を枠構造として使う遊びを施している。雲のセリフはハムレットがポローニアスを「あの雲はラクダの形をしている？」、「いや、イタチに見える」とからかう場面のパロディである。「言葉、ことば、ことば」も『ハムレット』中の名ゼリフ。と、ひとつわかるといくらでも見えてくるもので、トレープレフの野外劇の中断は、『ハムレット』三幕二場の劇中劇「マウストラップ」が激怒したクローディアスによって中止される場面に相当する。もっと確信犯的なのは、トレープレフが悩めるハムレット、アルカージナは王子の母親ガートルード、するとニーナがオフィーリアで、トリゴーリンは母親を奪ったクローディアスとなる。さらに、演技とは「自然に鏡をかかげることだ」とハムレットに言わしめたシェイクスピアの演技論は、けれんみを嫌ったチェーホフの演技に対する姿勢に通じる。池田健太郎、前掲書、四五―四八頁参照。

（9）居酒屋で友人と酒を飲んでいて、原稿に使えそうないい話を聞き、翌朝酔いが醒めると、もう全部忘れている。同じく僕は、風呂の中、フィットネスクラブで泳いでいる時、台所で料理を作っている時、それからトイレの中でもすばらしいアイデアが思い浮かぶんだけど、すぐにメモを取らないと、ひらめき（エピファニー）はたちまち消え去ってしまう。ブレヒトはガリレイに、「うまいものを食べていると一番いい考えが浮かぶ」と言わせていた。チェーホフは釣りが大好きだった。そう、大漁でない時の方が、いい原稿のネタが頭に浮かぶ。ダボハゼが二匹しか釣れないような日が、もの書きには好日なのである。

一日中パソコンに向かって、世の苦悩を一心に背負ったみたいな顔をして書いても、ダメなのだ。

（10）池田によると、草稿では「ニーナ（身ぶるいして）そんなの、いやだわ」となっていたそうで、それが完成稿ではただの間になっている。ニーナの激しい拒絶を、ことばで表現するのではなく、「役者の演技にそれを委ねた」と（池田健太郎、前掲書、一三二頁）。ことほどさようにチェーホフはミニマリスト、よほど熟読ないしは繰り返し舞台を見なければわからない。そこが面倒臭くもあり、また彼の芝居の味わいでもある。

（11）海千山千の中年男が若い女の純情にやられてしまう。短篇小説「犬を連れた奥さん」で、小犬を連れたピュアな若妻アンナを忘れられなくなる四十歳を前にした女たらしグーロフと同じ。チェーホフですな。

なお、トレープレフの自殺未遂にもこのロケットの挿話にも、さらにはニーナの駆け落ちの顚末（てんまつ）についても、チェーホフの身近にモデルとなった出来事があったというのだが、第1章で芥川龍之介「藪の中」を論じた際の注10にも記しておいたとおり、あまりモデルにこだわり過ぎると、作品を素直に読めなくなるので、気をつけなければいけない。ご興味のある方は、とりあえず池田健太郎の前掲書をお読みになれば、詳しく知ることができる。

（12）各種の攻略本に紹介されているが、さしあたっては池田本の四〇―四一頁、一〇五―一〇八頁かな。

（13）僕はこれを借用して、しばしば「教育が正妻、文学は情婦」と言っているが、ほとんど誰もチェーホフ起源だと気づいてくれない。寂しい。まあ、学校で英語を教えて世間体は保っているが、そりゃ文学の方がずっと色っぽいわな。

（14）ヴィリジル・タナズ『チェーホフ』（『ガリマール新評伝シリーズ』5）谷口きみ子・清水珠代訳、祥伝社、二〇一〇年（原著二〇〇八年）。ロシア人が書くと、どうしても自国の大作家チェーホフに敬意を示しすぎてしまうのだが、タナズはフランス在住のルーマニア人。チェーホフのことをクールに一歩距離を置いて書いている。そこがいい。

（15）同書、八四頁。

（16）本書、一二九頁参照。

（17）ヴィリジル・タナズ、前掲書、二八五頁。

（18）モスクワ芸術座による『かもめ』公演で、アルカージナを演じたのは一九〇一年にチェーホフと結婚するオリガ・クニッペル、トリゴーリンに扮したのは本文にあるとおりスタニスラフスキー、そしてトレープレフ役は、後にスターリンに粛清される演出家・俳優のメイエルホリドだった。おゝ、豪華。

この『かもめ』モスクワ初演に関しては、各種の伝説に事欠かない。参考文献も山ほどあるが、僕はタナズの裏話の方が現実に近かったような気がする。だって、芝居の稽古場は、劇作家と演出家と俳優たちのバトルの場。そうした試行錯誤、対立葛藤、激しい意見のぶつけ合いがなければ、本番は面白くならない。仲良しごっこは芸術の創作には厳禁である。

15　ヘンリク・イプセン『ヘッダ・ガブラー』

（1）漱石をめぐる有名なエピソード。まだ彼が英語の教師をして食っていたころ、“I love you.”を「私はあなたを愛してる」と訳した学生に対して、「違う。日本ではそんなことは言わない。そういう時は「月がとっても青いから」と訳すんだ」と語ったとか。どこから出た話か、出典を明示できない伝説的な逸話なので、注にとどめる。

（2）『ヘッダ・ガブラー』からの引用は、『イプセン戯曲選集　現代劇全作品』（東海大学出版会、一九九七年）所収の毛利三彌訳を使用した。毛利氏は日本で数少ないイプセン研究者のひとり。イプセンがもし英語圏の作家であれば、はるかに多数の研究者がいるであろうし、研究書・啓蒙書の数も半端ではないはず。英語オンリーに近いわが国の外国語教育の偏向を思う。

（3）毛利三彌『イプセンのリアリズム――中期問題劇の研究――』白凰社、一九八四年、五三六頁。イプセンを知ろうとする時に、最初に読むべき書物。ただし、大部。

（4）十九世紀以前の文学作品にはしばしば決闘シーンが出てくる。自身ないしはお家の名誉が汚された場合、上流階級はお上に訴えるのではなく、自ら決闘を挑んで勝敗・正邪を神の判断に委ねた。それは文学中の作り事ではなく、実際にも果たし合いが行なわれたわけで、ロシアの文豪プーシキンは決闘によって三十七歳で他界している。日本でも武家社会では、親の敵（かたき）を討ち取るまでは家に帰ってくるな、なんて。堀部安兵衛は高田馬場の決闘で名をあげている。

（5）毛利によると、将軍はノルウェーでは貴族社会に属するが、十九世紀前半には経済的に、一八八〇年代には政治的に没落しており、ヘッダは父親の死後、自らを商品として売るより生活する手立てはなかっただろう、と（毛利三彌、前掲書、五七八頁）。

（6）この話をあるプロの女優さんにしたら、「たいていはそうなんだけど、でも性格の悪い女優はお嬢様役をやりたがるわよ」とのお答えだった。なるほど。

（7）前掲『イプセン戯曲選集　現代劇全作品』の八四一頁、毛利の解説より。イプセンは詩集は出しているが、小説は初期に一度試みて中断して以来、二度と書かなかったという。

（8）同書、八四三頁の毛利による解説。

（9）前掲の毛利三彌『イプセンのリアリズム――中期問題劇の研究――』、五〇三頁。

（10）前掲『イプセン戯曲選集　現代劇全作品』、四八六頁。

（11）「天職」はただの職業にあらず。神から与えられた課題、「人生の目的」の意味。念のため。

（12）エーリッヒ・フロム『自由からの逃走』日高六郎訳、東京創元社、一九五一年（原著一九四一年）、二七八頁。

（13）かつて見たtpt（Theatre Project Tokyo）の『ヘッダ・ガブラー』（一九九四年、ベニサン・ピット）、ヘッダ役の佐藤オリエは、開幕時は赤いドレス、途中でその〝情熱の赤〟に白い毛布をかけられて灰のようになり、ふたたび毛布を取って邪悪な情熱に燃え、四幕は死を匂わせる黒い喪服。また、イプセンの時代の額縁舞台（プロセニアム・ステージ）ではなく、渡り廊下のような細長い舞台を左右から客席が囲む。演出デヴィッド・ルヴォー、装置ヴィッキー・モーティマー。日本にもついに張り出し舞台（スラスト・ステージ）の本格的な小劇場演劇が誕生したと実感させてくれた舞台だった。

（14）ゼミで『ヘッダ・ガブラー』を読んだ際に女子学生たちが、ヘッダは悪女じゃない、そのへんにいくらでもいる、彼女は反面教師、私もヘッダのタイプかな、などと。そう、片っ端から男を誘惑して遊ぶ悪女ではない、むしろ天然かつまじめ、だから始末に負えないともいえる。そして、人間は善人と悪人には分けられない、どちらの要素も各人の心の中に存在する。自分の内面の敵を時に意識することはとっても大切だ。はい、今日のゼミ、おしまい。ご飯でも食べに行こうか。ワ〜イ！

16　テネシー・ウィリアムズ『欲望という名の電車』

（1）Elysian Fields。ギリシャ神話で、神々に祝福された人々が死後に住む極楽「エーリュシオン」のこと。フランス語に訳せば「シャンゼリゼ通り（Champs-Élysées）」となる。

（2）テキストからの引用は、Tennessee Williams, *A Streetcar Named Desire* (Penguin Modern Classics, 2009) よりの拙訳。なお、邦訳には田島博・山下修訳（新潮文庫、一九五六年）、鳴海四郎訳（早川書房、一九七七年）、小田島雄志訳（新潮文庫、一九八八年）、小田島恒志訳（彗文社、二〇〇五年）がある。

（3）小田島雄志によると、実際にニューオーリンズに「欲望」と「墓場」と書かれた二系統の電車が走っていたとか（新潮文庫版『欲望という名の電車』、二二九頁、訳者解説より）。

（4）ブランチはフランスから渡ってきたユグノー教徒（プロテスタント）の子孫だと話している。前にも触れたように、文学を読む際に固有名詞は大切だが、それはとくに移民の国アメリカの文学に当てはまる。アメリカ中部の広大な地域は、十七世紀にフランス人が探検してルイ十四世に献じ、ルイジアナと名づけられた。今日でも、ニューオーリンズ市のあるルイジアナ州にその名を留める。デュボア家は、黒人奴隷を使った大規模な農園（プランテーション）を経営する大地主だったようだ。

ナポレオン法典の話も出てくる。

一方のスタンリーはポーランドからの移民で、ポーラック（Polack）と蔑称も使われている。ブランチは「アイルランド人みたいなものね」と語っているが、イングランドの植民地だったアイルランドからやってきた移民たちは、白人でも最下層に位置していた。黒人や黄色人種だけでなく、白人にも暗黙の階層があった（今でもある？）のを知ったうえでアメリカ文学を読めば、面白いほのめかしがたくさん発見できる。

（5）エリア・カザン（一九〇九―二〇〇三年）は、イスタンブール生まれのギリシャ人で、四歳の時に両親とともにアメリカに移住した。舞台演出家、映画監督として活躍。リー・ストラスバーグらと俳優養成学校「アクターズ・スタジオ」を創設し、スタニスラフスキー・システムを基礎とした演技法「メソッド」を開発して、多くの名優を育てた。

カザンにまつわる不幸は、「赤狩り」の時代に非米活動委員会に呼び出され、そこで司法取引に応じて、共産主義的な思想をもつ演劇人・映画人の名を証言したことである。一九九八年にアカデミー名誉賞を受賞した際のセレモニーでは、客席にいた監督や俳優たちが、拍手する者あり、沈黙して抗議の意を示す者あり。それをテレビのカメラが一人一人追っていたのが、実に印象的だった。アメリカは、各人が賛否をはっきり表明することを善しとする国である。

が、そうした政治的な経緯を抜きにして、僕はエリア・カザンのリアリズム演出を超一流と高く評価している。テネシー・ウィリアムズ作品だけでなく、アーサー・ミラーの『セールスマンの死』をブロードウェイで初演（一九四九年）したのもカザン。映画では、『波止場』（五四年）、『エデンの東』（五五年）、『草原の輝き』（六一年）など、名作が綺羅星のごとくである。

ただし、スタニスラフスキーの演技術を継承したとしてアメリカ人が礼賛するメソッド演技については、僕はあまり感心しない。俳優個人の感情を演技に応用し、人物の内面心理を一瞬の顔の表情で見せるところに、この演技術のひとつの特徴があるのだが、演技のダイナミズムには欠ける。マーロン・ブランドも、『欲望という名の電車』のころはまだよかったんだけど……

メソッド役者がザックザクのアメリカ！　ハリウッド映画ファンの方々の反論を乞う。

（6）メソッド演技に毒されていないイギリスの女優ヴィヴィアン・リーの感情表現は、とてもダイナミックで魅力的だと、僕は思う。だが、実人生ではこの映画のころにはすでに結核を患い、神経衰弱に悩み、大恋愛の末に結ばれたオリヴィエとも一九六〇年に離婚、六七年にロンドンのアパートでひとり寂しく他界した。享年五十三。

（7）前半は「ブルー・ピアノ」が多かったBGMが、後半ではポルカの「ワルシャワ舞曲」に代わる。後者はポーランドだ、スタンリーを連想させる。

（8）「イッツ・オンリー・ア・ペーパー・ムーン（It's Only a Paper Moon）」。ブロードウェイの舞台の挿入歌から一九三〇年代のヒット曲となった。ピーター・ボグダノヴィッチ監督の映画『ペーパー・ムーン』（一九七三年）の中でも歌われて、再度注目された。

（9）テネシー・ウィリアムズが自分に対して架空のインタビューをし、それに答える形式で書いた記事。注2に記したPenguin Modern Classics版の『欲望という名の電車』の巻末付録（一〇九頁）より。初出は『オブザーバー』一九五七年四月七日。

（10）彼はすでに過去の人となった一九七〇年代に入ってから、あまり品がよいとはいえない『回想録』（一九七五年）を出版し、自身の男性遍歴についても赤裸々に綴った。それで人気の挽回を図ったが、目論見ははずれ、ますます名声を失って、一九八三年にニューヨークのホテルで孤独な最期を迎えた。邦語訳に『テネシー・ウィリアムズ回想録』（鳴海四郎訳、白水社、一九七八年）あり。

（11）時代は変わった。スペイン人のゲイの監督ペドロ・アルモドバルは同性愛の話を屈託なく、おおっぴらに描いて、今や大人気。『オール・アバウト・マイ・マザー』（一九九九年、スペイン映画）は、色鮮やかで前衛的な『欲望という名の電車』の舞台風景を劇中劇として挿入し、テネシー・ウィリアムズの陰気な作品に陽気なオマージュを捧げている。いかにも不細工なゲイたちが、自分たちを奇異の目で見る世間を恨まず、虐げられた被害者面せずに生きている姿を活写してステキ！　前掲の拙著『ヨーロッパを知る50の映画』の第2章にあるペドロ・アルモドバル『オール・アバウト・マイ・マザー』の節をご参照。

（12）映画評論家の黒田邦雄曰く、テネシー・ウィリアムズの戯曲や小説はホモセクシュアルを核として書かれているが、せっせと映画化された一九五〇年代の彼の作品は、どれも同性愛の問題を拭い去っている。「もしホモセクシュアルを少しでも理解出来る人間だったら、ヴィヴィアン・リー演じるブランチがホモセクシュアルな感性を持った〈女〉であることを容易に見抜くだろう」、「プライド高い彼女が夜な夜な違う男の肉体を求める生理の持ち主であるところなど、まさにホモ的暗号が暗示されている」。アーメン！　シネマハウス（編）『映画と原作の危険な関係』（新宿書房、一九九三年）所収の、黒田邦雄「テネシー・ウィリアムズ――未だ映像化され得ない、ホモセクシャルを核としたウィリアムズ世界」（八三―八五頁）より。短いが的確な批評である。

(13) 前掲の『テネシー・ウィリアムズ回想録』、二二二頁。小田島雄志も新潮文庫版『欲望という名の電車』の訳者解説で同じ箇所を引用し、「ぼくの人生においても思い当る感慨」だと述べている（二一八―二一九頁）。

(14) 本書、四二頁。

(15) 二十世紀のリアリズム演劇を二十一世紀の観客にどう見せるか。これは演劇論になるので注にとどめるが、今やテネシー・ウィリアムズ作品もト書きはほとんど無視し、アメリカ南部の地域性を捨象した舞台が多くなっている。シェイクスピア劇を彼の生きた時代ないしは戯曲に設定されている古代や中世の衣裳と舞台美術で上演しないのはもはや当たり前になったが、テネシー・ウィリアムズの芝居あたりでも、二十一世紀の現代劇として舞台化されるようになった。ブランチはブランドもののバッグを手に、さながら今日のセレブのような格好で登場して、彼女の虚栄心を表現したり。そして、セリフもリアリズム全盛の時代と異なり、セリフに溜めを作ってサブテキストをじっくり匂わせるよりは、タッタカタッタカとスピーディに物語を展開させていく。古典劇、といって古臭そうに聞こえるならばスタンダード作品をいかに今日日（きょうび）の観客が興味をもつように再演するか。さらには、作者が隠しながら真情を吐露した同性愛についても、今は堂々と表現できるようになった。さあ、どう演出する!?

と、一口に演劇といっても、それは静的（スタティック）に定義できない、きわめて動的（ダイナミック）なメディアなのである。う～ん、難しくなってきた。この話題、またそのうちどこかで。

17　石垣りん「表札」他

（1）石垣りんの詩集四冊は、『私の前にある鍋とお釜と燃える火と』（書肆ユリイカ、一九五九年）、『表札など』（思潮社、一九六八年）、『略歴』（花神社、一九七九年）、そして『やさしい言葉』（花神社、一九八四年）。本節における引用は、すべて同名の復刻本（童話屋、二〇〇〇―〇二年）より。また、詩の改行はスラッシュで、一行空けている場合はダブルスラッシュで示した。

（2）石垣りんのエッセイ「花よ、空を突け」（石垣りん『ユーモアの鎖国』ちくま文庫、一九八七年、初刊一九七三年、一一〇頁）。

（3）ここいらへんの記述は、『現代詩手帖特集版　石垣りん』（思潮社、二〇〇五年）所収の「石垣りん自筆年譜」（二二〇―二二二頁）によった。

（4）およそ善人ほど被害者意識は強い。自分が悪いことをしている意識がないから、かえって独善に陥ることがある。学校の教員はその典型。すぐに愚痴る、嘆く、学生のせいにする。自分の授業が下手なだけなのに。僕は教員たちのミーティングでよく言う、「我々は教室の独裁者だ、絶大なる権力を持っている。被害者面するな。むしろ自分が加害者にならぬよう心せよ」。いや、まあ、他人に言っているのではなく、自戒の念ではありますが。

（5）石垣りんのエッセイ「詩を書くことと、生きること」（『ユーモアの鎖国』、一六五頁）。

（6）前掲の『現代詩手帖特集版　石垣りん』に付いている「自作朗読ＣＤ」（一九九九年三月二十七日）より。

（7）恥ずかしながら、自分のこと。僕は教育という正妻を持ちえた、それによって体面を保てたことは、幸運にして幸福だったと思っている。でもね、地位も名誉も要らない、ただただ欲しいのは、有り余るほどの時間だ。静かに本を味読し、少し原稿を書きたい。だから、石垣の気持ちは、理屈抜きでわかる。

（8）石垣りん「眠っているのは私たち」（『ユーモアの鎖国』、二六六頁）。二十一世紀になっても、まことに残念ながら、古くなっていないエッセイである。
（9）同書、二六七頁。
（10）同書所収のエッセイ「持続と詩」（『ユーモアの鎖国』、二一一—二一二頁）。
（11）例えば、前出の「花よ、空を突け」（『ユーモアの鎖国』、一一一頁）。石垣はほんとうに、ユーモアを醸そうとか、読者を笑わそうとか考えずに詩作しているようである。
（12）二つの引用は、前掲の「持続と詩」（『ユーモアの鎖国』、二一二頁&二一四頁）。初出は『読売新聞』一九六九年五月十八日、第二詩集『表札など』が評判になった時期である。
（13）谷川俊太郎が石垣りんの「さよならの会」（二〇〇五年二月七日）で朗読した弔辞より。前掲の『現代詩手帖特集版　石垣りん』、一一頁。

第6章　先進国病

18　ヘルマン・ヘッセ『車輪の下』

（1）どうやら僕はこの「使命感」ってのが嫌いらしい。そうね、「使命感」と「愛情」と「学生のため」を口にする教員に、あまり授業がうまい、学生に好かれる先生がいたためしがない。そういう輩（やから）にかぎって、プロ意識が欠如している。
（2）大学でさえ、この状況だから、小・中・高の先生方は大変だ。心からエールを送らせていただく。
（3）光文社古典新訳文庫版『車輪の下で』（二〇〇七年）の巻末、訳者の松永美穂による解説（二九九頁）より。
（4）いずこの国も変わりませんな。昔の日本も、村のインテリはお寺の坊さんか小学校の先生、または士官学校へ進学して軍人になる道もあった。ちなみにヨーロッパの軍隊は、一般社会の上下関係がそのまま軍の内部にも反映されて上流階級の人間が将校になったが、日本では貧しき庶民も陸軍士官学校や海軍兵学校などを出れば、士官になれた。

（5）『車輪の下』の邦訳は十六種類ほどある。僕も今回、あれこれ読み比べて楽しい時間を過ごした。いちばん読みやすいのは、最新の松永美穂訳だろうか。有難く参考にさせていただいた。でも、本稿の直接引用には、本文にも記したようにわが青春の記念、高橋健二訳の新潮文庫版『車輪の下』を使用した。今日読むと、けっこう硬い訳文だが、それもまた独文らしくていいかな、と。

（6）「国際共通語」は、十八世紀のルイ十四世の時代にフランス語に移行し、二十世紀の二つの世界大戦を経て、アメリカの軍事的・政治的・経済的強大化とともに英語がそれに取って代わる。そりゃ、誰だって外国人と議論する時は、自分の母語で話す方が優位に立てるわな。なので、英語が国際語になった歴史は浅い、また「国際人の第一条件は英語ができること」なる宣伝を素直に信じてはいけないと心得るべし。

（7）僕は一九九一―九二年の一年間、オックスフォード大学に遊学した。勉強する気なし、ただ本場の芝居を見たいだけだったので、できるだけ拘束の少ない小さなカトリックのカレッジに籍を置かせてもらった。ちょうどEU成立前後の時期。ある日のディナーの席で、カトリック信徒の教授たちが、「EUにも共通語を置かなければいけないなあ」なんて話していた。僕が「えっ、何語？　英語か？」と口にしたら、そこにいた面々が一様にニヤリと皮肉な笑いを浮かべた。僕は一瞬考えてから、「ラテン語か？」と言ったら、当然だろうという顔で皆がうなずいていた。まだヨーロッパはラテン語かあ。

（8）前掲の光文社古典新訳文庫版『車輪の下で』の松永美穂の解説によると、ヘッセが二十五歳だった一九〇三年五月に書きはじめられ、年内に脱稿したようである。なお、出版は彼の名が売れた後、二十九歳の年である。

（9）ヘッセも生徒だったことがある実在の神学校である。中世のころにシトー派の修道会が創設、宗教改革後の十六世紀にルター派の神学校として使用されるようになった。天文学者のケプラー、詩人のヘルダーリンらを輩出。現在は世界遺産になっている。

（10）ギリシャは一八三〇年に、衰退したオスマン・トルコから独立を果たす。ヨーロッパがイスラム世界から自分たちの文化的故郷を奪還したともいえる。その熱狂ぶりたるや。しかし、かの地は長く東ローマ（ビザンティン）帝国、さらにトルコ帝国の版図にあったから、現代のギリシャ文化は古代よりもビザンティンおよびイスラム文化の影響を強く受けている。今日、観光旅行をするだけで、アテネがヨーロッパの諸都市よりもイスタンブールによほど似ていることを実感できる。フランス中世史家の木村尚三郎曰く、「西ヨーロッパの古代がギリシア・ローマなら、日本の古代は殷や周だといってもおかしくはない。それほど、ギリシア・ローマと西ヨーロッパとは、直接のつながりがない」（木村尚三郎『ヨーロッパからの発想』角川文庫、一九八三年、一二〇頁）。また、古代ギリシャ語はラテン語よりさらに文法が難しい。文字もギリシャ文字で、ヨーロッパ人にとっても、とっつきにくい言語だ。英語で"It's Greek to me."といえば、「チンプンカンプンだ、皆目わからない」の意（シェイクスピア『ジュリアス・シーザー』から出た常套句）。

(11) 旧約聖書はキリスト教だけでなくユダヤ教の正典でもある。一九四八年に独立したイスラエルは、二千年の時を経て死語だった旧約聖書の言語を蘇らせ、ヘブライ語を国家の公用語とした。

(12) 学制発布と義務教育のスタートについては、魯迅を論じた第11節の注19を、また戦後の進学率の急上昇に関しては、つかこうへいを取り上げた第13節の二二三頁と同節の注6もご参照あれ。

ちなみに、僕の、大正生まれの両親は尋常小学校に三年通っただけの口。昔、僕が小学生のころには四月になると「家庭調査書」が配布されて、家庭の状況について親があれこれ書き込まなければならなかった。そのアンケート項目の中に「両親の学歴」という欄があって、毎年母親が渋い顔をしていた。そして、高等小学校だか女学校だかに通った、学校には計四年行ったと、ちょろっと筆を滑らせていた。

それを見ていた僕は、中学校に入学した時点で、「学歴では親を抜いたな」と思ったものである。両親はまさか僕が大学へ進学するなんて想像だにしていなかったはず。僕が大学に入学した一九七五年の大学進学率（短大含む）は三十八・四%、大学生にはまだかすかにエリート意識が残っていた。そんな時代。

(13) ハンスの神学校の友だちにはそれぞれモデルとなった実在のヘッセの友人がいたようだが、ヘルマン・ハイルナーに似た人物はいなかったとか。やはりヘッセ本人を投影したのであろう。前掲の翻訳書に添えられた松永美穂の解説（二九二頁）より。

(14) イギリスの例だが、今はなつかしき社会史の古典、G・M・トレヴェリアンの『イギリス社会史』全二巻（藤原浩・松浦高嶺訳、みすず書房、原著一九四四年）を読むと、自国の徒弟制度が絶賛されている。イギリス社会の古きよき伝統が綴られ、第二次大戦の戦場で多くの兵士たちが愛読したという。

（15）この原稿を書いている時に、いよいよ大学入試における二〇二〇年問題が巷（ちまた）の話題に上ってきた。今さら「個の自立」だの「自分でものを考えられる人間の育成」だのと叫ばれてもねえ。明治以来、さんざん産業能率人間の量産をめざしてきたわが国の教育に革命を起こそうってか。僕が三十年間、毎年十人前後のゼミ生を相手に試みて、なかなかうまくいかないことを、センター試験だけでも五十万人以上が受ける大学入試で達成しようとな。大人たちのエゴで迷惑するのは、いつも若者たちである。入試にたずさわる者は全員、今から地に頭を擦りつけて謝罪する用意が必要だ。う〜ん、ヘッセの憤りが伝染してきたようだ。

（16）私事。昔、『車輪の下』を読んだすぐ後、大学の合格発表の日にキャンパスで桜の花を見ながら決心したことは、「もう二度と他人と競争はすまい」という一事であった。いったい若いころの決意などは実にいいかげんなもので、僕も一週間で意を翻す無節操をたびたびおかしたが、しかしこの決心だけはその後の長期モラトリアム、もろもろの下積みの時期にも変わらなかった。「勉強をするなら、それはすべて自分のため。これからは人様のために学ばない」は、僕が長い受験生活から得た心の掟（おきて）であった。拙漫談「大学モラトリアム考」（『えみゅーる』第三号、青山学院大学国際コミュニケーション学会研究会「えみゅーるの会」、一九九九年、所収）参照。

19　J・D・サリンジャー『キャッチャー・イン・ザ・ライ』

（1）本書、二六七―二六八頁。その折の注でも紹介したように、エーリッヒ・フロム『自由からの逃走』（日高六郎訳、東京創元社、一九五一年、原著一九四一年）からの引用。フロムについては、本書第2節で『どん底』を取り上げた際にも話題にした。再読されたし。

（2）第一次大戦の敗戦（一九一八年）で皇帝支配が終わると、ドイツはゲーテゆかりのワイマールの地で新憲法を制定し、史上最も民主的と称された「ワイマール体制」の共和国となる。だが、経済危機に陥り、左右両派の政治闘争が激化し、その間隙を縫うようにナチス（国家社会主義ドイツ労働者党）――いかにも右派と左派のいいとこ取りをした名称――にパクリとやられてしまった。一九三三年、ヒトラーはクーデターではなく（！）、選挙によって首相の座に就き、ワイマール憲法を停止、以後ドイツは第三帝国の悪夢の時代へと突入する。

（3）英国のE・M・フォースターがラジオや評論を通じて個人主義と民主主義の重要さを唱えたのは、ヨーロッパが全体主義（ファシズム）の嵐に襲われたこの時期のことであった。本書第10節参照。

（4）十代の若者たちの前に立ちはだかった大学受験は、ある意味〝ロマンティックな聖戦〟である。しかし、その聖戦を戦い終えた若き戦士たちは、次の目標を見いだせず、大学入学直後の緊張感が解けた五月ごろに精神の不調を訴える。戦後の高度経済成長とともに急激に進学率が上昇した昭和の後期、それを「五月病」と呼んだ。そのころと比べれば現在は、付属校からの進学やら推薦入試やら、さらに年明けの一般入試もあれこれいじくれるだけいじくって、入試のハードルを下げ、若者たちに手厚い配慮を施す。なにせ十八歳人口は一九九二（平成四）年の二百五万人をピークに、現在は百十七万人（二〇二〇年）まで減少し、いずれ百万人を切ることは確実である。そんな少子化の大波の押し寄せる中で、学生はまさに〝お客様〟！　昭和のころの受験地獄なんて、今は昔の感がある。だから、大学に入る戦いは、かつてのような大きな壁でも聖戦でもなくなっているはずなのに、五月病は相変わらず蔓延（まんえん）しているのが現状。いや、それは五月の季節病ではなく、一年中いつ発症するかわからない、また短期に治る病ではなく、長期間患う学生もいる。入学直後からずっと不調で、結局治ったのは聖なるロマンティックな戦いたる就活に突入した時期、なんて笑えない笑い話まである。

外圧なき自由の不自由さ！

（5）令和は「号令一下、国民和する」かな。政権与党の政治家が好きそうなキッチュそのものの元号だ。僕は昭和のころから「和」ということば、ないしは概念が好きではなかった。その押しつけがましさ。

（6）村上春樹・柴田元幸『翻訳夜話2　サリンジャー戦記』文春新書、二〇〇三年、二〇三頁。『キャッチャー・イン・ザ・ライ』の攻略本を読むなら、まずはこの本であろう。翻訳者とアメリカ文学が専門の東大教授が、この小説はいろいろに読める、解釈はひとつではないと教えてくれる。

（7）ジョン・ファウルズのベストセラー小説『コレクター』（小笠原豊樹訳、白水Uブックス、原著一九六三年）をご存じか。内気で人となかなか交われないフレッドは、蝶々のコレクター。死んだものなら安心できるのだ。その労働者階級の主人公が、ある日あこがれていた中流の医者の娘を拉致監禁して……イギリスの作品だ、階級が鍵になるのかと思いきや、加害者の男も被害者の女も同じアイデンティティ・クライシスの問題を抱えていたという、犯罪小説のようで、実は青春ものという異色作。作中、『キャッチャー・イン・ザ・ライ』が小道具として登場し、サリンジャー文学を意識していることを明示し、イギリスの『キャッチャー・イン・ザ・ライ』とも呼ばれている。ご一読あれ。

（8）ここで〝居場所〟といったのは、単に空間的な意味ではない。『どん底』の節でご紹介したA・H・マズローの欲求五段階説でいえば、あのピラミッドの三つ目「所属と愛情の欲求」が、ホールデンは満たされていない。周りから好かれ愛され、ここなら心が落ち着くと思える〝人生の居場所〟が確保されないと、どこへ行っても根なし草、内心の嵐が吹きやまない、ってわけだ。

そんな精神の風来坊生活をする娼婦まがいの女性を活写した青春小説に、トルーマン・カポーティの『ティファニーで朝食を』（一九五八年）がある。ヒロインの名はホリー・ゴライトリー（Holly Golightly）、ヘヘエ、〝聖なるお気楽者〟！　名刺には「旅行中」と記され——オードリー・ヘップバーン主演の同名映画の結末と違って——最後まで安住の地を求めずに、永遠の自由を渇望して放浪を続ける。自己喪失（アイデンティティ・クライシス）ものの傑作である。これも村上春樹が二十一世紀になってから新訳を出している（二〇〇八年、新潮社）。お勧め。

（9）前述の『翻訳夜話2　サリンジャー戦記』、七〇—七四頁&一八五—一九〇頁参照。村上は、ハーフ・ジューイッシュがいちばんきついという人もいる、と。アーメン（＝I agree with you.）！　サリンジャーは反ユダヤ主義の強いペンシルヴェニアのミリタリー・スクールに通っているから、そこでずいぶんいじめられたようだ。また、小学生のころは、ニューヨークのユダヤ人地区に住み、父親が事業で成功すると住民はWASPだらけのパーク・アベニューの高級住宅地に引っ越したという話をしている。さらに、ジェローム・デイヴィッド・サリンジャーは、すぐにユダヤ人とわかるファースト・ネームで、だから彼はJ・D・サリンジャーで通し、作品の中にもほとんどユダヤ系の名前の人物は登場させていないと語っている。

アメリカは一九六一年にアイルランド系のジョン・F・ケネディが、WASPではない初の大統領として登場してから、急激に変わる。本文にも記したように、公民権運動、黒人をはじめとする人種差別撤廃、女性解放運動などが盛んになる。ヴェトナム戦争反対の運動と連動して、自国の負の側面を見直す機運が高まったわけだ。それまでは、プロテストソングの旗手ボブ・ディランも、ユダヤ人であることを隠して、芸名を使っていた。ディランは、ウェールズの詩人ディラン・トマスにあやかった名前である。ユダヤ人が本名で歌い出したのは、六〇年代の後半、サイモン&ガーファンクルあたりからだ。

(10)『ハムレット』も、国王になるはずなのになれなかった王子のアイデンティティ・クライシスの物語だ。しかし、名優オリヴィエにかかると、いかにもロイヤル・プリンスって風格で、「私は何者?」と思い悩む青白き青年には見えない。ホールデンには、どこか嘘っぽく、インチキ臭く思えてしまう。

(11)前掲の『翻訳夜話2　サリンジャー戦記』、五九頁。対談で村上が「全体が構造的なホラ話」だと語ったのに対して、柴田が「これは一種の『狂人日記』である、という見方ですね」と応じている。信用できない語り手による妄想的な話というだけでなく、グダグダの口語体を意図的に使用している点でも、魯迅に――それから村上春樹にも――似ているかな。

(12)日本の大学でスパルタ教育が成立しない原因がここにある。食うに困らぬ時代、自分のやりたいことがわかっていなければ、人は易きに流れるのが当然だろう。背水の陣で厳しい授業を選択するなんて、とてもとても。しかも教室を出れば、右を向いても左を見てもエンタメまみれ、〝受身の娯楽〟に事欠かない。テレビにスマホにゲームに……なのにお上は、ビジネスの世界と勘違いして、教育現場にも「結果を出せ」「成果をあげろ」と連呼する。教育改革の名のもとに、学校教育の内容も入学試験も、コロコロ変える。「これからは人材教育の時代だ」、「グローバル人材の育成だ」、お戯れを! 教育は昔も今も、〝ハイリスク、ローリターン〟の世界である。軽々に結果を求められても、教員はシラケるばかり。人畜無害な遠吠えならいくらでも結構、しかしどうか現場に無遠慮に手を突っ込まないでいただきたい。難しいの、ガタガタ騒ぐなって。

(13)舌足らずではっきりしない挿話である。が、サリンジャーは第二次大戦中に志願して軍隊に入り、ノルマンディー上陸作戦に参加している。彼は実際に一兵士として戦争を体験し、神経衰弱に陥り、入院生活を余儀なくされている。小説では、それを具体的に書かず、意図的にぼかし、行間に臭わせているだけ。だが、彼の悪戦苦闘の体験と苦い人間観察が、一見平和でテンションの低い青春小説の行間に厚みを加えているのはたしか。すべからく文章は、書いたことより、熟知していて書かないことがどれくらいあるかによって、リアリティが変わる。

(14) ホールデンは、マズローのピラミッドの第三段階にも達していないのだから、最終第五段階の「自己実現の欲求」はおよびもつかないわけだ。エーリッヒ・フロムなら「自愛の精神」と呼ぶところ。『どん底』の節でも述べたように、本音で自分を愛せる人間は少ないものだ。学生とカラオケに行くと、彼ら彼女らの歌う曲に、「♪今の自分に正直でいたいの」、「♪ありのままの私を愛して〜」なんて歌詞がとても多いのに気づく。若者の潜在意識の発露といえようか。

おっと、一九〇〇年生まれのフロムはマズローより八歳年上、ドイツからニューヨークに逃れて、マズローとも会っている。二人は同時代に、人間性の向上について同じ方向性の心理分析を行なっている。

(15) アイデンティティ・クライシスを題材にした小説は山ほどある。その中で、人の内面の葛藤を描くだけでなく、社会性と歴史性を有して僕の好きな作品に、ノーベル賞作家ギュンター・グラスの『ブリキの太鼓』全三巻（集英社文庫、原著一九五九年）がある。大人の不純さに嫌気がさして、三歳で自らの成長を止めてしまった少年の目を通して、ナチス・ドイツに占領された時代のポーランドを凝視する。少年はポーランドの無力な一般大衆の象徴と思いきや、見方をかえれば、成長を拒否して被害者意識に凝り固まり、気に入らぬことがあればブリキの太鼓を叩きながら奇声を発して周囲に危害を加える〝意図せぬ加害者〟となる。これくらい個人と社会および歴史を対峙させると、ノーベル文学賞の声がかかる。

(16) この件も『翻訳夜話2　サリンジャー戦記』の九五—一〇六頁に的確な解説が載っている。ホールデンをそっと見守って保護するキャッチャーは、アントリーニ先生のはずなんだけど、と。

実社会でも、現代は家父長制の時代ではなし、職場でもパソコンの操作をはじめ、大人より若者の方がずっとうまく処理できる作業が激増している。年寄りがよき大人の導き手になるのは容易なことではない今日このごろ。僕ももう引退時だと考えはじめて、早二十年！

(17) ただし、サリンジャーは自分の書いた大ベストセラー小説に引きずられたというべきか、その後、俗世と交わらず、終生ニューハンプシャーの森の中で隠遁生活を送った。作家はアイデンティティ・クライシスに陥り、永遠のホールデンになってしまった。作品が売れすぎると、人生が狂うことがある。僕にはついぞ縁のない苦悩だけれど。

(18) ホールデンがスコット・フィッツジェラルドの『グレート・ギャツビー』に夢中になったと語る箇所がある（第十八章）。あの小説も、大人の欺瞞を嫌い、無垢な心を愛でて、アメリカ文学の伝統の一端を形成している。村上春樹の新訳（中央公論新社、二〇〇六年）あり。

もっとも僕のように、過度な期待を寄せられる英語教育の世界で〝叩かれてナンボ〟の商売を生業としてきた人間には、サリンジャーやフィッツジェラルドの、インチキを嫌う、傷つきやすい、純な心情に思いを馳せる文学は響いてこない。

(19) この小説には、赤いハンティング帽や回転木馬など、さまざまに解釈できる〝小道具〟が登場する。また、回転木馬に乗るフィービーを見守る僕に、ある種の成長ないしは気持ちの変化を見てとる考察もあり。複数の攻略本が、いくつもの解釈を呈示している。だが僕は、ホールデンが最後まで成長しないところに、この作品のある種の特徴があると考えている。

(20) 僕は若いころ、サリンジャー文学は素通りだったが、しかし今から思えばひどく影響を受けた作品に、庄司薫の『赤頭巾ちゃん気をつけて』（新潮文庫、初刊一九六九年）がある。作者は認めていないが、『キャッチャー・イン・ザ・ライ』のパスティーシュ作品である。柔構造の小説、主人公の甘ったれた口調の語り、フィービーを思わせる少女〝赤頭巾ちゃん〟の出現など、とってもよく似ている。だが、まったく異なるのは、主人公の薫君がホールデンのような落ちこぼれではなく、将来は国家を担うであろうエリート候補生である点だ。一九六九年の東大入試は大学紛争のあおりを受けて中止となった。日比谷高校の三年生だった薫君は、当然東大を受けて、間違いなく合格するだろうと思っていたのが、突然眼前の目標がなくなってアイデンティティ・クライシスに陥り、自分の人生や、日本の現状また将来などについてあれこれ考える。

爆発的に売れ、芥川賞を受賞し、でもこんなゆるゆるの軽い作品が芥川賞かあ、と賛否が分かれた。僕のお勧め青春小説、まだお読みでない方はぜひご自分の目で、軽いか、それとも軽そうで重いか、ご確認のほど。

(21) 僕の旧知のカウンセラーが語った話。カウンセラーはクライアントが本当に必要なヒントなど、結局のところ与えることができないだろう。しかし、その人が自分を見つめる時間と空間は共有できる。よきカウンセラーは横にいて、クライアントが自身を見つめる邪魔をしない、と。至言ですな。〝口先労働者〟たる教員が絶対にできない仕事である。教員はすぐにアドバイスしてしまう、するとたんに話が説教臭くなる。クライアントは、ホールデンみたいに、たちまち耳が閉じ、あくびが出る。

そう、一口に教育というけれど、〝教える〟のと〝育てる〟のはかなり違う。育てるとは、月（肉）の上に逆様の子、それをひっくり返す仕事だ。ただ教えるだけでは学生たちはひっくり返ってくれない。学校で教育するのも、子供を育てるのも、上司が部下に仕事を覚えさせるのも、まさに教えるよりは育てるのが大切な神経労働。中年を過ぎた皆皆様、まことにご苦労様でございます。

（22）「人生のツアー旅行」が当たり前になった令和の日本。太平洋戦争後の昭和後期には、〝個の自立〟がずいぶんと叫ばれたが、今は死語に近いであろう。敵は己の心中にあらず、ＡＩか、それとも近隣のアジア諸国か。そりゃ、外圧や外敵を作り上げた方が、人々をまとめるのは簡単だ。また、オリンピックに向けて、皆、心を一つにして頑張ろう!?――と、そんなツアーへのお誘いを毎日のように受けていると、世の中の流行に乗って生きるのもひとつの賢い生き方かなと思えてくる。

でもね、僕はやっぱり個人旅行が好き。たとえ効率は悪くても、切符を買うのが面倒臭くても、セキュリティにビクビクしながらでも、自由な一人旅がいいなあと思うのである。

20　ミラン・クンデラ『存在の耐えられない軽さ』

（1）『存在の耐えられない軽さ』からの引用は、千野栄一訳（集英社文庫、初刊一九八九年）を使用した。僕の言語学の先生だ。毒舌で鳴らし、言語学概論はわざわざ学生の集まらない月曜一限に置き、さらに眠い目をこすりながら授業に参加した学生たちには、「月曜の朝っぱらから授業に出てくる学生にろくな奴はいない。まじめな大学生は、下宿か図書館で本を読んでいるものです」と。学生だけでなく、研究者のこともバッサバッサと切って捨てる。だが、その悪口が実に的を射ていて、アカデミック。履修者は多かったが、出席などもちろん取らず、学生はみるみる減っていった。でも、僕は言語学専攻でもないのに、なぜか月曜日は二年間も千野さんのご高説を聞くために早起きした。

（2）僕の職場のフランス文学の同僚が、よく学生に“Einmal ist keinmal.”と語るという。仏文の先生なのにドイツ語を持ちだすところがシャレているのだが、つまり「本はどうせ一回読んだだけではわからない。何回読んだかという時は、一度目は数に入れない、二度目から何回と数える」と。とってもいい話ではないか。『存在の耐えられない軽さ』を一度しか読まない人は、一度も読んでいない人だ。

（3）そうね、終わったら、帰った方がいいか、泊まる方がいいか。微妙ですね。男女はだんだん泊まりたくなり、一緒に住もうかとなり、そうなると緊張感がなくなっていく。やっぱり高め合った後は、さよならする方がロマンティックな気分は持続すると、僕は思う。で、クンデラは男女間の性愛について意図的に小難しく書いてはいるが、そんなに俗世を生きる我々の感覚から遊離したことを語っているわけではない。

（4）カレーニンはカレーニナの男性形。小犬は雌なのに男の名がつけられた。テレザが「あの犬の性別が混乱しないかしら？」と言うと、トマーシュが「ご主人たちがいつも雄犬の名で雌犬を呼んだら、レスビアン的傾向を持つかもね」と、笑える会話をしている。ヨーロッパの英語以外の言語を学んでいる人には、とても面白い話が散見される小説である。

（5）第二次大戦後に東欧諸国はソ連の指導のもと共産化されたが、一九五三年にスターリンが他界し、五六年にフルシチョフがスターリン批判演説を行なうと、各国にさまざまな民主化・自由化運動の波が押し寄せた。チェコスロヴァキアでは一九六八年一月にドゥプチェックが党第一書記に就任、「人間の顔をした社会主義」をスローガンに自由化路線を打ち出し、「プラハの春」と呼ばれた。しかし、同年八月二十日に突如、ワルシャワ条約機構軍——むろんほとんどはソ連軍——の戦車隊がプラハを占領した。民衆は武器を持たずに戦車を取り巻いて抵抗、その様子を映した写真や映像が全世界で報道されて、騒然となった。テレザもそんな熱狂の渦中でカメラを構えていたわけだ。だが、ドゥプチェックがソ連に連行され、やがて解任、プラハの春は一気に終焉を迎えた。

ミラン・クンデラも「プラハの春」を積極的に支持し、その後の揺り戻しの時期に数々の抑圧を受け、一九七五年に出国、フランスで亡命生活を送ることとなった。

（6）プラハの春は、受難ながらお祭り。お祭りは、アドレナリンが出て、テンションが上がる非日常的なイベントである。競輪、競馬、パチンコなど、負けるのがわかっているのにやる賭事と同じだ。愛人との情事や高級レストランでのグルメも、そうかな。柳田国男ならケに対するハレの世界と呼ぶだろう。だがサボテンは、日常的で永続的で安心できてフッと癒される。いつも同じ人として、手をつないで寝るとか、毎日家庭料理を食べるとか……さあ、どっちが重くて、どっちが軽い!?

（7）この小説をハリウッドが映画化している。ストーリーで読ませる作品ではない小説の、そのストーリーだけをなぞって映像化すると、ふう〜ん、こんなに退屈な物語になるんだとため息の出る三流映画。ダニエル・デイ・ルイス（トマーシュ）、ジュリエット・ビノシュ（テレザ）、レナ・オリン（サビナ）と、スター性も演技力も兼ねそなえた俳優たちが出演して、このつまらなさ。よかったのは、黒い下着に山高帽の女が鏡に映った自分の姿を見るカットだけ。となると、原作はただのエロ小説ではなさそうだとあらためて認識させてくれる、反面教師的な映画ではある。

（8）ヘラクレイトスは紀元前六世紀末のギリシャの哲学者。万物は流転すると考えた。クンデラの小説の冒頭、ニーチェの永劫回帰に始まる一回性と永遠性の議論と共鳴するわけだ。

（9）ヘヘエ、クンデラはフランスへ渡り、彼の作品は祖国では禁書となり、長くチェコ国民に読まれることはなかった。はて、『存在の耐えられない軽さ』はいったい誰を想定読者にして書かれたのであろうか。

（10）他にも西側と東側の違いがよく表れている記述がいくつもある。墓地はフランツが「骨と石の汚い集積所」と考えているのに対して、「チェコの墓地は庭に似ている」、墓石は草花におおわれ、「墓地にはいつも平和があった」と語られる。これについては、大学院のゼミで『存在の耐えられない軽さ』を読んだ際に、ブルガリア人の留学生が「私たちはよく墓地でデートする。静かでロマンティックだから」と教えてくれた。彼女はフランス語、ブルガリア語、英語でテキストを読んでいた。また、ロシア語のよくできる日本人の学生がいて、ロシア語と日本語で読むと「千野訳がとても正確な翻訳なのがわかる」と絶賛していた。あの授業は教えられることの多い、実に楽しい時間だった。参加者に感謝！

（11）私見。人生はそもそも重たいものだった、たぶん。多くの人間にとって生きていくだけで大変な時代が何千年も続いた。

日本もほんのつい最近まで、そう、僕の子供のころまで、男は家族を食わしていけば、それで生きている充実感を味わえた。女は料理、洗濯、育児などに追われて、一日がほぼ終わった。だが、電気洗濯機、電気掃除機、冷蔵庫、食事も出前、さらにはコンビニ弁当まで。二十世紀後半に至って、快適な生活が可能になった、軽く生きられるようになった。そこで初めて、人生は重い方がいいか、軽い方がいいかなんて形而上的な問いかけが可能になる。これ、先進国病の時代の問いである。厄介な世の中になった。

で、僕は十kgといわず、せめてあと五kg痩せたい。体重の耐えられない重さ！

(12) ジークムント・フロイトがこの神話を題材にして、一般に男子が母親を慕い、父親に反感をもつ心理をエディプス（オイディプース）・コンプレックスと呼んだのも、ご存じのとおり。『存在の耐えられない軽さ』は、典型的な二十世紀、「心理学の世紀」の現代小説。フロイトを想起させるものも潜在意識も、当たり前のように登場する。

(13) クンデラ曰く、「人間というものはなんとお世辞に弱いのであろう！」、人を信用しないためには「ものすごい努力と訓練」が要求される、と。小説全体からすれば、ちょっとしたエピソードに過ぎないが、実際に当局から尋問された経験をもつ作者が得た教訓が綴られていると考えて間違いないだろう。いや、秘密警察だけでなく誰だって、人から何かを聞き出そうとすれば、相手を脅すよりはおだててリラックスさせ、しゃべらせるのが常套手段である。人は皆、そういうことをされているし、また自分もしている。怖いですな。

(14) こんなにスケベで毒があって面白い小説は、現国の授業では取り上げにくい。不道徳？　いやいや、文学は道徳ではないはずだ。夏目漱石の代表作は『坊っちゃん』ではないし、太宰治も「走れメロス」が最高傑作ではないんだけど、いざ教科書に載せるとなると、それくらいのぬるくて清潔で無難で無害な作品が選ばれる。学校は〝善人〟を作るところ。〝無菌室〟！だから、本当に文学的な価値のある作品は、教室の外で、自分で読むしかない。

よって、僕は二〇二二年度から高校の国語で適用される文学の選択科目化には賛成である。文学をもうそろそろ教室から解放すべき時期に来ている。ただし、文学の代わりに実用文を教科書に入れたからといって、若者たちの読み書き能力や論理的思考力が向上するとは、金輪際考えていない。教育現場はそんなに生易しい状況にはない。

うになる。

（15）『車輪の下』の神学校の教師たちが思い浮かぶ。また、魯迅の正人君子への憎悪も、同様の憤りがその源にある。さらに、日本の学校も似たり寄ったりだ。試験には常に正しい答えがあって、それに慣れた学生たちもまた、解説より答えを求めるようになる。

歴史家のR・G・コリングウッドが述べている。教育によって獲得したすべての知識には、特殊な錯覚、つまり決着の錯覚が伴う、「生徒の立場」にあれば教科書や教師が解決済みと考える事柄は解決したものと思い込まなければならない、しかしその状態を脱して、独力でその学科の勉強を続けると、何も解決していないことがわかる（R・G・コリングウッド『歴史の観念』小松茂夫・三浦修訳、紀伊國屋書店、一九七〇年、八頁）。いい話じゃないか。基礎学力作りと学問はちょっと違うんだよなあ。

（16）クンデラは、「カンボジアはこのとき、内戦、アメリカによる爆撃、国内の共産主義者による民族を五分の一減少させた大量殺戮、そして最後に、このときにはもうロシアの手先以外の何物でもなかった隣国ベトナムの占領を経験していた」と記している。「プラハの春」とその後のソ連の侵攻が一九六八年、同年「パリ五月革命」、そのころアメリカはヴェトナム戦争から足抜けできず、世界中から「ヤンキー・ゴー・ホーム」とシュプレヒコールを浴びていた。そんな苦境を打開すべく、ニクソンはヴェトナムの隣国カンボジアへ攻め入って、ヴェトナム和平どころか戦火をインドシナ半島の内陸へと拡大させた。世界各地で米ソの代理戦争が延々と繰り広げられた冷戦期。そして、二十一世紀の今日も――地球の景色は一向に変わらない。キッチュそのもの。

（17）そうねえ、僕が自分の性格を暗いと思っていなくても、学生たちは暗いと思っているよなあ。嫌だなあ、彼ら彼女らの明るき夢や希望に悪影響を及ぼさなければいいんだけど。でもね、僕の座右の銘のひとつに、「我々にふさわしい幸福は、我々が非難するものに依存している（Our proper bliss depends on what we blame.）」（アレグザンダー・ポープ）ってのがある。皆が嫌うものが、人間の人生と社会を支えている。教育もそのひとつと思って、学生の求めていない授業を四十年近くやってきたつもりだ。定年まであと四年。引退の日が心から待ち遠しい今日このごろである。

（18）ということで、答えのない分野たる文学の授業では、僕はできるだけカウンセラーよろしく学生の話を傾聴するように努めている。いや、文学だけでなくすべての授業に関して、僕は昔から「何も教えないのがいちばんいい教師」と唱えてきた（あっ、いや、全然実践できていないけれど！）。情報は最小限しか与えない、僕が考えた答えは言わない、若者たちの思索の軽重・深浅にかかわらず、彼らの話をフンフンと面白そうに聞く、各人の〝自分探し〟の邪魔をしない……

なので、せいぜいアドバイスとしては授業の最後に、「じゃあ、避妊だけはちゃんとするように」。すると、わがゼミ生たちは、「は〜い、気をつけてま〜す」、「大丈夫で〜す」、「先生、うちのお父さんと同じこと言う。うちの父親、毎月言うんですよ。そんなに心配ですかあ?」う〜ん、しどろもどろ。やっぱり何も教えないにかぎる。そうだ、それが教育の理想だ！

おわりに

「はじめに」で語った「いったい文学って何なんでしょう？」なる問いに対する答えは、本文でも繰り返したように、「文学に答えはない」になりそうだ。その豊かさと面白さ。

二十一世紀の情報化社会、我々は情報という名の〝答え〟を知りたがり、飛びつき、そして終始振り回されている。インターネットやハウツー本にある〝眼前の答え〟は、我々を心底納得させてくれないどころか、いつの間にか我々の心を深く傷つけているのではないか。世の中、答えだらけ、何をどう信じたらいいのか。我々は情報の洪水の中で溺れている。

そんな時、忙しさの合間に読む文学作品は、答えがないのに、いや、答えがないゆえに、我々が自分の魂と問答するためのよきカウンセラー役を果たしてくれる。自分の腹に落ちてくる答えは、結局己の心の中にしか存在しない。それを自ら発見するための触媒であり、同時によき見守り役にもなってくれるのが、文学ではないだろうか。

そして「現代」――現代は今を生きる我々にはわからない。その不安、恐れ。そこで本書では、今の今を論じるよりは、現代を異化してみようと試みた。二十一世紀の日本よりは、中世や近代や、それから未来を扱った各国の作品を選び、それらを語ることによって、現代を相対化し、自分たちの立ち位置を俯瞰で見てみよう、と。

さらに「解題」について。僕はこれまでずっと解題ないしは「プロモーション・ブック」ばかりを書きつづけてきた。授業も、「はじめに」で触れたように、必ずしも文学に関心があるわけではない学生たちと一緒に作品を読んできた。だから、僕はごく自然にゼロベースで文学を語ることに慣れ、また学生たちの素朴な、それゆえに文学の本質を問う質問に立ち往生することを楽しみはじめた。根源的な質問にゼロベースで答える。しばしばそれができるのは、僕ではなく、むしろクエスチョンを発した学生自身だったりする。おゝ、それが文学を読む際のあるべき姿ではないか。

なので、書くものも論文や批評ではなく解題、ちょっとした〝攻略本〟、そして「この本、面白いよ〜」とプロモーションする書物、それで十分だ。

また二十数年前、僕の勤める職場が主に社会人を対象に大学院を開講して一年ほどたったころ、同僚たちと「社会人の院生たちに何を教えたらいいんだ」という議論になったことがある。およそ大学の教員たちの議論はコンセンサスに至らない。自分でものを考えるのが仕事の面々、自我も強く、専門はそれぞれ異なり、研究についても教育についても、ほとんどひとつの〝答え〟に到達しない。それが大学の当たり前の風景である。ところが、同僚たちが不思議なほど異口同音に、「院生たちが本を精読できない」と。読むのは速い、文章も社内メモみたいなものはチャッチャカ書いてくる、でも本を精読して、じっくり考えるのがなあ、だからレポートも含蓄とか思索とか論理性がどうも、と。へへエ、これが、三十数年間の僕の大学教員生活で、周りの先生たちとコンセンサスを得た唯一の論題だったかもしれない。

そこで僕は、学生たちにきちんと精読させようと、あらためて決心した。多読ではない。彼ら彼女らに、本を熟読しながら深く思索できる人間になってほしい。僕が英語を捨てた理由もそこにある。自分の母語で自分の心の中にある諸々と本音で問答してほしい。

おっと、近ごろお上は「ものを考えられる人間」の養成を声高に唱えているが、あれと一緒にはされたくない。そんな教育が簡単にできるんだったら、現場は苦労していない。それを五十万人以上が受ける試験でやりたいなんて、まさに空理空論、絵に描いた餅。センター入試のドタバタは身から出た錆としかいいようがない。

さらに、わが文学の師匠、日高八郎先生のことば——「大学生のころは他人の批評が気になるだろうが、早く自立して自分の目で作品を読めるようになりなさい」、また「文学を真空管の中にあるものと考えてはいけない。古典は自分の人生と足を絡ませて、はじめて面白くなる」。この教えのおかげで、僕は他人の書いた批評や論文が気にならなくなった。浅学菲才のわが身を自覚しながら自分の目で作品を精読し、自分の凡たる人生経験と人生観に照らして、長年飽きずに文学と付き合いつづけることができた。むろん僕ひとりではわからぬ箇所は多々あり、各種の攻略本のお世話にもなった。それから、ゼミや大学院の授業での議論がどれほど僕の理解の助けになったことか。人それぞれ、いろいろな読み方があるのは、日ごろから骨身に沁みている。

だからこの解題も、〝客観的で間違いのない読み方〟風の書き方はしていない。僕は僕なりに腑に落ちてから書いているのだが、それでもあくまで「僕はこういう風に読んだんだけど、どうだろうね」と問いかけるスタンスで綴っているつもり。僕の読みはひとつの答えであって、唯ひとつの答えでは決してない。

使用した翻訳は、本文または注に記してある。解題だから、直接引用だけでなく、多くの間接引用も翻訳版に寄り添ったことばや表現で挿入している。出典はページ数までは示していないが、皆様が作品を読めば、すぐに「あゝ、ここから取ったんだな」とわかるはず。ぜひご自分の目で作品を読まれたし！

この場を借りて、僕の読めない言語で書かれた書物を翻訳してくださっている方々に、心よりお礼を申し上げる。外国語教育がほとんど英語オンリーに偏（かたよ）っている――それで〝グローバル教育〟とは笑止千万だ――わが国にあって、英語以外の言語からの翻訳は、非英語圏にわずかに開いた貴重な文化の窓である。

本書で取り上げた各作品、また諸言語に関して、たくさんの友人、同僚に教えを乞うた。とくに村田真一（ロシア文学）、橋本秀美（中国哲学）、陳継東（中国哲学）、國分俊宏（フランス文学）、井上優（演劇学）の各氏には原稿を読んでいただき、貴重なご意見を頂戴した。また、本文中に友情出演してもらった同僚、友人、大学院生、ゼミの学生、そして家族にも、感謝申し上げる。

青山学院大学国際政治経済学会からは出版助成をいただいた。編集は旧知の仲となった国書刊行会の清水範之さんにお願いした。毎回本を出版するたびに、多くの人々の支えあっての自らの仕事と実感させられる。お世話になったひとりひとりの方々に心からの感謝を込めて。

二〇二〇年一月

狩野良規

スクリーンの中に英国が見える

狩野良規

A5判／五七八頁／四五〇〇円

ハリウッドとはまったく異質の伝統を有する「イギリス映画」を通して、イギリス人に特有の価値観を探り、イギリスの歴史を学ぶ、楽しく読めて、ためになる画期的映画評論。図版八十点収録。

ヨーロッパを知る50の映画

狩野良規

四六判／三七二頁／二四〇〇円

ヨーロッパ映画を丸かじり！　北欧から南欧、東欧から西欧まで、ハリウッド映画とは異質な、五十本のヨーロッパ映画をとりあげ、銀幕の中からヨーロッパ的な世界観をあぶり出す、痛快無比の映画評論。

続ヨーロッパを知る50の映画

狩野良規

四六判／三八六頁／二四〇〇円

ヨーロッパはやっぱり歴史！　古代から中世、革命の世紀、二度の世界大戦と冷戦、ベルリンの壁崩壊を経て9・11まで、銀幕に浮かび上がるヨーロッパの歴史と魂に思いを致す、大胆不敵な映画評論。

ソラリス

スタニスワフ・レム／沼野充義訳

四六判変型／三七〇頁／二四〇〇円

ほぼ全域を海に覆われた惑星ソラリス。その謎を解明すべくステーションに乗り込んだ心理学者ケルビンのもとに今は亡き恋人ハリーが現れる……。「生きている海」をめぐって人間存在の極限を描く傑作。

税別価格。価格は改定することがあります。

著者略歴
狩野良規（かのうよしき）
一九五六年東京都生まれ
東京外国語大学外国語学研究科修士課程修了
東京都立大学人文学部（史学専攻）卒業
オックスフォード大学留学（一九九一―九二年）
現在　青山学院大学国際政治経済学部教授
専攻　イギリスおよびヨーロッパ文学・演劇学・映像論
主な著書
『シェイクスピア・オン・スクリーン』（三修社）
『スクリーンの中に英国が見える』（国書刊行会）
『ヨーロッパを知る50の映画』正・続（国書刊行会）

現代(げんだい)を知(し)るための文学(ぶんがく)20

二〇二〇年三月十六日初版第一刷印刷
二〇二〇年三月二十六日初版第一刷発行

著者　狩野良規
発行者　佐藤今朝夫
発行所　株式会社国書刊行会
東京都板橋区志村一―十三―十五　〒一七四―〇〇五六
電話〇三―五九七〇―七四二一
ファクシミリ〇三―五九七〇―七四二七
URL : https://www.kokusho.co.jp
E-mail : info@kokusho.co.jp
装訂者　鈴木正道(Suzuki Design)
印刷・製本所　中央精版印刷株式会社
ISBN978-4-336-06576-6 C0090

人名索引

ア

イ

ウ

エ

ケ

コ

サ

シ

ヒ

フ

ヘ

ホ

マ

ミ

ム

メ

モ

文献名索引

ス

セ

ソ

タ

チ

ツ

テ

ト